Les Chevaliers d'Antarès

Tome 8
Porteur d'espoir

Déjà parus dans la même collection :

Les Chevaliers d'Antarès, tome 1 – Descente aux enfers
Les Chevaliers d'Antarès, tome 2 – Basilics
Les Chevaliers d'Antarès, tome 3 – Manticores
Les Chevaliers d'Antarès, tome 4 – Chimères
Les Chevaliers d'Antarès, tome 5 – Salamandres
Les Chevaliers d'Antarès, tome 6 – Les sorciers
Les Chevaliers d'Antarès, tome 7 – Vent de trahison

À paraître en 2018 :

Les Chevaliers d'Antarès, tome 9 – Justiciers
Les Chevaliers d'Antarès, tome 10 – La tourmente
Les Chevaliers d'Antarès, tome 11 – Alliance
Les Chevaliers d'Antarès, tome 12 – La prophétie

À ce jour, Anne Robillard a publié plus de soixante romans.
Parmi eux, les séries cultes *Les Chevaliers d'Émeraude* et
Les héritiers d'Enkidiev, la mystérieuse série à succès *A.N.G.E.*,
Qui est Terra Wilder ?, *Capitaine Wilder*,
la série surnaturelle *Les ailes d'Alexanne*,
la trilogie ésotérique *Le retour de l'oiseau-tonnerre*,
la série rock'n roll *Les cordes de cristal*
ainsi que plusieurs livres compagnons et BD.

Ses œuvres ont franchi les frontières du Québec
et font la joie de lecteurs partout dans le monde.

Pour obtenir plus de détails sur ces autres
parutions, n'hésitez pas à consulter
son site officiel et sa boutique en ligne :

www.anne-robillard.com / www.parandar.com

ANNE ROBILLARD

Les Chevaliers d'Antarès

Tome 8
Porteur d'espoir

Catalogage avant publication de Bibliothèque et Archives
nationales du Québec et Bibliothèque et Archives Canada

Robillard, Anne

  Les Chevaliers d'Antarès

  Sommaire : t. 8. Porteur d'espoir.

  ISBN 978-2-924442-61-6 (vol. 8)

  I. Robillard, Anne.   Porteur d'espoir.   II. Titre.

PS8585.O325C42 2016   C843'.6   C2015-942610-3
PS9585.O325C42 2016

Wellan Inc.
C.P. 85059 – IGA
Mont-Saint-Hilaire, QC   J3H 5W1
Courriel : info@anne-robillard.com

Illustration de la couverture et du titre : Aurélie Laget
Illustration de la carte : Jean-Pierre Lapointe
Mise en pages et typographie : Claudia Robillard
Révision et correction d'épreuves : Annie Pronovost

Distribution : Prologue
1650, boul. Lionel-Bertrand
Boisbriand, QC   J7H 1N7
Téléphone : 450 434-0306 / 1 800 363-2864
Télécopieur : 450 434-2627 / 1 800 361-8088

Dépôt légal – Bibliothèque et Archives nationales du Québec, 2017
Dépôt légal – Bibliothèque et Archives Canada, 2017

« Oublie toutes les raisons pour lesquelles cela ne fonctionnera pas et crois en la seule raison pour laquelle cela fonctionnera. »

— Auteur inconnu

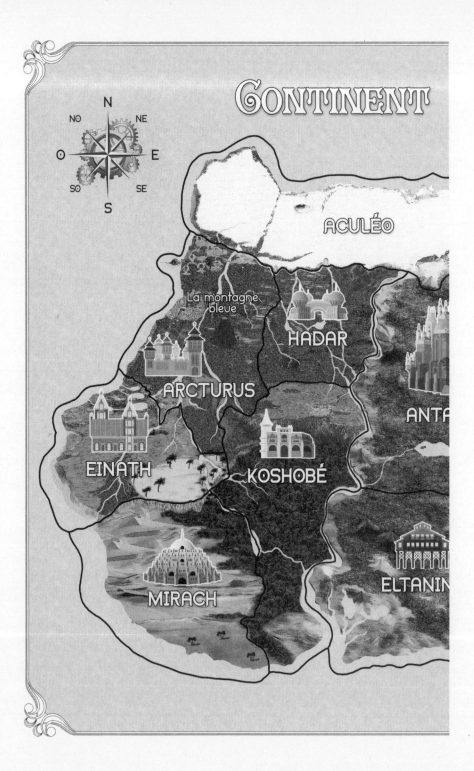

D'Alnilam

MARKAB

ALTAÏR

PHELDA

ARÈS

ANKAA

ALUDRA

GAELLANS

NE

GIRTAB

L'île défendue

CAPTIVE

La première sensation qu'éprouva Sierra en ouvrant les yeux fut un affreux mal de crâne. Elle avait souvent été blessée lors des combats contre les Aculéos depuis qu'elle était devenue un Chevalier d'Antarès, mais jamais ses ennemis n'avaient réussi à lui faire perdre conscience. Elle attendit patiemment que l'étau qui lui compressait la tête se desserre, mais la douleur ne passait pas. Elle décida donc de l'ignorer et de procéder à une reconnaissance du lieu où elle se trouvait. En tentant de se redresser, Sierra découvrit qu'elle était allongée sur de la fourrure. « Il n'y en a ni dans nos campements ni à la forteresse », songea-t-elle.

Au prix d'un suprême effort de volonté, elle parvint à s'asseoir. Sa vision d'abord trouble s'améliora petit à petit. Avec surprise, elle constata qu'elle se trouvait dans une immense caverne éclairée par de curieuses pierres blanches collées aux murs. Le plancher était lisse, comme s'il avait été foulé par des milliers de pieds pendant des siècles. Sierra aperçut une dizaine de tunnels percés près du sol qui partaient dans des directions différentes. Ils étaient illuminés de la même façon que la grotte. Elle crut qu'il n'y avait rien d'autre dans cette vaste salle troglodyte, jusqu'à ce que ses yeux s'arrêtent sur un promontoire de grosses roches. Il était surmonté par ce qui lui parut être une chaise fabriquée avec des ossements.

« Où suis-je ? Que m'est-il arrivé ? » Ne trouvant rien autour d'elle qui puisse la renseigner, la grande commandante fit appel à sa mémoire. Que s'était-il passé avant qu'elle se réveille dans cet endroit ? Elle revit Wellan qui lui prenait la main et qui la ramenait au campement des Chimères. Slava les avait rejoints pour leur répéter qu'un sillon s'était spontanément formé à la surface du canal de Nemeroff et que des Aculéos avaient surgi de nulle part. Sierra avait dirigé Slava à sa gauche et Wellan à sa droite afin d'empêcher ces monstres d'aller plus loin. Comme eux, elle avait foncé dans la forêt en sortant son long poignard de son étui. « J'ai ralenti quand j'ai entendu du bruit dans les broussailles... » Puis elle avait reçu un violent coup à la tête.

Effrayée à l'idée d'avoir été enlevée par l'ennemi, Sierra serra les dents pour faire taire ses souffrances et tenta de se lever. C'est alors qu'elle sentit les bracelets de fer autour de ses poignets. Elle en avait déjà vus de semblables dans la prison d'Antarès... « Je ne comprends plus... » En tirant sur ses entraves, elle découvrit qu'elles étaient reliées à des chaînes elles-mêmes attachées à deux gros anneaux plantés dans le mur !

Sierra ne portait ni son plastron, ni ses protège-bras, ni sa ceinture d'armes. Elle n'était vêtue que de son débardeur, de son pantalon et de ses bottes. Il ne faisait ni froid ni chaud dans cet endroit, mais elle savait qu'un terrible danger la guettait. « Peu importe où je me trouve, je dois sortir d'ici », décida-t-elle. Malgré le marteau qui frappait de grands coups dans son crâne, elle se mit à tirer sur ses liens pour se rendre compte qu'ils étaient très solides. Elle tenta donc de faire glisser ses poignets hors des bracelets, mais ils étaient trop serrés. Il ne lui restait donc qu'une solution : attendre que son ravisseur se manifeste et négocier sa libération. « Wellan est certainement déjà à ma recherche », songea-t-elle. Cette seule pensée lui redonna du courage.

Elle allait se coucher de nouveau sur la fourrure lorsqu'elle entendit des pas. Sur ses gardes, elle promena son regard dans toute la caverne jusqu'à ce qu'elle aperçoive la silhouette d'un homme qui venait de sortir d'un des tunnels. Il n'avait ni pinces ni dard, mais Sierra savait que les Aculéos avaient commencé à s'en défaire. L'inconnu s'avança vers elle sans se presser. Il ne portait qu'un pagne et ses cheveux n'étaient pas de plusieurs couleurs. « Un allié ? » se demanda la grande commandante. Son intuition lui cria le contraire.

« Les Aculéos ont commencé à se transformer pour nous ressembler », se rappela-t-elle. Sierra se garda donc de l'appeler à l'aide. Elle le laissa venir à elle sans prononcer un seul mot et examina plutôt son visage. L'homme avait les yeux bleus très clairs et de longs cheveux grisonnants. « Ou bien c'est une trace de son appartenance scorpionne ou bien c'est un signe de son âge », raisonna la grande commandante. Plus il approchait, plus elle était persuadée de l'avoir déjà croisé quelque part.

L'homme s'accroupit à quelques pas de la femme Chevalier pour l'étudier à son tour. « Dans la barque, chez les Chimères ! » se rappela-t-elle.

– Bienvenue chez moi, lui dit-il, d'une voix profonde. As-tu un nom ?

– Oui et toi ? rétorqua sèchement Sierra.

– Je m'appelle Zakhar. Je suis le roi des Aculéos.

Sa captive n'arqua même pas un sourcil.

– J'imagine que ça ne te dit rien, du moins pour l'instant. À ton tour, maintenant.

Sierra garda le silence.

– Je te dis la vérité.

– Je me moque de ton nom ou de ton titre, grommela-t-elle. Laisse-moi partir.

– J'ai bien peur que ce ne soit plus possible.

L'air de défi de cette ravissante femelle blonde plut tout de suite à l'Aculéos.

– J'ai beaucoup de questions à te poser sur les humains et leurs coutumes et j'ai aussi des besoins à assouvir.

– Ne perds pas ton temps avec moi.

– On dirait que tu ne comprends pas encore ta situation, ma jolie. Tu m'appartiens, désormais, et que tu en aies envie ou non, tu devras te plier à mes caprices.

– Plutôt mourir.

– Si je n'arrive pas à te faire céder, c'est bien ce qui pourrait t'arriver.

– Alors, tue-moi tout de suite, parce que je ne te donnerai rien du tout.

– J'éprouve beaucoup trop d'attirance pour les belles femmes. Si tu refuses de me fournir les informations que je cherche, tu me donneras au moins du plaisir et, qui sait, peut-être plusieurs enfants qui représenteront l'avenir de mon peuple.

– Ça, jamais.

– Mais avant de te soumettre à ma volonté, je veux savoir s'il y a des généticiens à Alnilam.

– Il n'y en a plus.

Zakhar la gifla durement. Sierra recula jusqu'à la paroi de la grotte avec l'intention d'utiliser ses chaînes pour l'étrangler s'il avait l'audace d'aller plus loin. Rapide comme un serpent, le roi la saisit au cou d'une seule main pour l'attirer à lui. Sierra se débattit comme une forcenée, mais l'emprise de l'Aculéos était puissante.

– Lâche-moi! hurla-t-elle en rougissant de colère.

De sa main libre, Zakhar réussit à caresser le visage de sa captive.

– Il n'y a rien dans tout mon royaume qui soit plus doux que ta peau. Ce sera une expérience enrichissante tant pour moi que pour toi, tu verras.

Pour lui montrer qui était le maître, le roi écrasa Sierra dans les fourrures en maintenant sa main sur sa gorge et, de l'autre, il tenta de lui arracher ses vêtements. Elle ramena vivement ses jambes sur son abdomen et enfonça le plat de ses bottes dans l'estomac de son agresseur. Le coup envoya Zakhar rouler plus loin sur le plancher. Sans perdre une seconde, Sierra recula encore une fois près du mur, prête à se battre pour sauver sa vie. Lorsque l'homme-scorpion revint à la charge, elle lui balança ses chaînes au visage. Il hurla de colère et tenta de la frapper, mais elle para le coup avec son avant-bras.

– Tu me donneras des enfants jusqu'à la fin de ta vie !

Sierra utilisa tous ses membres pour le repousser, ce qui attisa sa rage. Si elle n'avait pas également été aux prises avec son cuisant mal de tête, elle aurait sans doute pu le blesser assez sérieusement pour qu'il la laisse tranquille, mais la douleur l'affaiblissait. Zakhar en profita pour la frapper encore et encore, mais comme elle continuait de se démener, il sortit de son pagne la vessie de phoque où il conservait les aiguilles enduites de liquide anesthésiant que les guérisseurs avaient préparées pour lui. Il en retira une et la planta dans le bras de sa proie.

– Non ! hurla Sierra, qui sentait ses forces la quitter.

Encore une fois, ce fut le noir.

Chez les Chimères, conformément aux ordres de la grande commandante, Wellan et Slava étaient partis chacun de leur côté, mais les Aculéos qu'ils poursuivaient avaient été plus rapides qu'eux. Leur trace s'arrêtait sur le bord du canal. Ils avaient sans doute sauté dans leur embarcation et détalé comme des lapins en se rendant compte que les Chevaliers les avaient repérés. Les deux soldats revinrent donc dans la clairière où Sierra leur avait demandé de se rendre après la chasse.

Lorsqu'ils s'aperçurent qu'elle ne s'y trouvait pas, ils espérèrent qu'elle avait eu plus de chance qu'eux.

Au bout de longues minutes, comme elle ne réapparaissait pas, Wellan et Slava s'élancèrent dans la forêt à partir de l'endroit où ils l'avaient vue s'enfoncer entre les arbres. Ils aboutirent au canal sans trouver ni la femme Chevalier ni de corps mutilés. Wellan utilisa aussitôt son pouvoir de localisation et scruta les alentours sans capter sa présence. Il grimpa sur le parapet et sonda le cours d'eau, craignant qu'elle y soit tombée. Toujours rien. « Aurait-elle poursuivi les intrus au-delà du canal sans appeler de renforts ? » Cela aurait été contraire aux règlements qu'elle tenait à faire respecter. Il se tourna vers le pied de la falaise. Elle n'y était pas. « Elle a peut-être subi une blessure qui l'a forcée à rentrer au campement », songea-t-il, de plus en plus inquiet. Il chercha de ce côté et même plusieurs kilomètres au-delà des tentes.

– Alors ? le pressa Slava, au bord de la panique.

– Elle n'est pas aux alentours.

Ils pivotèrent tous les deux vers la falaise, effrayés.

– Sierra sait nager, mais dans ce courant, il est difficile de ne pas être emporté, s'alarma Slava.

– J'ai déjà sondé le canal jusqu'à la rivière Caléana. Et si elle s'était aventurée dans le tunnel percé au pied de la falaise en pensant que nous allions la suivre ?

– Chez les Aculéos ? Non, jamais elle ne ferait une chose pareille. Ça va à l'encontre de tout ce qu'elle nous a enseigné.

– Slava, je vais me risquer à l'intérieur de la falaise avec mon esprit, mais en quittant ainsi mon corps, celui-ci deviendra vulnérable jusqu'à mon retour. Pourrais-tu t'assurer que rien ne m'arrive ?

– Vas-y. Je veille sur toi.

Wellan s'assit sur le sol et s'appuya le dos contre le muret du canal. Il ferma les yeux en ralentissant sa respiration. Il était conscient qu'il pourrait encore une fois être attaqué par le sorcier qui protégeait les hommes-scorpions et que Slava ne pourrait rien faire pour le sauver. Mais il n'était pas question qu'il laisse tomber Sierra. Il espéra seulement qu'il la retrouverait vivante.

Il scruta le pied de la falaise avec son esprit et découvrit l'entrée percée au niveau de l'eau. Sans vraiment savoir où il allait, il remonta ce tunnel pour finalement aboutir dans une vaste caverne. Il flaira aussitôt la présence de la grande commandante. « Mais comment a-t-elle pu se rendre jusque-là ? » s'étonna-t-il. Il continua d'avancer et la trouva roulée en boule dans un coin. Wellan capta ses souffrances et son désespoir. Ils étaient si intenses qu'ils lui firent réintégrer brusquement son corps. En le voyant défaillir, Slava le saisit par les épaules.

– Wellan, est-ce que ça va ?

– Ils l'ont capturée, réussit-il à articuler après avoir repris son souffle.

– Elle est là-dedans ?

L'ancien soldat hocha vivement la tête.

– Est-elle encore vivante ? osa demander Slava.

– Oui, mais les Aculéos l'ont torturée...

– Ne pouvais-tu pas la ramener avec ton esprit ?

– Non. Je ne pourrais le faire qu'en m'infiltrant physiquement dans leur cité souterraine.

– Nous devons organiser son sauvetage avant qu'ils se lassent d'elle et qu'ils la tuent, décida le commandant temporaire des Chimères.

Il aida Wellan à se relever, mais celui-ci eut un vertige. Il le soutint pour les premiers pas, puis le relâcha lorsqu'il eut repris son équilibre. Ils retournèrent au campement pour mettre les Chevaliers au courant de la situation et décider tous ensemble de ce qu'ils devaient faire.

LE SAUVETAGE

Wellan suivit Slava entre les arbres, car même dans l'obscurité, ce Chevalier savait exactement où il allait. Au campement, ils ne trouvèrent que les sentinelles autour des feux. Elles s'apprêtaient à relayer leurs compagnons. Urkesh sentit tout de suite que quelque chose n'allait pas.

– Pourquoi ces mines d'enterrement ? s'alarma-t-il.

– Les Aculéos se sont emparés de Sierra, annonça nerveusement Slava.

– Quoi ? s'exclamèrent les sentinelles en bondissant sur leurs pieds.

– Il faut la secourir ! décida Méniox, prêt à partir.

– Commence par sonner l'alarme, ordonna Slava, mais fais en sorte que les Aculéos ne l'entendent pas.

– On n'obtient qu'une seule note avec la corne et il est impossible de ne pas souffler fort dedans, commandant.

– Dans ce cas, divisez-vous et allez réveiller tout le monde. Ne perdez pas de temps.

Méniox, Kélée, Nafanaïl, Tolik et Vakram s'élancèrent vers les tentes. Aussi rapidement qu'ils le pouvaient, ils pénétrèrent dans chaque abri et informèrent en peu de mots les dormeurs de ce qui se passait. Le processus nécessita plus de temps que si Méniox avait utilisé la corne, mais il voulait à tout prix éviter d'alerter l'ennemi de l'imminence d'une charge de la part des Chevaliers d'Antarès.

Les Chimères finirent par s'entasser autour des feux, où leur commandant faisait les cent pas en regrettant qu'Ilo ne soit plus là. Même Kharla, Skaïe et Camryn s'étaient joints aux soldats, enveloppés dans leur chaude cape. Tous attendaient avec impatience que Slava ouvre enfin la bouche. Celui-ci était aussi pâle que la lune et visiblement atterré.

– Je t'en prie, explique-toi, le pria Urkesh.

– Sierra a été capturée par les Aculéos, lâcha le commandant en s'immobilisant.

– En es-tu certain ? voulut s'assurer Antalya, incrédule.

– Wellan a effectué un repérage magique de la falaise et il l'a trouvée à l'intérieur.

– Dans quel état ? demanda Méniox.

– Elle a été torturée, répondit l'ancien soldat.

Un grondement de colère s'éleva de la garnison.

– Comment ont-ils réussi à la prendre ? explosa Cyréna. Elle sait mieux se défendre que les plus féroces d'entre nous !

– Nous n'en savons rien, avoua Slava. Seule Sierra pourra nous l'expliquer à son retour.

– Lançons-nous à l'assaut de la falaise ! tonna Thydrus. Montrons-leur qu'on ne touche pas aux commandants d'Antarès sans provoquer notre colère !

– Nous ne sommes pas des Manticores, leur rappela Slava. Les Chimères sont une division organisée. Je vous ai réunis d'urgence pour que nous discutions de la meilleure façon de secourir Sierra en nous assurant que les Aculéos ne profitent pas de ce sauvetage pour envahir nos terres.

Son avertissement sembla modérer leurs ardeurs.

– Ce serait du suicide de pénétrer dans ces tunnels dont nous ignorons tout, les mit en garde Cercika.

– Ils auraient le temps d'exécuter Sierra avant de nous massacrer, car il est certain que sur leur propre terrain, les hommes-scorpions seront beaucoup plus forts que nous, renchérit Cyréna.

– Nous ne pouvons pas non plus les laisser faire la pluie et le beau temps ! répliqua Kharla avec un air de combat.

À côté d'elle, Skaïe se creusait les méninges pour trouver une façon plus sécuritaire d'arracher Sierra des griffes de l'ennemi.

– Si je comprends bien, les Aculéos ont enlevé notre grande commandante pour nous démoraliser et pour nous désorganiser, laissa tomber Méniox.

– Alors, c'est qu'ils ignorent tout du feu qui anime les Chimères ! lança Camryn.

Les soldats lui donnèrent raison à grand renfort de cris. Slava leva les bras pour les inciter au calme.

– Je pense qu'un petit commando aurait plus de chance de délivrer Sierra que tout un bataillon, leur fit-il savoir.

– J'en suis ! décida Nikanor.

– Moi aussi ! s'exclama Cyréna.

Une centaine de Chimères se portèrent volontaires, ce qui allait à l'encontre du plan de Slava. Wellan se leva afin de leur faire connaître son point de vue.

– Il n'est pas question que vous meniez une telle offensive contre les Aculéos, les avertit-il. Je serai le seul à m'aventurer dans leur labyrinthe.

– Je refuse d'être ainsi écartée du sauvetage, rétorqua Antalya, fâchée.

Ses compagnons d'armes se rangèrent derrière elle.

– Mon but n'est pas de vous contrarier. Vous êtes des Chimères, alors prenez le temps de réfléchir à la meilleure façon de sortir la grande commandante de là sans que cette opération se solde par un bain de sang. L'assaut de ces tunnels par une garnison entière est impensable. Ils ne sont pas suffisamment larges pour que vous meniez une charge comme vous le faites en terrain découvert. Même les archers ne pourraient pas y tirer leurs flèches.

Ses arguments calmèrent aussitôt les soldats.

– En y allant seul, il me sera plus facile de ne pas attirer l'attention des guerriers scorpions. Je pourrai me rendre jusqu'à Sierra parce que ma magie me protégera.

– Il a raison, admit Kharla. Toutefois, es-tu sûr de vouloir ainsi risquer ta vie, Wellan ?

– Si la grande commandante ne m'avait pas tiré des cachots de la forteresse d'Antarès, je serais encore en train d'y pourrir. Elle m'a fait confiance et elle m'a permis de participer à votre guerre. Elle m'a redonné une raison de vivre dans cet univers qui n'est pas le mien. Je serais ingrat de ne pas tenter quelque chose pour la sauver.

Les Chimères gardèrent le silence.

– C'est très important pour moi que vous nous la rameniez saine et sauve, l'implora alors Camryn, les larmes aux yeux.

– Et que ferons-nous pendant que tu t'aventureras dans les tunnels ? demanda Thydrus.

– Je pense que vous devriez surveiller attentivement la falaise et le canal et vous apprêter à arrêter toute tentative d'invasion. Il est possible que les Aculéos n'attendent que ça pour lancer une charge.

– Je suis d'accord, acquiesça Slava. Quand veux-tu partir ?

– Maintenant, décida-t-il, car il savait que Sierra était bien mal en point.

– Je vais dépêcher les archers à l'orée de la forêt pour te couvrir.

– Il est possible que le roi des Aculéos ait déjà posté des sentinelles pour observer notre réaction. Il est donc très important que celles-ci ne voient pas tes soldats prendre position.

– Sois sans inquiétude, ils resteront sous le couvert des arbres.

– Aimerais-tu que quelques-uns d'entre nous t'accompagnent au moins jusqu'au canal ? proposa Cercika.

– Non, pour les mêmes raisons. Je dois être furtif.

– Ça ne me plaît pas de te laisser partir seul, Wellan, mais je n'ai pas vraiment le choix, avoua Slava.

– Je t'en prie, commandant, intervint Kharla. Il sait ce qu'il fait.

– Faites-moi confiance, ajouta l'ancien soldat.

– Alors soit, acquiesça Slava. Nous serons prêts pour la riposte.

Il agrippa le bras de Wellan, le serra avec affection et appuya son front contre le sien.

– Je veux vous revoir tous les deux en vie, chuchota-t-il.

– Garde espoir. Je vais vous la ramener.

Wellan n'attendit pas que le commandant distribue ses ordres. Il retourna dans la forêt en suivant la trace d'énergie qu'il venait de laisser dans le sol. Pour réussir cette dangereuse mission, il devait chasser toute pensée négative de son esprit. Il enterra donc les souffrances de Sierra tout au fond de son âme pour ne pas céder à la rage et commettre une erreur fatale. Puisqu'il lui était difficile de passer inaperçu en raison de sa grande taille, avant de sortir de la forêt et de s'aventurer en terrain découvert jusqu'au muret, l'ancien soldat sonda attentivement le bas et le haut de la falaise. Il n'y trouva aucun Aculéos, ce qui n'excluait cependant pas la possibilité que leur roi en envoie incessamment s'y poster.

Wellan utilisa encore une fois son esprit pour trouver l'emplacement exact du tunnel d'où était sans doute partie la barque qui avait permis aux Aculéos de mettre pied à terre chez les Chimères plus tôt dans la soirée. Il le localisa à une trentaine de mètres à sa droite. « La force du courant devrait me faire arriver à peu près à cet endroit », estima-t-il. « Il me faudra sécher rapidement mes vêtements une fois sorti de l'eau pour que leur poids ne retarde pas ma progression. » Il ne savait pas ce qu'il allait trouver dans l'antre des scorpions, mais ce n'était pas la première fois depuis le début de sa carrière de soldat qu'il faisait face à l'inconnu.

Convaincu qu'aucune sentinelle ne surveillait cette partie de la forêt, Wellan se risqua sur le bord du cours d'eau. Il enleva son plastron, sa ceinture d'armes et ses bottes avant de prendre place sur le muret. Il plongea d'abord ses pieds dans l'eau. Elle était froide, mais il avait connu pire. « Courage, Honneur et Justice », s'encouragea-t-il en se laissant glisser dans le canal. Il se mit à nager vers l'autre rive. Le courant n'était pas aussi agressif qu'il l'avait cru, alors il ne s'exténua pas à le combattre. Il s'accrocha au muret de la rive opposée et vit que la galerie s'ouvrait encore plus loin à sa droite. Par prudence, il scruta de nouveau les lieux avec ses facultés magiques, puis se hissa hors de l'eau.

Le canal de Nemeroff s'appuyait pratiquement contre la falaise, alors il ne disposait que du parapet en pierre pour marcher jusqu'à sa destination. Il se sécha rapidement et avança pieds nus jusqu'au tunnel. Afin de ne pas en révéler l'emplacement à ses ennemis, le roi des Aculéos n'y avait installé aucun dispositif lumineux. Même s'il n'y voyait rien, Wellan hésita à se servir de ses paumes pour éclairer sa route. Il serait devenu une cible trop facile. « Heureusement que le magicien d'Émeraude nous a enseigné à nous déplacer dans le noir lorsque nous étions enfants », songea-t-il en pénétrant dans la galerie. Il appuya une main sur la paroi rocheuse pour se donner un repère et utilisa ses sens invisibles pour se diriger vers la caverne qu'il avait découverte lors de son exploration psychique. C'est alors que ses orteils butèrent contre un objet solide. Il étouffa un cri de douleur et chercha à savoir ce que c'était en le palpant avec ses mains. « On dirait le rebord d'une embarcation », s'étonna-t-il. Après s'être assuré qu'il était seul, il illumina une de ses mains pour tenter de déterminer la longueur de l'obstacle. À son grand étonnement, la lumière ne lui révéla rien du tout. Il continua à tâter le bord de la barque en avançant. Elle était pourtant bel et bien là. « C'est donc ainsi que les Aculéos ont réussi à traverser le cours d'eau sans que les sentinelles des Chimères puissent les voir », comprit-il. Heureusement que Slava avait eu la présence d'esprit d'enquêter sur le sillon qu'il avait aperçu sur l'eau.

Lorsque Wellan perdit le contact avec l'embarcation invisible, il éteignit sa paume et continua d'avancer dans le noir. Une pensée effarante traversa alors son esprit. Il se rappela les énormes radeaux que les Aculéos avaient utilisés pour tenter de traverser le fleuve Caléana chez les Salamandres. Si le sorcier des hommes-scorpions était capable de rendre une barque invisible, pouvait-il faire la même chose avec ces immenses bateaux ? Si oui, les troupes de Zakhar pourraient débarquer n'importe où à Alnilam et semer la terreur, même dans les grandes villes !

Wellan aurait voulu accélérer le pas, mais il craignait de buter contre d'autres embarcations semblables. Pour ne pas perdre trop de temps, il finit par se résoudre à marcher au centre du tunnel, les bras écartés de chaque côté. Il ne savait pas quelle distance il devrait parcourir pour arriver jusqu'à Sierra, car les déplacements avec son esprit s'effectuaient si rapidement qu'il ne pouvait pas calculer tout le territoire qu'il couvrait en quelques secondes. Il refusa toutefois de se décourager. « Même si je n'arrive dans la caverne que dans deux heures, je pourrai utiliser mon vortex pour nous sortir de là tous les deux. »

Au bout d'un moment, il aperçut une faible lueur au loin. Encore une fois, il utilisa ses sens magiques pour s'assurer qu'elle n'indiquait pas la présence de créatures ennemies. Ne captant rien, il s'y dirigea avec plus de confiance. Il découvrit alors que la lumière émanait de petites pierres collées à tous les dix mètres dans le tunnel. « Comme celles qu'utilisait

Nomar dans les galeries où il hébergeait les hybrides», se rappela-t-il. Le jour, elles étaient plus brillantes, mais après le coucher du soleil, elles se mettaient automatiquement en mode nocturne. Il s'agissait donc d'une technologie qui provenait du monde de Sierra. C'était sans doute Amecareth qui l'avait importée à Enkidiev.

Il entendit alors des pas précipités et, par réflexe, il se colla contre le mur, ce qui était en réalité tout à fait inutile. Il n'y avait aucun endroit où se cacher dans ce tunnel. Il tendit l'oreille, espérant que les Aculéos qui approchaient allaient bifurquer dans une autre galerie. Mais le bruit se rapprochait. Wellan regretta de n'avoir jamais appris à se rendre invisible comme Onyx savait si bien le faire. Il l'avait même enseigné à sa fille Jenifael lorsqu'il était maître de magie à Émeraude.

Lorsque les hommes-scorpions aperçurent finalement l'intrus, ils n'étaient plus qu'à quelques pas de lui. Leur première réaction fut la surprise. Ils ne s'attendaient pas à trouver un humain dans leur terrier. Comme ils étaient armés de lances et qu'ils semblaient vouloir foncer sur lui, Wellan décida d'attaquer le premier. Il se décolla du mur, chargea ses mains d'énergie meurtrière et bombarda ceux qui se trouvaient au premier rang du groupe d'une trentaine de guerriers. Dès qu'ils s'écroulèrent, l'ancien soldat poursuivit son assaut sur ceux qui se trouvaient derrière. Il les faucha tous en quelques secondes. Ignorant si le son se propageait facilement dans ces tunnels et si les autres Aculéos avaient capté les cris de douleur de leurs semblables, Wellan se mit à courir pour atteindre plus rapidement la caverne.

Nemeroff avait senti la présence de millions de ces hybrides à l'intérieur de la falaise. Si le roi en lançait ne serait-ce qu'une fraction à sa poursuite, Wellan n'arriverait jamais jusqu'à sa destination. «Espérons qu'ils n'aient rien entendu», pria-t-il. Jadis, les Tanieths au service d'Amecareth étaient tous liés par leur esprit. Était-ce la même chose pour les Aculéos ? «Nous savons si peu de choses à leur sujet», déplora l'ancien soldat en continuant de courir.

Au bout d'une demi-heure, Wellan entendit des grognements vagues, mais il était incapable de déterminer d'où ils provenaient. Il s'encouragea en se disant qu'ils devaient émaner du cœur de la ville souterraine. Il s'arrêta net à l'entrée d'une caverne et se pressa contre le mur en voyant passer une dizaine d'Aculéos beaucoup plus petits que ceux qu'il venait d'éliminer dans le tunnel. « Ce sont sûrement des serviteurs », conclut Wellan. Les pierres blanches n'émettaient presque pas de lumière dans la grotte, alors il utilisa ses sens magiques et localisa Sierra encore couchée sur le plancher à l'autre extrémité. Il jeta un dernier coup d'œil à l'intérieur et fonça vers elle.

Personne ne le vit traverser la vaste salle. Il se jeta à genoux sur les fourrures. Quand il avait trouvé Sierra la première fois, son esprit l'avait surtout renseigné sur sa détresse intérieure. Maintenant qu'il se trouvait tout près d'elle, il constatait qu'elle avait également subi des sévices graves. Le peu de vêtements qu'elle portait étaient en lambeaux. Même si elle était recroquevillée sur le côté, il voyait que son visage et ses bras étaient couverts de contusions. Avec douceur, il la retourna sur le dos et découvrit que ses poignets étaient emprisonnés dans des bracelets de métal. Il alluma une de ses paumes avec l'intention de scier tout de suite les maillons et de lui enlever les fers plus tard. Un serviteur qui revenait dans le palais poussa un hurlement de terreur en l'apercevant.

Wellan se dépêcha, mais il n'eut le temps de libérer qu'un seul des bras de Sierra avant qu'une marée de guerriers se rue dans la caverne. Une lance passa juste au-dessus de sa tête et heurta le mur derrière la prisonnière. Furieux, l'ancien soldat se retourna et scia ses adversaires en deux avec des rayons incandescents. D'autres Aculéos émergèrent alors de tous les autres tunnels. Wellan poursuivit son carnage en espérant avoir bientôt le temps de créer une bulle de protection au-dessus de Sierra pour la débarrasser de l'autre chaîne.

« On dirait que j'ai mis le pied sur une fourmilière », se dit Wellan en balayant la caverne avec ses faisceaux incandescents. « Ce que j'aimerais être un dragon comme Nemeroff, en ce moment ! » Les corps s'amoncelaient à une vitesse incroyable, mais il continuait d'arriver d'autres guerriers et les bras de l'ancien soldat commençaient à le faire souffrir. « Je dois sortir d'ici avant de faiblir », conclut-il. Il fit jaillir une énergie différente de ses mains et incendia les cadavres, créant un intense mur de feu autour de lui. Les Aculéos se mirent à l'injurier dans l'entrée de toutes les galeries, incapables d'aller plus loin. Wellan apercevait leurs hideux visages entre les flammes. L'un d'eux capta son attention. Il était plus costaud que les autres et parfaitement immobile, malgré tout ce qui se passait devant lui. « Il m'étudie... »

Wellan mit fin à sa fascination. Il s'enferma aussitôt sous un dôme invisible et entreprit de faire éclater la chaîne qui retenait l'autre bras de Sierra. Il ignorait où les Aculéos avaient obtenu ces liens, mais ils étaient particulièrement coriaces. Lorsque le maillon finit par céder, l'ancien Chevalier souleva doucement Sierra. Derrière son bouclier, il ne craignait plus rien. Pour montrer à ces barbares que les humains ne se laisse-raient jamais écraser, il se redressa, la grande commandante dans ses bras. Avec son esprit, il éteignit l'incendie et dirigea un regard chargé de provocation vers celui qui semblait être leur chef.

Genric n'osait pas s'avancer dans les restes brûlants de son armée, mais il ne pouvait pas rester sans réagir au défi que lui lançait cet humain insolent. Il arracha la lance des mains du guerrier près de lui et la projeta sur Wellan. Elle se brisa sur le mur invisible dont s'était entouré son adversaire. Pire encore, celui-ci n'avait même pas tressailli. Avec un demi-sourire de satisfaction, l'intrus disparut en emportant le butin le plus précieux de son roi.

Le général poussa un cri de fureur qui retentit dans toutes les galeries. Il jeta un œil au plafond de la caverne et comprit que si les trous d'aération n'étaient pas rapidement ouverts à partir de la surface, la fumée se répandrait partout. Il ordonna aux survivants de s'en occuper tout de suite.

HORS D'ATTEINTE

En quittant l'antre du roi des Aculéos, Wellan choisit de ne pas ramener Sierra chez les Chimères. Il ne voulait pas que ses soldats la voient dans un état pareil. Il se matérialisa plutôt dans l'appartement de la forteresse d'Antarès, où il avait vécu durant le répit après que la grande commandante l'eut fait sortir de prison. Il déposa Sierra sur son lit et tira la chaise de son secrétaire jusqu'à son chevet. Avec beaucoup de délicatesse, il arriva à défaire ses bracelets de métal sans l'écorcher plus qu'elle l'était déjà. Il alla faire couler la douche, puis revint lui enlever ce qui lui restait de vêtements.

Il transporta la pauvre femme dans la salle de bain et la garda dans ses bras tandis que l'eau chaude la débarrassait du sang et mettait en évidence toutes ses blessures. Elles seraient ainsi plus faciles à traiter. Il l'enveloppa ensuite dans un drap de bain et la coucha encore une fois sur le lit. Le fait qu'elle n'ait pas encore repris conscience l'inquiétait beaucoup. Il passa la main au-dessus de son corps et découvrit des os cassés, des vaisseaux sanguins éclatés et des muscles froissés. Il commença par arrêter les hémorragies, ressouda les os et referma les écorchures pour finir par les ecchymoses. Une fois le traitement terminé, Wellan s'allongea près de Sierra afin de sentir lorsqu'elle se réveillerait. Il fut tenté de sonder son esprit pour savoir exactement ce qui lui était arrivé, mais décida finalement d'attendre son réveil pour lui demander la permission de procéder à cette exploration.

Wellan se sentait en sécurité dans cette section de la forteresse. Il songea à ce qu'il venait de vivre dans la caverne des hommes-scorpions. Cela lui rappela l'expédition qu'il avait menée avec Onyx chez les Tanieths dans son monde. Ce jour-là, il avait semé la destruction dans les pouponnières... Il finit par s'assoupir et dormit jusqu'au lever du soleil, lorsque Sierra poussa des cris de terreur. Il sursauta et tenta de serrer la jeune femme contre lui. Elle l'attaqua à coups de poing en continuant de hurler.

– Doucement, Sierra, c'est moi, Wellan.

– Wellan ?

Elle arrêta de le frapper et se mit à trembler de tous ses membres. Finalement, elle le reconnut au travers de ses larmes.

– Wellan...

Sierra s'abrita dans ses bras comme une enfant effrayée. Il se contenta de l'étreindre en lui transmettant une douce vague d'apaisement.

– Où suis-je ? hoqueta-t-elle.

– À la forteresse.

Elle redressa la tête et regarda autour d'elle.

– Je ne comprends pas... Suis-je en train d'halluciner tout ça pour me garder en vie ?

– Je t'assure que non. Je suis réel et tu es bel et bien là où tu m'as enfermé pendant quelques jours après m'avoir sorti de mon cachot.

– Mais comment est-ce possible ?

– Je suis allé te chercher chez les Aculéos qui t'ont enlevée pendant que nous menions une enquête sur le sillon que Slava avait vu sur le canal.

– Tu as effectué ce sauvetage seul ?

– Il n'y avait pas d'autres façons de se rendre jusqu'à toi sans risquer la vie des Chevaliers.

– Tu aurais pu être tué, toi aussi. Pourquoi as-tu couru un aussi grand risque ?

– Ne l'aurais-tu pas fait pour moi ?

– Non ! Je ne suis pas suicidaire !

– Tu oublies que je possède des facultés magiques. Elles m'ont permis de te retrouver. Mieux encore, grâce à elles, il y a plusieurs centaines de guerriers de moins chez les Aculéos.

– Je n'arrive toujours pas à croire que tu as risqué ta vie pour me sauver...

– C'est parce que tu es encore en état de choc, mais ça viendra. As-tu mal quelque part ?

– Seulement à la tête.

Wellan l'obligea à s'allonger et l'examina.

– Tu as en effet reçu un solide coup sur le crâne. Laisse-moi voir ce que je peux faire pour te soulager.

Il alluma ses paumes et entreprit de faire disparaître la bosse et les dommages internes. Il la sentit se détendre peu à peu.

– C'est étonnamment efficace, avoua-t-elle, plus calme.

– Te sens-tu capable de me raconter ce qui s'est passé ?

Sierra commença par garder le silence, comme si elle était en train de rassembler ses souvenirs. Wellan ne la pressa pas.

– Quand nous nous sommes séparés dans la clairière, j'ai entendu quelque chose, alors je me suis dirigée dans cette direction. Mais je ne suis pas allée très loin. On m'a frappée sur le crâne et j'ai perdu connaissance. Alors je ne sais pas ce qui s'est passé entre ce moment-là et mon arrivée dans la caverne.

– Là où je t'ai trouvée.

– Quand j'ai ouvert les yeux, j'étais couchée sur une fourrure et enchaînée au mur.

– Tu étais en bien plus mauvais état que si on ne t'avait qu'assené un coup à la tête.

Sierra se remit à trembler malgré elle et des larmes coulèrent sur ses joues. Croyant qu'elle était en train de retomber en état de choc, Wellan tenta de la stabiliser, mais il se rendit compte que c'était une réaction plus psychologique que physique.

– Si tu ne te sens pas prête à en parler, ça peut attendre.

– Non, il faut que ça sorte de mon esprit...

Elle essuya bravement son visage du revers de la main.

– J'ai vécu beaucoup d'événements traumatisants depuis le début de ma carrière dans l'armée, mais jamais rien d'aussi horrible, avoua-t-elle. Les Aculéos m'ont transportée dans la falaise. À en juger par la taille de la caverne, c'était sans doute la salle du trône.

– J'ai eu la même impression.

– J'ai réussi à m'asseoir, malgré l'énorme pression dans ma tête, et j'ai tenté de me défaire des bracelets, mais ils étaient trop étroits. C'est alors qu'il est arrivé...

– Ton bourreau ?

– Le Roi Zakhar en personne...

Sierra prit de profondes inspirations avant de continuer. Wellan imaginait déjà ce qu'elle allait lui révéler.

– Il ne ressemble pas du tout à un Aculéos. Il pourrait facilement passer pour un humain où que ce soit à Alnilam, sauf pour sa brutalité et sa cruauté.

– C'est donc lui qui t'a torturée.

– Il m'a interrogée sur les généticiens. Il voulait que je lui dise où en trouver, mais c'est une branche de la médecine encore très controversée. Quand je lui ai répondu que je ne lui dirais rien, il m'a frappée.

Sierra se cacha le visage dans les mains.

– Mais il ne s'est pas arrêté là, n'est-ce pas ?

Elle poussa un cri de rage et se redressa sur le lit. Les larmes coulaient maintenant à profusion sur ses joues.

– Je vais le tuer de mes propres mains ! hurla-t-elle.

– Je te le réserve, promit Wellan.

– C'est un être abject, narcissique, méprisable et absolument dégoûtant !

Elle se tourna vivement vers Wellan, les yeux remplis de larmes. L'ancien soldat lui donna un moment pour reprendre la maîtrise de ses émotions.

– Où sont mes vêtements ? demanda-t-elle finalement.

Wellan descendit du lit, marcha jusqu'au secrétaire et souleva ce qui en restait.

– Je vois, soupira-t-elle. Je ne pourrai certainement pas me balader dans la forteresse enroulée dans un drap de bain et encore moins me présenter ainsi devant mes troupes.

– Pendant que tu te reposes, je vais aller te chercher tout ce qu'il te faut dans tes nombreux coffres sur le front.

– J'aimerais aussi ravoir mes sacoches, si tu les retrouves.

– À vos ordres, commandante.

Sa réponse la fit presque sourire.

– Merci, Wellan. Si je suis encore en vie, c'est grâce à toi.

– Là d'où je viens, les soldats n'abandonnent jamais leurs compagnons d'armes sur le champ de bataille.

– Je suis désolée de t'avoir dit que je n'aurais pas fait la même chose pour toi. Je n'aurais juste pas été capable de me porter à ton secours.

– Je sais.

Il l'aida à se recoucher en lui transmettant une puissante vague d'apaisement qui la plongea dans un sommeil réparateur. Il la recouvrit avec une chaude couette et utilisa son vortex pour se rendre d'abord chez les Chimères. Il choisit de réapparaître à l'orée du bois, face à la falaise, et la scruta en résistant à la tentation d'aller enlever le roi des Aculéos pour le torturer à son tour.

– Wellan ! l'appela Slava.

L'ancien Chevalier se retourna et vit arriver le commandant, qui était de garde à proximité.

– As-tu réussi ?

– Elle est saine et sauve.

Slava lui agrippa les bras en lui présentant un sourire de soulagement.

– Allons l'annoncer aux Chimères, le pria-t-il.

Il ramena Wellan aux feux, où ne se trouvait plus que Cercika, qui veillait sur Kharla, Skaïe et Camryn. Tous les autres étaient dispersés dans la forêt le long du cours d'eau, à l'affût du moindre geste sur la falaise.

– Je vais les faire appeler, déclara Slava.

– Non, attends, répliqua Wellan. Tu pourras les réunir plus tard pour leur annoncer la bonne nouvelle. Je ne peux pas attendre que tous rentrent au campement.

– Où est Sierra ? s'enquit Cercika en s'approchant des deux hommes.

– Je l'ai mise en lieu sûr où elle se remet de ses blessures. Elle m'envoie chercher des vêtements de rechange.

– Les dieux soient loués ! Je vais rassembler tout ce que je peux trouver. Je sais où elle range ses affaires.

Cercika s'élança vers l'ancienne tente d'Ilo.

– Merci de lui avoir sauvé la vie, fit alors Camryn en venant serrer les mains de Wellan. J'imagine que ça n'a pas dû être facile.

– J'ai dû me battre férocement, mais j'ai réussi à me rendre jusqu'à l'endroit où elle était gardée prisonnière. Dès qu'elle sera remise, je vous la ramènerai.

– Merci au nom de tout l'Ordre d'Antarès, fit Kharla à son tour. Je n'ai jamais connu un homme aussi brave que toi, Wellan.

– Il y a un héros au fond de chacun d'entre nous. Il suffit de le trouver.

– Je m'en suis tout récemment rendu compte, avoua-t-elle en dirigeant un tendre regard vers Skaïe.

– Mais il y a des héros qui réussissent et d'autres qui sont moins doués, s'excusa-t-il.

– L'important, c'est de ne pas rester à rien faire.

– J'ai averti les Basilics, les Manticores et les Salamandres de s'attendre à une riposte de la part des Aculéos, fit Slava à l'intention de Wellan. Tous les Chevaliers sont sur un pied d'alerte.

– C'est une excellente initiative.

En regardant au loin pour voir si Cercika revenait avec les vêtements de Sierra, Wellan ressentit une présence familière dans la forêt. Il s'excusa auprès de Slava, de Kharla, de Skaïe et de Camryn et s'enfonça entre les arbres. Ils crurent tous qu'il avait soudain besoin de s'occuper de ses besoins personnels et ne le suivirent pas. Wellan s'arrêta devant Ilo, qui l'attendait, appuyé sur son arc.

– J'ai entendu ce que tu as dit à Cercika, chuchota-t-il. Je voulais seulement te remercier d'avoir sauvé la vie de Sierra.

– Tu aurais fait exactement la même chose si tu avais possédé ma magie.

– Sans la moindre hésitation, malgré ce qu'elle pense désormais de moi.

– Je croyais que tu serais déjà rendu à Eltanine, maintenant.

– Plus rien ni personne ne m'y attend. Tous mes frères sont morts et jamais je n'aurai le courage de dire à mes parents que c'est à cause de moi. Je ne pourrais pas non plus faire face à mes neveux et à mes nièces qui sont désormais orphelins. Je ne suis peut-être plus digne de diriger les Chimères, mais je peux continuer à les protéger à ma façon.

– Tu devrais prendre le temps de t'expliquer calmement avec Sierra lorsqu'elle sera de retour sur le front. Si moi je peux comprendre tes raisons, elle le pourra aussi.

– Je ne suis pas encore prêt à l'affronter. Je ne sais même pas si je le serai un jour.

– Il ne faut jamais perdre courage, Ilo.

L'Eltanien baissa la tête et s'enfonça dans la forêt. Wellan ne le connaissait pas assez bien pour savoir ce qui se passait dans son cœur, mais il lui souhaita de trouver le courage de faire la paix un jour avec son ancienne maîtresse.

Lorsque Wellan revint aux feux, il alla d'abord se changer puis aperçut Cercika, qui se tenait près de Slava avec un uniforme complet sur les bras : un débardeur, un pantalon, des bottes, un plastron, une ceinture d'armes et des brassards.

– Je n'ai pas trouvé de bandeaux dans le coffre, regretta-t-elle.

– Peut-être en trouverai-je chez les Salamandres.

Cercika tendit son fardeau à Wellan.

– Cet acte de bravoure sera récompensé publiquement lors du prochain répit, lui annonça Kharla.

– Je n'ai nul besoin de cet honneur, protesta l'ancien Chevalier.

– Surtout qu'il a sauvé Sierra parce qu'il est amoureux d'elle, intervint Camryn.

Embarrassé, Wellan les salua de la tête et se dématérialisa. Il alla déposer les vêtements dans l'appartement de la forteresse sans réveiller Sierra et repartit en direction du nord-est. Il apparut près des enclos des Salamandres pour n'effrayer personne et chemina entre les huttes afin de retrouver celle de la grande commandante, occupée depuis peu par Sappheiros et ses deux enfants. Il pouvait déjà sentir la tension dans le village.

Quand il arriva en vue de la plage, il constata qu'une grande partie des Salamandres s'y tenaient, prêtes à se battre. Alésia marchait derrière ses soldats en leur parlant lorsque soudain elle se retourna comme si elle avait senti la présence de Wellan. Elle fonça aussitôt sur lui.

– Où est Sierra ?

Slava n'avait donc pas eu le temps d'annoncer la bonne nouvelle à toutes les divisions en utilisant son movibilis.

– J'ai réussi à la libérer, mais elle a reçu de mauvais traitements chez les Aculéos, même si elle n'y est restée que quelques heures. J'ai traité ses blessures, mais elle a encore besoin de repos afin de nous revenir aussi forte qu'avant.

– Devons-nous maintenir l'état d'alerte ?

– Je ne suis pas un des commandants de votre armée, mais personnellement, je ne relâcherai pas ma vigilance avant plusieurs jours.

– C'est ce que je me disais aussi.

– Je suis venu récupérer nos sacoches.

– Vous les aviez laissées près des feux, alors je les ai fait porter dans votre hutte.

Elle saisit les deux bras de Wellan.

– Merci du fond du cœur.

Alésia se hissa sur la pointe des pieds et l'ancien soldat dut se pencher pour que leurs fronts se touchent.

– C'était mon devoir de Chevalier.

Il s'inclina devant la commandante des Salamandres et tourna les talons pour marcher vers les abris. Il s'arrêta sur le seuil de la hutte où il avait dormi quand il se trouvait dans cette division avec Sierra. Assis sur le lit, le dos appuyé contre le mur, Sappheiros était en train de raconter une histoire à Azurée, Argus et Massilia qui avaient pris place sur un tapis devant lui.

– C'est grâce à la création des premiers dieux ailés Hapaxe et Atalée que notre civilisation a pu voir le jour sur cette planète, leur disait-il.

Il leva les yeux vers la porte. Alarmée, Massilia bondit sur ses pieds et se retourna en sortant des couteaux de ses bottes, prête à attaquer l'intrus.

– Oh, ce n'est que toi, se détendit-elle. Es-tu venu pour te battre avec les Salamandres, cette fois ?

– Nous ne savons même pas si les Aculéos riposteront, mais demeurez sur vos gardes.

– *Elle* est toujours prête à tout ! affirma-t-elle en remettant les dagues à leur place.

– Je n'en doute pas une seule seconde. Où est Ravenne ?

– Avec les autres sur la plage. Sa magie pourrait leur être utile.

Wellan aperçut les sacoches près des coffres et s'y dirigea.

– Tu es venu chercher tes affaires, soupira Massilia. Ça veut dire que tu ne resteras pas.

– Mais je reviendrai, promis.

L'ancien soldat se retourna vers le Deusalas.

– Sappheiros, ça va ? demanda-t-il.

– Il est de plus en plus fort, répondit fièrement Massilia.

– Grâce à elle, affirma le dieu ailé.

– Tu vois, il l'appelle *elle*.

Son commentaire fit sourire Wellan. Décidément, Massilia comprenait toujours les choses à sa manière.

– Pour plus de sûreté, je pourrais t'emmener avec les enfants à la forteresse d'Antarès, offrit-il.

– Ils sont très bien ici, riposta la Salamandre avec un air de combat. *Elle* ne te laissera pas les prendre. *Elle* a travaillé trop fort pour qu'il aille mieux.

– Nous ne voulons pas partir, ajouta Argus.

– Nous aimons ça, ici, renchérit Azurée.

– Ne t'inquiète pas pour nous, Wellan, le rassura Sappheiros. Je prends du mieux tous les jours. Ma magie n'est pas encore revenue, mais je garde espoir.

– Tu l'as entendu ? l'avertit Massilia.

– Très clairement. Je serai bientôt de retour avec Sierra.

Wellan ramassa les sacoches, les salua et se dématérialisa.

– *Elle* aime quand il fait ça, se radoucit la Salamandre. Maintenant, *elle* veut entendre la suite de l'histoire.

Massilia reprit place entre les deux enfants.

LEINAD

En quittant les Salamandres, Wellan retourna directement à sa chambre de la forteresse. Sans faire de bruit, il déposa les sacoches sur la commode. Sierra dormait toujours comme un bébé. Il en profita donc pour aller prendre une douche, se laver les cheveux, se raser et nettoyer ses vêtements de guerre, qui en avaient grandement besoin. Il se rhabilla et, même s'il avait faim, il décida de s'allonger quelques minutes près de la grande commandante sans la réveiller. Il était important qu'elle reprenne complètement ses forces après ce qu'elle avait vécu.

Il se mit à penser à ce qu'il avait fait dans la caverne. Tout s'était passé si rapidement. Il avait dû s'en remettre à ses instincts guerriers et il n'avait pas eu le temps de réfléchir. « J'aurais pu démolir le plafond devant chaque tunnel pour emmurer ces monstres », songea-t-il. « Sans leurs pinces, ils auraient mis des semaines à sortir de là. » Mais celui qu'il aurait aimé voir là, c'était le roi. Il espéra de tout cœur qu'il était parmi les Aculéos qu'il avait fait flamber. « Sinon je me promets de le retrouver lors de la prochaine bataille pour lui dire ce que je pense de sa façon de traiter les femmes... » C'est en tentant de choisir le châtiment de Zakhar que Wellan finit par sombrer lui-même dans le sommeil.

Encore une fois, il fut réveillé par les hurlements de terreur de Sierra. Il sursauta et se tourna vers elle. Le soleil inondait l'appartement.

– Je suis là, tenta-t-il de la rassurer.

Il lui saisit les poignets avant qu'elle recommence à le frapper et ajouta une petite vague anesthésiante dans ses doigts.

– Je ne te dirai rien, balbutia Sierra en se calmant.

– C'est moi, Wellan. Tu es en sécurité à Antarès.

Il l'attira contre lui et caressa ses cheveux.

– Il n'est pas question que tu retournes sur le front dans un état pareil, se découragea-t-il. Je vais devoir chercher de l'aide.

– Non... Je n'ai besoin de personne...

– Ça, c'est ton opinion.

Il finit de l'endormir avec une autre vague d'apaisement, car maintenant qu'il la connaissait, il savait très bien que s'il la laissait quelques minutes à elle-même, elle enfilerait ses vêtements et errerait dans la forteresse. Il remonta la couette jusqu'à son menton et l'embrassa sur le front.

– Rien ne peut t'arriver ici, Sierra. Je serai bientôt de retour.

Puisque la forteresse était aussi bondée qu'une ville, Wellan n'utilisa pas son vortex pour se rendre au complexe médical. Il quitta son immeuble et emprunta la grande avenue qui traversait les lieux d'un bout à l'autre. Il se présenta à la réception et demanda à voir le docteur Eaodhin de toute urgence. L'infirmière se souvenait de lui, alors elle appela au bureau du médecin sans poser de question. Quand elle lui dit qui voulait la rencontrer, Eaodhin laissa son travail en plan et fonça vers l'entrée de l'hôpital.

– Que faites-vous ici, monsieur Wellan ? s'étonna-t-elle.

– J'ai dû revenir d'urgence avec Sierra. Elle a été violentée par un homme-scorpion et son esprit ne cesse de lui faire revivre ce cauchemar. J'ignore quoi faire pour l'en délivrer.

– Où est-elle ?

– Dans l'appartement que j'occupais pendant le répit.

– J'ai besoin de constater son état moi-même avant de la confier au docteur Leinad, qui se spécialise en médecine de l'esprit.

– Pourriez-vous me conduire à la salle où vous procéderez à cet examen ?

– À quoi cela vous servira-t-il ?

– À l'y transporter directement dans les prochaines minutes.

– Directement ?

Eaodhin ne comprenait pas ce qu'il voulait dire, mais elle décida de lui faire confiance, car la santé de la grande commandante était sa priorité. Elle prit les devants dans le couloir et le fit entrer dans une salle de taille moyenne dont les murs étaient couverts d'appareils étranges. Au plafond pendait une lampe qui ressemblait à un grand bol inversé au-dessus d'une haute table recouverte d'un drap blanc.

– Je reviens tout de suite, annonça Wellan.

Il se dématérialisa sous les yeux de la femme médecin, qui ne put retenir un cri de surprise.

– Mais combien de personnes sur cette planète sont capables d'accomplir de tels miracles ? s'exclama-t-elle, la main sur le cœur.

Elle venait à peine de se remettre de la disparition de l'étranger lorsqu'il réapparut au même endroit, Sierra dans les bras. La guerrière était enveloppée dans un drap de bain. Wellan la déposa sur la table d'examen.

– J'ai refermé toutes ses blessures corporelles avec ma magie, dit-il à Eaodhin.

– Nous nous chargeons du reste, monsieur Wellan. Maintenant, veuillez sortir et rencontrer mon adjointe Philippa afin de lui énumérer exactement les soins que vous avez prodigués à la commandante. J'aurai besoin de cette liste pour compléter mon dossier.

– Oui, bien sûr.

Wellan s'informa auprès du personnel et fut finalement dirigé vers le bureau de Philippa. Il lui répéta les mots de sa patronne. La jeune femme lui demanda de s'asseoir dans le fauteuil de l'autre côté de sa table de travail et s'arma d'une feuille de papier et d'un stylo. Docilement, Wellan lui énuméra tous les traitements magiques qu'il avait effectués. Philippa commença par arquer les sourcils, puis se mit à écrire.

Au même moment, Eaodhin examinait Sierra de la tête aux pieds. Elle ne put que constater qu'elle avait bel et bien été violentée, mais par qui ? Elle laissa un espace dans son rapport pour y ajouter le nom du criminel plus tard. Puisque la commandante dormait toujours à poings fermés, elle la fit installer dans une chambre et alla entrer ses observations dans son ordinis. Elle se mit ensuite à la recherche de Wellan et le trouva dans la salle d'attente de l'urgence.

– Ah, vous voilà.

– Je ne savais plus où aller et comme il y avait beaucoup de fauteuils ici, j'ai pensé que ce serait un bon endroit.

Eaodhin prit place près de lui.

– J'ai consulté la liste de soins que vous dites avoir prodigués à ma patiente. Il m'est assez difficile d'évaluer la qualité de votre travail, car je n'en ai trouvé nulle trace sur le corps de la commandante.

– Je ne mens jamais, docteur, et, lorsque je me sers de mes facultés de guérison, je ne le fais pas à moitié. Si vous m'en donnez l'occasion, je peux prouver que je ne suis pas un charlatan.

– Je suis en effet une femme qui a besoin de preuves concrètes. Venez avec moi. Je soigne un homme depuis des semaines déjà, sans succès. Il ne cesse de vomir, mais je ne trouve rien d'anormal dans son système digestif. Nous n'arrivons qu'à le soulager, mais pas à le guérir.

Wellan la suivit dans une chambre au même étage. Le patient en question n'avait pas plus de vingt ans et il était aussi blanc qu'un fantôme. Son état l'empêchait même de dormir la nuit.

– Il est à vous, lui dit Eaodhin.

L'ancien soldat s'approcha du malade.

– Comment t'appelles-tu ?

– Iowan.

Le seul fait de prononcer son nom provoqua un haut-le-cœur chez le jeune homme. À la grande surprise de la femme médecin, Wellan alluma sa paume et l'appliqua sur sa gorge, le soulageant instantanément.

– Merci...

– Je vais t'examiner d'une manière qui s'écarte de la médecine traditionnelle, d'accord ?

– Je vous en prie. Je n'ai plus rien à perdre.

Wellan passa ses paumes lumineuses sur tout le corps d'Iowan, puis revint au-dessus de son œsophage.

– J'ai repéré le coupable, annonça-t-il avec un sourire encourageant. Je vais maintenant le faire disparaître.

– Vous ne pouvez pas procéder à une chirurgie dans une salle qui n'est pas stérilisée, monsieur Wellan, l'avertit Eaodhin.

– Ne vous inquiétez pas, docteur. Je vais me servir de la magie. Elle ne nécessite aucune incision.

Une intense lumière blanche jaillit des mains de l'ancien soldat. Le patient poussa alors un profond soupir de soulagement.

– Et voilà, c'est terminé, annonça Wellan.

Sans que la femme médecin puisse l'en empêcher, Iowan se redressa en reprenant du teint de façon spectaculaire.

– Vous pouvez rentrer chez vous, ajouta son guérisseur. Ça ne se reproduira plus jamais.

Il tapota affectueusement le dos du jeune homme, salua Eaodhin, qui était sans voix, et quitta la chambre.

– Comment te sens-tu, Iowan ? réussit-elle à articuler.

– Je n'ai plus mal au cœur...

– Repose-toi. Je vais revenir t'examiner une dernière fois avant de t'accorder ton congé.

Elle rejoignit Wellan dans le couloir.

– Qu'avez-vous trouvé ?

– Une protubérance dans sa gorge qui n'aurait pas dû être là, alors je l'ai fait disparaître. Pourriez-vous me dire où est Sierra ?

– Je l'ai fait transporter dans une chambre où elle rencontrera le docteur Leinad à son réveil. Mais comment arrivez-vous à soigner les gens uniquement avec de la lumière ?

– Je sais le faire, mais je ne saurais l'expliquer, madame. C'est un don que j'ai reçu à la naissance. Pourriez-vous me diriger vers la chambre de la commandante ?

Elle lui fit signe de la suivre, lui indiqua la porte en question et l'y abandonna pour retourner à son bureau. Elle demanda à Philippa de lui apporter le dossier d'Iowan. En regardant ses radiographies à la loupe, elle découvrit la minuscule tumeur.

– Comment ai-je pu manquer ça ?

Wellan s'assura à sa manière que Sierra se portait bien, puis utilisa son vortex pour aller chercher ses cahiers d'exercices dans ses sacoches. Il s'installa dans le fauteuil près du lit et continua d'apprendre à lire et à écrire la langue d'Alnilam pendant plusieurs heures.

– Wellan ? l'appela Sierra.

Il ferma ses cahiers et bondit à son chevet.

– Je suis confuse... murmura-t-elle en regardant autour d'elle.

– Je t'ai transportée à l'hôpital et le docteur Eaodhin t'a examinée.

48

– Mais tu l'avais déjà fait.

– Elle ne me faisait pas confiance.

– Aide-moi à sortir d'ici.

– Je dois attendre sa permission, Sierra.

– Je suis la grande commandante de l'armée d'Antarès. Mes ordres l'emportent sur ceux d'Eaodhin.

– Pas tant que tu auras besoin de soins. Tu sais aussi bien que moi qu'un bon chef doit être en pleine possession de tous ses moyens.

Ils entendirent quelques petits coups sur le cadre de la porte et tournèrent la tête en même temps. Le docteur Leinad se tenait sur le seuil.

– Je suis venu voir si tu avais repris conscience.

– J'en suis donc à l'étape de l'évaluation psychologique, soupira Sierra.

– Eaodhin est d'avis que tu as subi un grave traumatisme.

– Alors, pose-moi tes questions pour qu'on en finisse. J'ai une armée à diriger.

– Je vais aller chercher mon équipement.

– Quel équipement ? demanda-t-elle, méfiante.

– Tu as tes épées et tes poignards pour faire ton travail. J'ai mon bloc-notes et mes stylos pour faire le mien. Je vais aussi demander à monsieur Wellan de me laisser seul avec toi.

– Oui, bien sûr, accepta l'ancien soldat.

– Ne fais pas de bêtises pendant que tu es sans surveillance, l'avertit Sierra.

– Juste un peu d'exploration.

Il suivit Leinad dans le couloir.

– Si tu le permets, il y a quelque chose que je rêve de faire depuis longtemps, lui dit Wellan.

– Tu as appris à tutoyer les gens. Excellent. Tu t'adaptes bien à cette société qui n'est pas la tienne.

– C'est la plus grande qualité d'un ethnologue.

– Oui, c'est vrai. J'avais presque oublié ce mot.

– Pourrais-tu enlever tes lunettes ?

– J'en ai besoin pour voir.

– Je veux juste vérifier quelque chose.

Leinad fit ce qu'il lui demandait. Wellan plaça alors ses paumes devant les yeux du psychiatre.

– Mais c'est quoi, cette chaleur ?

– C'est pour te remercier de ce que tu as fait pour moi et de ce que tu feras pour Sierra.

Wellan le salua et poursuivit sa route vers la sortie de l'hôpital. Leinad remit ses lunettes, mais constata qu'il voyait tout embrouillé. Il les enleva et se rendit compte que sa vision était désormais parfaite.

– Il disait donc vrai...

Amusé, Leinad alla chercher sa petite valise noire et revint s'installer au chevet de la grande commandante. Il lui fit d'abord raconter comment elle avait subi toutes les blessures énumérées dans le rapport d'Eaodhin. Sierra perdit rapidement son calme et commença à avoir du mal à respirer en poursuivant son récit.

– Est-ce parce que cet homme méprisable t'a prise sans ton consentement que je sens cette rage dans ton cœur ou est-ce parce qu'il est ton pire ennemi ? Se pourrait-il que tu considères que c'est un combat que tu as perdu ?

Elle poussa un cri de fureur.

– Me fais-tu confiance, Sierra ?

– Tu sais bien que oui. Donne-moi mon congé. J'ai des Aculéos à écorcher vivants.

– Un peu de patience, commandante. J'aimerais d'abord te proposer un exercice tout simple pour te redonner ta sérénité et ta grande force intérieure.

– Parce que tu juges que je les ai perdues ?

Leinad enfila des gants en latex et sortit une petite fiole de sa valise.

– Je n'aime déjà pas ça, gronda-t-elle.

– Ce n'est qu'un léger calmant pour te rendre plus réceptive à l'hypnose.

– Je n'ai pas besoin de ça.

– Mon intention est de te faire revivre ce traumatisme en y retranchant tes émotions pour que ce ne soit plus qu'un lointain souvenir qui ne t'affectera plus.

– C'est hors de question.

– Ta capacité à commander les Chevaliers d'Antarès en dépend.

– Tu n'oserais pas me faire perdre mon poste parce que je refuse l'hypnose.

Leinad versa une petite goutte d'un liquide bleu clair sur le bout de son index recouvert de caoutchouc.

– Je vais doucement te frictionner le poignet avec cette substance qui sent vraiment bon. C'est une procédure indolore qui m'assurera ton entière collaboration pendant que je te ferai revivre ce moment difficile et que je désamorcerai toutes les émotions négatives qui te hantent en ce moment.

– Je n'aime pas qu'on me retire mon contrôle personnel.

– Ce n'est pas mon but. Je veux uniquement te rendre de nouveau fonctionnelle sur le front le plus rapidement possible, parce que nous avons besoin que tu y retournes.

Les yeux bleus de Sierra se remplirent de larmes. « J'aurais dû demander à Wellan de rester... », regretta-t-elle. Elle prit une profonde inspiration et tendit son poignet à Leinad.

– Finissons-en.

Pendant que Sierra se faisait hypnotiser par le psychiatre, Wellan retourna porter ses cahiers d'exercices dans sa chambre. Il enfila son long manteau marron par-dessus sa tenue noire de Chevalier et descendit dans le hall pour manger. Il avait l'estomac dans les talons. Il prit place à une table libre et remplit son assiette de pommes de terre bouillies, de petits pois, de filets de poulet grillé et de salade aux crevettes. Il s'efforça de ne pas avaler tout rond.

Au bout d'un moment, il se mit à réfléchir à tout ce qu'il venait d'apprendre. Les Aculéos devenaient de plus en plus téméraires et recevaient l'aide d'un puissant sorcier pendant qu'une pieuvre géante s'apprêtait à détruire le monde et que Javad se préparait à attaquer les Deusalas. « Finalement, ma guerre contre les Tanieths, c'était une partie de plaisir... » Les Chevaliers d'Antarès devaient trouver une façon de mettre fin aux invasions des hommes-scorpions une fois pour toutes s'ils voulaient affronter les guerriers de Javad. Quant à la pieuvre... « Que les dieux nous gardent », pria-t-il. Il alla chercher du thé et le but tranquillement. C'est alors que Philippa prit place devant lui.

– Enfin, je te trouve.

– Sierra est-elle en difficulté ? s'inquiéta-t-il.

– Pas du tout. Elle a très bien répondu au traitement du docteur Leinad. On m'a demandé de t'informer qu'elle passera la nuit à l'hôpital et que tu pourras venir la chercher demain matin.

– C'est gentil d'être venue jusqu'ici pour m'en informer.

– Je voulais aussi te dire qu'il y a un concert ce soir au palais à l'intention des pauvres conseillers qui font de leur mieux pour diriger le pays jusqu'au retour de la princesse. Est-ce que ça t'intéresse ?

– S'agit-il du même type de musique que les Chevaliers affectionnent dans ce hall ?

– Oh non.

– Alors, oui, ça me ferait le plus grand bien.

Philippa fit le tour de la table et lui tendit la main. Wellan abandonna son thé et se laissa conduire au palais. Elle le fit asseoir près d'elle dans un riche salon. Pendant près de deux heures, ils se délectèrent de la musique douce des instruments à cordes. Une fois qu'ils furent sur la grande avenue de la forteresse, il remercia la jeune adjointe d'Eaodhin. Elle se hissa sur le bout des pieds et l'embrassa sur la joue.

– Elle a beaucoup de chance, la commandante, lui dit-elle en s'éloignant.

« Si elle savait ce qu'elle pense de moi », s'amusa intérieurement Wellan.

Il rentra à son appartement, prit une longue douche chaude, ce qui lui avait le plus manqué ces dernières semaines, puis s'allongea sur le dos dans son lit. « Nous retournerons certainement dans le Nord dès que Sierra sera entièrement remise », se dit-il. « Je dois me reposer tandis que je le peux. »

Il entendit tourner la poignée et se redressa vivement sur ses coudes en éclairant la pièce avec une main. La porte s'ouvrit. Pieds nus et en chemise d'hôpital, Sierra entra et referma derrière elle. Elle grimpa dans le lit et se colla contre lui.

– Je ne me sentais pas en sécurité à l'hôpital, murmura-t-elle.

Il l'entoura avec son bras pour la rassurer et ferma les yeux.

LA PIEUVRE

Les Deusalas profitèrent du court congé que Kiev accorda aux escadrilles après l'attaque du sorcier Lizovyk sur leur place de rassemblement. Ils étaient tous ébranlés par cet assaut et avaient besoin de se changer les idées auprès de leur famille. Kiev avait mangé avec ses parents et ses petites sœurs, puis il avait accompagné Mikéla chez son père, le Roi Sandjiv. Ils avaient discuté de la paix qui semblait vouloir échapper au peuple ailé depuis bien des années. Le jeune homme lui promit de faire tout ce qu'il pourrait pour la rétablir le plus rapidement possible.

Kiev rentra finalement chez lui avec sa femme. Celle-ci secoua en silence les couvertures avant de les replacer dans leur nid. Il comprenait ce qu'elle ressentait. Comme tous les Deusalas, Mikéla s'était préparée à affronter une horde de sorciers sans même savoir ce qu'ils étaient capables de faire. Maintenant qu'elle avait vu Lizovyk à l'œuvre, elle commençait à douter de la survie de son peuple. Rien de ce que lui disait Kiev ne semblait l'apaiser.

– Pourquoi n'irions-nous pas voir s'il existe d'autres continents ailleurs ? murmura-t-elle lorsqu'ils furent enlacés pour la nuit.

– Nous sommes partis de Gaellans pour nous établir à Girtab et ce sorcier nous a quand même trouvés. Peu importe où nous irions, ce serait pareil. Nous devrons nous battre pour imposer notre présence sur ce continent où il y a suffisamment de place pour tout le monde.

– Nous pourrions aussi tous mourir.

– C'est possible, mais nous le ferons en défendant notre civilisation.

Nullement rassurée, elle se colla contre lui et ferma les yeux. Pour sa part, Kiev n'arriva pas à trouver le sommeil. Il n'avait pas voulu l'avouer à Mikéla, mais une fois l'exaltation du combat estompée, il avait ressenti la même frayeur qu'elle. La puissance du sorcier était troublante. Il avait beau se répéter qu'ils étaient des dieux et qu'en théorie, ils étaient mille fois plus forts que les mages noirs, il n'arrivait pas à chasser sa peur.

Au bout de quelques heures d'insomnie, il décida de se lever. Il se défit doucement des bras de sa femme et alla boire de l'eau.

« À défaut d'une plus grande armée, je pourrais utiliser des réponses à mes questions », décida-t-il. Il marcha vers la sortie de sa caverne et se laissa tomber dans le vide. En se servant des étoiles pour se guider, Kiev vola jusqu'à l'île défendue. Le vent sur son visage et dans les plumes de ses ailes lui fit le plus grand bien. Il n'avait pas pu visiter cet endroit aussi souvent que par le passé depuis qu'il formait les Deusalas au combat. Il atterrit sur le sentier et alluma ses paumes pour se diriger jusqu'à l'entrée de la grotte.

Les premières fresques n'avaient pas changé, puisqu'elles relataient des scènes du passé de son peuple. Il se rendit plutôt vers les plus récentes et ne fut pas surpris d'en trouver une qui illustrait le duel entre Lizovyk et les principaux défenseurs de la colonie. Même Wallasse, qui était venu à leur secours, y était sculpté.

– Un seul sorcier a failli tous nous tuer, soupira-t-il. Comment survivrons-nous à Javad, qui est un dieu ?

– Grâce à Eanraig, s'il acquiert de la vigueur, répondit Upsitos en apparaissant près de lui, appuyé sur son bâton.

– Mais rien n'est encore certain, n'est-ce pas ?

– Rien ne l'est jamais, Kiev. L'avenir est toujours en mouvement.

– Comment fait-on pour qu'il s'arrête un peu à notre avantage ?

– Tous les efforts finissent par porter des fruits. Ceux qui ne font rien sont à la merci de leur destin, mais ceux qui s'y préparent peuvent le façonner selon leurs désirs.

– Est-ce que ce sera mon cas ?

– Ton courage est remarquable et ta volonté de protéger les tiens aussi.

– Je ne suis pas du genre à rester assis en regardant les autres agir.

Kiev avança de quelques pas en éclairant le mur de la galerie. Il tomba sur le tableau qui dépeignait Sappheiros aux prises avec Lizovyk à l'orée d'une clairière quelque part à Alnilam. Ce dernier lui lançait des boules de feu. Il pouvait même apercevoir les visages paniqués de deux enfants cachés derrière les arbres. La fresque suivante lui montra son mentor tentant de prendre son envol. Un projectile ardent l'avait frappé à l'aile.

– Ce sorcier a même réussi à blesser le plus puissant d'entre nous, déplora-t-il.

– Les mages noirs ne sont pas plus forts que vous. Leur principale faiblesse, c'est qu'ils sont prêts à tout pour s'assurer une victoire rapide qui flatte leur ego. C'est ainsi qu'ils finissent par commettre des erreurs.

Le jeune homme marcha jusqu'à la sculpture d'après. Une jeune femme était grimpée sur le dos de Lizovyk et lui plantait ses deux couteaux dans le dos.

– Est-ce une sorcière ?

– Non, c'est un Chevalier d'Antarès, répondit Upsitos.

– Sont-ils tous aussi agressifs qu'elle ?

– Ils ont tous appris à combattre et ils ne reculent devant rien pour protéger leurs terres.

– Mais c'est Sappheiros qu'elle défend ici.

– Ils secourent aussi les faibles et les opprimés.

– Elle a du cran de s'attaquer à ce sorcier alors qu'elle ne possède aucun pouvoir magique.

– Ce sont en effet des soldats courageux.

– Je n'ai rencontré que Sierra, leur grande commandante, mais elle ne m'avait pas semblé aussi combative.

Kiev continua dans le tunnel. C'est alors qu'il posa les yeux sur la pieuvre. Sa tête ressemblait à celle des poulpes qu'il avait souvent aperçus dans l'océan, mais au lieu d'avoir huit tentacules, elle devait bien en avoir une centaine ! Pourquoi était-elle entourée d'étoiles qui n'étaient pas des astéries ?

– C'est Tramail, le maître du sorcier qui s'en est pris aux Deusalas, l'éclaira Upsitos.

– Une pieuvre ?

– Plus grosse qu'une planète.

– Elle ne peut donc pas se trouver dans la mer...

– Non, Kiev. Elle vit dans l'espace, au-delà du firmament.

– Comment fait-elle pour respirer ? Plus on monte dans le ciel et plus l'air est rare.

– C'est une créature divine qui n'a pas de poumons. En revanche, elle possède un énorme estomac et elle se régale de tous les astres qu'elle rencontre sur sa route.

– On dirait une fable pour faire peur aux enfants.

– Je crains que celle-là soit vraie. Va voir un peu plus loin.

Kiev s'empressa d'avancer. Le tableau qui venait tout de suite après mit en lumière ce que le vieil homme tentait de lui expliquer. La pieuvre avait entouré une grosse sphère avec quelques-uns de ses tentacules et son énorme bec, qui ressemblait à ceux des perroquets, était en train de la pulvériser.

– C'est renversant...

Il se tourna vers Upsitos.

– S'agit-il d'un avenir qui ne s'est pas encore produit ?

– Lorsqu'une scène apparaît à la suite des autres, habituellement, elle indique un futur possible.

– Est-ce notre planète ?

– Peut-être.

– Dites-moi comment empêcher cette tragédie.

– Personne dans ton monde ne peut s'attaquer à Tramail sans perdre la vie.

– Nous allons donc tous mourir, c'est bien ça ? Nos efforts pour empêcher Javad d'éradiquer les Deusalas ne riment à rien. Il mourra en même temps que nous.

Avant qu'Upsitos puisse le rassurer, Kiev s'élança dans le tunnel, terrifié. Il vola à tire-d'aile jusqu'à la falaise de Girtab et fonça vers la grotte d'Océani au lieu de retourner chez lui. Ses pas pressés réveillèrent le dieu ailé, qui ralluma le feu au milieu de son antre.

– Kiev ? s'étonna-t-il en le reconnaissant.

– Nous n'avons aucune raison de continuer à attaquer des hologrammes sur la place de rassemblement, parce que nous allons tous périr ! hurla le jeune dieu.

– Qui t'a dit ça ? s'étonna Océani en descendant de son nid.

– La grotte défendue !

– Viens t'asseoir et calme-toi.

– Comment veux-tu que je me calme ? Une pieuvre géante va bientôt réduire notre planète en poussière ! Sais-tu ce que ça signifie pour nous ?

Océani prit place à sa table en pierre et suivit des yeux le jeune chef militaire qui arpentait la caverne devant lui.

– Tout comme les Deusalas s'apprêtent à défendre leur colonie, je suis certain que des créatures plus puissantes que nous font la même chose dans l'Éther. L'univers est maintenu dans un équilibre constant par les dieux qui ont engendré tous les panthéons que nous connaissons. Ils ne laisseront sûrement pas ce monstre les mettre en péril.

– Comment peux-tu en être certain ?

– Je suis plus vieux et plus savant que toi.

Océani alla emplir un gobelet d'eau dans sa source personnelle et le tendit à Kiev après y avoir ajouté une petite dose d'énergie tranquillisante.

– Bois.

Le jeune homme lui obéit et déposa durement le gobelet sur la table.

– Il faut que je parle à Sappheiros.

– Tu sais aussi bien que moi qu'il est mal en point en ce moment et qu'il a besoin de repos.

– Ça ne lui servira à rien si la pieuvre nous détruit.

– Je vais faire un marché avec toi. Si je n'arrive pas à calmer tes inquiétudes ce soir, je t'emmènerai auprès de lui demain. C'est la nuit pour tout le monde à Alnilam. En attendant, allons voir ce qui t'a mis dans un état pareil.

Il posa la main sur l'épaule de Kiev et les transporta tous les deux dans la grotte d'Upsitos. Il suivit le jeune homme jusqu'aux nouvelles fresques. Océani prit le temps de les étudier attentivement avant de lui faire connaître son avis.

– As-tu vu ce qui se trouve sous la pieuvre ? demanda-t-il finalement.

Kiev plissa les yeux pour tenter de mieux discerner la vingtaine de minuscules personnages qui semblaient réunis sur une petite plateforme.

– Qui sont-ils et qu'est-ce qu'ils font là ?

– Je sais que ce n'est pas facile, mais si tu regardes celui du milieu, tu verras qu'il tient quelque chose dans les mains.

– Un bâton ? Une épée ? Une lance ?

– C'est un sceptre.

– Ce serait vraiment utile que cette sculpture soit plus grosse... soupira-t-il.

Il n'avait pas terminé de prononcer le dernier mot que la fresque se mit à s'élargir sur le mur.

– C'est un de tes nouveaux pouvoirs, Kiev ? s'étonna Océani.

– Je n'ai rien fait. À mon avis, Upsitos a eu pitié de moi.

– Dans ce cas, je le remercie. Maintenant, étudie plus attentivement le vieillard qui tient le sceptre à la main.

– Je ne le connais pas.

– C'est Patris, le créateur de l'univers et le père des dieux et des déesses qui se tiennent de chaque côté de lui.

– Deux d'entre eux ont des ailes ! s'exclama Kiev.

– Ce sont Hapaxe et Atalée, les dieux fondateurs des Deusalas.

– Personne ne nous a jamais parlé d'eux !

– Les anciens nous ont souvent raconté leur histoire quand j'étais enfant, mais après le massacre, Hapaxe et Atalée ont été oubliés.

– Dis-m'en plus.

– Laisse-moi d'abord en finir avec ce tableau. Nous irons parler de nos ancêtres chez moi plus tard.

Même s'il aurait aimé contenter sa curiosité tout de suite, Kiev accepta avec un hochement de tête.

– Tous ces dieux qui surveillent la pieuvre possèdent la puissance requise pour la détruire.

– C'est une bonne nouvelle, donc ?

– Oui, un excellent présage, si tu veux mon avis. Il est maintenant certain qu'ils interviendront, d'une manière ou d'une autre, ce qui nous permettra de ne plus y penser et de nous concentrer sur notre propre guerre. Est-ce que ça te rassure ?

– En partie. Le combat contre Javad et ses soldats est loin d'être gagné.

– Y a-t-il d'autres sculptures plus loin ? s'enquit Océani.

– Je n'en sais rien. Je me suis précipité chez toi après avoir vu celle-ci.

Ils avancèrent dans le tunnel, mais tous les autres murs étaient vierges. Océani ramena donc Kiev dans sa caverne en utilisant son vortex. Il voyait que ce dernier était bien trop agité pour aller se recoucher.

– Je t'en prie, parle-moi de nos dieux fondateurs, le supplia-t-il en s'assoyant à la table. S'ils sont toujours vivants, ils doivent être vraiment très vieux.

– Ils ont en effet été conçus il y a fort longtemps, mais le temps n'a aucune emprise sur les dieux.

– Pourquoi ne sont-ils pas parmi nous comme le panthéon d'Achéron l'est avec ses descendants ?

– Mon grand-père prétendait que nous avons été séparés d'eux il y a des siècles lorsqu'il s'est produit un phénomène insolite peu après notre création.

– Quoi ? le pressa Kiev en s'accoudant à la table comme un enfant curieux.

– As-tu déjà vu des tourbillons dans l'océan ?

– Bien sûr que oui. Ils sont dangereux et nous ne devons jamais nous en approcher.

– Eh bien, il s'en produit aussi parfois dans l'Éther. Nos ancêtres, qui allaient être déposés dans un autre monde bien à eux, y ont été aspirés et ont abouti à Alnilam.

– Alors, ça explique beaucoup de choses...

– Nous aurions été les seules divinités de notre univers.

– Mais nous sommes tombés dans celui d'un autre dieu qui n'a aucune intention de le partager avec nous... C'est donc pour cette raison que nous sommes persécutés depuis lors ! Pourquoi ne pas nous l'avoir dit avant maintenant, Océani ?

– Parce que j'avais oublié cette vieille histoire jusqu'à ce que je voie la fresque.

Le jeune homme se remit à faire les cent pas.

– Si nos dieux fondateurs sont soudainement apparus sur le mur de la grotte d'Upsitos, est-ce que ça veut dire qu'ils vont finir par nous retrouver ? demanda-t-il finalement.

– Je n'en ai aucune idée, Kiev.

– Si c'est à notre planète que la pieuvre est sur le point de s'attaquer, ça veut donc dire que Hapaxe et Atalée sont tout près. Comment pourrions-nous leur faire signe pour attirer leur attention ?

– Nous n'allons certainement pas faire une chose pareille, parce que cette pieuvre a sans doute la capacité d'intercepter les communications télépathiques dans l'espace.

– Oui, tu as raison... soupira Kiev.

– Arrête de te torturer l'esprit avec tout ça. Demain, si tu veux, nous pourrons rassembler tous les Deusalas pour les mettre au courant.

– C'est une excellente idée.

Kiev s'immobilisa devant son mentor.

– Pourquoi n'éprouves-tu pas la moindre peur, Océani ? se troubla-t-il.

– Je crois que c'est une qualité que j'ai acquise en m'emparant de l'esprit de Tayaress, le serviteur d'Abussos. Il ne craignait rien ni personne.

– J'aimerais bien être comme ça, moi aussi...

– Pourtant, je ne te souhaite pas de vivre ce que j'ai vécu jadis juste pour en arriver là. Tu apprendras à contrôler ta peur, Kiev.

Océani lui ébouriffa les cheveux.

– Allez, essaie d'aller dormir quelques heures. Tu auras besoin d'être alerte demain.

– Ouais, tu as raison... mais ça ne sera pas facile.

– Je m'en doute.

Kiev vola jusqu'à sa caverne en rasant la falaise. Au lieu de rejoindre Mikéla dans leur nid, il resta à l'entrée et prit place sur la corniche, les jambes pendant dans le vide. D'une part, il voulait gagner cette guerre pour montrer à Javad que les Deusalas étaient résilients, mais d'autre part, il aurait aimé pouvoir s'adresser à Hapaxe et à Atalée pour les supplier de les ramener tous dans l'univers qu'ils avaient créé pour eux à l'origine. Il espéra de tout son cœur que les dieux fondateurs viennent à bout de l'horrible pieuvre carnivore afin qu'il puisse leur signaler la présence des Deusalas à Alnilam.

LUEUR D'ESPOIR

Privé de ses pouvoirs, Sappheiros dépendait du bon vouloir de ses hôtes. Les humains lui prodiguaient d'excellents soins, mais ils ne savaient pas comment rétablir la santé d'un dieu. Il essayait de ne pas se décourager en se disant qu'il finirait par se remettre de ses blessures, même si cela nécessitait plus de temps qu'avec de la magie.

Même dans le village des très bruyantes Salamandres, Sappheiros arrivait à dormir presque toute la journée, car Massilia s'occupait de ses enfants jusqu'au repas du soir. Au début, le Deusalas avait pris ses repas dans sa hutte, puis, capable de faire quelques pas, il s'était rendu aux feux pour manger avec les Chevaliers. Il observait ses enfants sans les reconnaître. Jadis timides, Argus et Azurée restaient surtout collés contre leur mère comme des poussins. Mais depuis qu'ils avaient été arrachés à leur repos éternel, ils acceptaient tous les deux de prendre place avec les soldats, riaient de leurs blagues et avalaient absolument n'importe quoi. En fait, ils ne semblaient nullement traumatisés d'avoir été séparés d'Azarine et d'Arnica. « J'ai souffert toute ma vie de la perte de ma famille et maintenant que deux de mes petits m'ont été rendus, je ne sais plus ce que je ressens », s'affligea Sappheiros.

Les jours passaient, tous pareils. Il ne pouvait pas suivre le rythme de vie de ces Chevaliers, mais il était content de ne pas éprouver la crainte constante de subir une attaque sans pouvoir se défendre. Les Salamandres étaient aux aguets, même si elles n'en avaient pas l'air, et elles étaient féroces.

Un soir, Massilia ramena les enfants dans la hutte un peu après le couvre-feu, alors que les Deusalas leur avaient donné l'habitude de s'entasser dans leur nid au coucher du soleil à Gaellans.

Une seule lampe brûlait dans l'abri. Couché dans le lit de Wellan, Sappheiros ne dormait pas. Azurée et Argus se faufilèrent sous son filet et lui présentèrent des visages radieux.

– Tu aurais dû venir avec nous voir le spectacle de marionnettes géantes ! s'exclama sa fille. C'était génial !

– Je suis certain que c'était magnifique, mais je n'ai malheureusement pas encore assez d'énergie pour assister à toutes ces activités.

– Ils en ont cherché avec *elle*, de l'énergie, mais ils n'en ont pas encore trouvé, affirma Massilia, très sérieuse.

Sappheiros ne put que sourire devant sa candeur.

– Gavril a dit qu'il y aurait une autre représentation avant la fin de la saison, ajouta Argus, alors peut-être iras-tu mieux à ce moment-là.

– Je l'espère bien, chercha à le rassurer le père. Qu'avez-vous fait toute la journée ?

– De la poterie avec Nienna, répondit le garçon. J'ai façonné un albatros. Il est en train de sécher dans sa hutte.

– Et moi, un dauphin ! s'exclama Azurée.

– Ensuite, nous sommes allés confectionner des bijoux avec Napoldée.

– Regarde, fit la fillette en lui montrant l'agate rose qu'elle portait au cou. Argus n'a pas encore choisi sa pierre. Nous devrons donc y retourner demain pour qu'il se décide. Toi, est-ce qu'il y en a une que tu aimes ?

– J'affectionne tout ce qui est bleu.

– Tu as de la chance, parce que j'ai vu plusieurs pierres de cette couleur dans le coffre de Napoldée ! Je t'en ferai cadeau !

– Vous sentez vraiment bon tous les deux, remarqua le père.

– Nous revenons de la hutte d'Alésia, où nous avons pris un bain chaud, expliqua Argus. Elle possède une grosse cuvette en cuivre où elle fait verser l'eau de plusieurs marmites.

– Et elle y ajoute même des sachets de poudre qui sentent les fleurs et qui adoucissent la peau, précisa Azurée.

– Massi a mis les mains dans l'eau pour s'assurer qu'elle n'était pas trop chaude pour les enfants et elles sont vraiment devenues plus douces, confirma la Salamandre.

– Demain, Sybariss nous a promis de nous montrer comment attacher des coquilles de moules ensemble pour en faire des mobiles, l'informa Argus.

– Nous en accrocherons partout au plafond pour que tu te sentes moins seul, papa, le rassura Azurée.

– Vous êtes vraiment gentils, mes amours.

– C'est Massilia qui en a eu l'idée.

– Est-ce que tu nous contes une histoire ? le pria Argus.

– Pas ce soir, décida la Salamandre. Il est trop tard et vous avez besoin de sommeil pour faire tout ce dont vous avez envie demain. Allez, au dodo.

Les enfants embrassèrent leur père et se dirigèrent vers leur propre lit. Massilia remonta la couverture jusqu'à leur nez, car les nuits étaient fraîches à Altaïr durant la saison froide.

– Qu'est-ce qu'on fait quand on n'a pas envie de s'endormir ? se découragea Azurée.

– Des fois, ça arrive aussi à Massi, alors *elle* imagine la marionnette géante qu'*elle* aimerait construire.

– À quoi ressemble-t-elle ? demanda Argus.

– À un gros geai bleu, sauf qu'il est vert, répondit fièrement la Salamandre. *Elle* l'emmène explorer de nouvelles forêts jusqu'à ce qu'*elle* ferme les yeux.

– Moi, la mienne, ce serait un tout petit colibri, décida la fillette.

– Et la mienne, un aigle, avoua Argus.

– Maintenant, vous savez ce qu'il vous reste à faire. Quand vous l'aurez construite, fermez les yeux et si ça ne marche pas, comptez les étoiles jusqu'à cent.

La guerrière les embrassa sur le front.

– Si vous avez besoin de Massi durant la nuit, vous n'avez qu'à l'appeler.

– Bonne nuit, Massi! lui souhaitèrent les enfants en chœur.

Elle referma leur filet et passa sous celui de Sappheiros pour aller s'asseoir près de lui.

– Ils vont trouver leur vie bien monotone quand je les ramènerai à la colonie, chuchota le Deusalas.

– Tu pourrais aller chercher tous tes amis pour qu'ils s'installent ici. Il y a encore beaucoup d'espace sur la plage pour d'autres huttes et, au besoin, *elle* fera pousser plus de sable.

– Les dieux ailés se nourrissent des produits de la mer.

– Mais l'eau est salée ici aussi et il y a des milliers de poissons dans le fleuve.

– Tu as raison. J'y réfléchirai.

– *Elle* est contente.

Massilia s'allongea près du Deusalas.

– Y a-t-il quelque chose que tu aimerais faire durant la journée? lui demanda-t-elle au bout d'un moment.

– Je pourrais t'en dresser une longue liste, soupira Sappheiros, mais les trois quarts de ces activités me videraient de mes forces.

– *Elle* veut trouver une façon de te distraire, parce que ça doit être très ennuyant de rester couché tout seul ici tout le temps.

– Ça me permet de réfléchir.

– À quoi?

– À des milliers de choses.

– *Elle* ne pourrait jamais penser à autant de choses.

– C'est ta plus grande force, Massilia. Tu ne te casses jamais la tête avec tout ce qui pourrait ou ne pourrait pas se produire. Tu restes toujours dans l'instant présent.

– C'est vraiment une force ? se réjouit-elle.

– Dont je suis jaloux.

– Si tu avais encore tes ailes, *elle* te les échangerait contre sa force.

Sappheiros éclata de rire tout bas.

– Quand Wellan reviendra, *elle* lui demandera de faire de meilleurs efforts pour te guérir, décida la Salamandre.

– Tu es vraiment la personne la plus gentille que j'ai rencontrée.

– Et toi, la plus belle, même sans tes ailes.

– Celles que j'ai perdues...

– Arrête de t'en faire, Sappheiros. Elles ne sont sûrement pas allées bien loin. Elles reviendront. Est-ce que tu veux quelque chose à boire ?

– Tu lis dans mes pensées, parce que j'étais justement en train de me dire qu'un thé me ferait le plus grand bien avant de dormir.

– *Elle* n'arrive même pas à lire ses propres pensées, encore moins celles des autres, mais *elle* sait comment faire du thé.

Massilia embrassa Sappheiros sur le bout du nez et glissa sous le filet. À la lumière des flambeaux, elle retourna aux feux qui brûlaient encore. Ravenne y était assis, seul. Il terminait une dernière tasse de tisane.

– Tu n'as pas sommeil ? s'étonna Massilia.

– Je sais que vos sentinelles surveillent le fleuve la nuit, mais ce que nous redoutons ne peut pas être vu avec les yeux.

– Avec quoi, alors ? demanda-t-elle en versant de l'eau bouillante dans une tasse.

– Mes pouvoirs de Chevalier. Mes compagnons d'armes et moi avons tous reçu la faculté de pressentir le danger grâce à un sixième sens.

– Il y en a six ? s'étonna Massilia en fouillant dans la boîte où les Salamandres conservaient différentes sortes de thé.

– Oui, mais je ne t'en parlerai pas cette nuit.

– Tu veux l'aider à trouver un thé qui favorise le sommeil ?

– Essaie celui-là, au jasmin et à la camomille.

– Merci, Ravenne. Mais il faudra que tu dormes toi aussi.

– Je fais la sieste durant la journée quand vous êtes sur la plage. Je me suis habitué à tout le bruit que vous faites.

– Les Salamandres ont besoin d'exprimer leur joie de vivre.

– Je l'avais remarqué.

Massilia laissa tomber le sachet dans la tasse, puis retourna à la hutte. Elle prit place en tailleur sur le lit pendant que Sappheiros dégustait la boisson chaude à petites gorgées.

– Tu m'apportes toujours une saveur différente de thé, remarqua-t-il.

– C'est parce qu'*elle* ne se souvient jamais de celle d'avant.

– Qu'est-ce que tu faisais dans la vie avant de devenir Chevalier d'Antarès, Massilia ?

– *Elle* pense qu'*elle* était une princesse et qu'*elle* vivait dans un château.

– Et tu t'es retrouvée un beau jour sur un champ de bataille en train d'abattre des Aculéos ?

– *Elle* ne sait plus ce qui s'est passé, mais *elle* est très douée pour les armes.

– Oui, je l'ai constaté.

– Et toi, qu'est-ce que tu étais avant d'être un Deusalas ?

Sa question le surprit tellement qu'il crut que la Salamandre se moquait de lui.

70

– Je n'ai jamais été autre chose, finit-il par répondre.

– Alors, ce doit être pareil pour *elle*.

– Que feras-tu après la guerre ?

– Pergame dit qu'elle ne finira jamais, alors ça ne sert à rien d'y penser.

– Et si elle prenait fin ?

Massilia plissa le front en réfléchissant.

– *Elle* voudrait devenir un aigle et vivre dans les nuages.

– Si ce n'était pas possible ?

– Peut-être un chat sauvage.

– Ce que j'aimerais savoir, c'est comment tu assurerais ta subsistance ?

– En chassant, j'imagine.

– Tu ne voudrais pas trouver un compagnon et avoir des enfants ? Vivre une vie paisible dans la sérénité et le bonheur ?

– *Elle* ne sait même pas si ça existe pour vrai.

« Mais elle veut devenir un aigle », soupira intérieurement Sappheiros. S'il avait eu ses pouvoirs magiques, il aurait insisté pour aller voir ce qui se passait dans sa tête pour provoquer toutes ces fantaisies.

Massilia n'était certes pas malheureuse, mais lorsque les hostilités cesseraient, il y avait de fortes chances que ses semblables l'enferment dans un de leurs hôpitaux pour la protéger contre elle-même.

– En attendant, *elle* veut te voir guérir, ajouta-t-elle sans afficher la moindre inquiétude quant à son avenir.

La Salamandre attendit qu'il finisse son thé, alla déposer la tasse sur une commode et revint se coucher près de lui. Puisqu'elle ne se cassait jamais la tête, elle s'endormit presque aussitôt.

Normalement, le Deusalas aurait passé la moitié de la nuit à regarder le plafond, mais ce soir-là, le thé aidant, il parvint à fermer les yeux.

Au matin, Massilia fit bien attention de ne pas réveiller Sappheiros en sortant du lit. Elle alla chercher les enfants et les mena en silence hors de l'abri.

– Est-ce que papa sera toujours comme ça ? se découragea Argus.

– Bien sûr que non ! Ça lui prendra du temps à guérir ses blessures parce qu'elles sont graves, mais il redeviendra lui-même. *Elle* vous le promet.

La guerrière les emmena d'abord manger. Ils prirent place parmi les Chevaliers et reçurent dans leur écuelle des gaufres toutes chaudes sur lesquelles Léokadia avait versé du sirop d'érable. Les enfants dévorèrent leur repas comme des louve-teaux affamés.

– Je ne pourrai jamais plus manger juste du poisson, déclara Argus.

– Moi non plus ! renchérit Azurée. C'était trop bon !

Ils passèrent l'avant-midi chez Sybariss à passer des corde-lettes dans des coquilles d'huîtres et à les attacher à des ba-guettes de bois. Même Massilia décida de s'y essayer avec des résultats moins probants. Ils suspendirent leurs créations aux branches d'un arbre non loin des feux avec l'intention de ne les présenter à leur père que le soir venu. Pendant qu'ils se ré-galaient de petits pâtés au poulet, Massilia alla porter une écuelle à Sappheiros. Il avait réussi à s'asseoir sur son lit, mais elle le trouva bien pâle. Il accepta sa portion avec un sourire de gratitude.

– Tu ne vas pas encore mieux, n'est-ce pas ?

– Il y a de bonnes et de moins bonnes journées. Celle-ci n'est pas extraordinaire.

– Dis à Massi ce qu'*elle* pourrait faire ?

– Tu en fais déjà beaucoup pour moi. Je ne saurais t'en demander plus. Continue de t'occuper des enfants pendant que je reprends des forces du mieux que je peux.

– D'accord, *elle* veut bien.

La Salamandre l'embrassa sur les lèvres et quitta la hutte pour s'acquitter de sa mission. Elle retrouva les enfants, prit une bouchée elle aussi, puis les emmena dans la forêt.

– *Elle* va vous montrer à trouver des étoiles, leur annonça-t-elle.

– Chouette ! s'exclama Argus.

– Mais il ne faudra le dire à personne.

– Même pas à papa ? s'étonna Azalée.

– À personne. Ce sera notre secret.

Ils marchèrent pendant une heure et arrivèrent devant une petite rivière qui coulait tout doucement vers le sud. Massilia enleva ses bottes.

– L'eau doit être glaciale, là-dedans ! protesta Argus.

– Ne fais pas le bébé, le sermonna Azurée.

Elle se défit aussi des bottes que Gavril lui avait confectionnées et suivit la Salamandre dans l'eau jusqu'aux genoux.

– Ouf, c'est vrai qu'elle est froide ! s'exclama-t-elle en riant.

Piqué dans son orgueil, Argus s'empressa de l'imiter. Massilia leur montra à distinguer les petites pierres blanches parmi les autres cailloux qui tapissaient le fond du cours d'eau. Elle plongea la main pour en prendre une et la leur montrer.

– Mais oui ! Elle ressemble à une étoile ! s'émerveilla la fillette.

– Elle émet de la lumière, aussi, mais il n'y a que Ravenne qui sache comment la faire briller.

– Comment allons-nous rapporter ces pierres au village ? voulut savoir Argus.

– Nous allons les lancer à côté de nos bottes et, quand nous en aurons assez, nous replierons notre débardeur vers le haut pour en faire une poche où nous les entasserons.

– C'est une bonne idée.

Ils s'amusèrent à pêcher des étoiles pendant de longues minutes sans remarquer la présence de Wallace derrière les arbres, qui les observait avec étonnement. Il avait capté l'énergie divine des enfants et ne s'expliquait pas ce qu'ils faisaient à Altaïr en compagnie d'un Chevalier d'Antarès.

Lorsque le trio eut rassemblé une cinquantaine de pierres blanches à cinq branches, Massilia, Argus et Azurée s'assirent sur le sol pour laisser sécher leurs pieds avant d'enfiler leurs bottes. En attendant, la fillette prit une étoile entre ses doigts pour l'admirer. Lorsque le caillou s'alluma, elle poussa un cri de surprise.

– Mais qu'est-ce que tu as fait ? s'étonna son frère.

– Rien du tout !

– Est-ce que tu possèdes la même magie que Ravenne ? s'émerveilla Massilia.

– Je n'ai rien fait !

Derrière un gros chêne, Wallasse souriait avec amusement, car c'était lui qui avait provoqué ce phénomène. Persuadé que les jeunes Deusalas ne représentaient aucun danger pour lui, il disparut pour retourner dans sa mine.

LES AILES

Après les premiers exercices de vol du matin, Kiev chuchota à Nemeroff, en marchant près de lui, qu'il avait besoin de lui parler en privé ainsi qu'à Sage, Azcatchi, Maridz et Océani. Puisque ces derniers temps, Mikéla avait plus de difficulté à maîtriser sa peur, il décida de ne pas l'effrayer davantage en l'écartant de cette rencontre. Il alla l'avertir qu'il devait s'entretenir avec ses mentors et lui confia le commandement des escadrilles en son absence. Il décida également d'exclure Eanraig de cette discussion pour ne pas lui faire perdre sa confiance en lui. Kiev rejoignit les autres autour de la table en pierre dans la grotte de Nemeroff.

– Si c'est pour nous parler de stratégie, tu aurais pu le faire sur la place de rassemblement, lui fit remarquer le dieu-dragon.

– Je veux plutôt vous révéler ce que j'ai appris cette nuit dans la caverne d'Upsitos.

– Des nouvelles encourageantes ou alarmantes? s'enquit Sage.

– Elles ne présagent rien de bon, leur dit Kiev. Il semble que nous aurons un problème bien plus grave encore que Javad et ses guerriers taureaux.

– D'autres sorciers? demanda Azcatchi.

– Une pieuvre géante qui porte le nom de Tramail et dont Lizovyk est le serviteur. Elle a l'intention de détruire notre monde.

– Est-elle à nos pieds, dans l'océan?

– Non, Azcatchi. Elle flotte dans l'espace et elle dévore des planètes.

– Vraiment ? s'étonna Maridz.

– Il dit vrai, l'appuya Océani. Tout comme lui, j'ai vu cette créature sur les murs de la grotte de l'île défendue. Toutefois, il semblerait que les dieux fondateurs sont conscients de cette menace. Ils sont en train de se rassembler pour la contrer.

– Upsitos en avait-il plus à nous dire à ce sujet ? espéra Sage.

– Malheureusement, non, soupira Kiev.

– Je veux voir ce monstre de mes propres yeux, exigea Nemeroff.

Sans avertir ses amis, il les transporta directement sur l'île au sud de Girtab. Ils pénétrèrent dans la grotte à la queue leu leu et étudièrent d'abord en silence les différents tableaux en s'éclairant avec leurs paumes.

– Ce sont bien les dieux fondateurs, confirma Nemeroff. Je reconnais Abussos, mon père divin, parmi eux.

– Possèdent-ils suffisamment de puissance pour détruire cette pieuvre ? demanda Maridz.

– C'est certain, répondit Océani.

– Ce serait un combat intéressant à observer, laissa tomber Azcatchi.

– Mais si ce Tramail est capable de broyer des planètes sans difficulté, pourquoi envoie-t-il un seul sorcier pour nous harceler ? observa Sage.

– Je me posais justement la même question, avoua Nemeroff.

– Pour s'amuser ? avança Kiev.

– C'est possible, admit Maridz. Les créatures maléfiques qui se croient invincibles ne sont jamais très aimables envers les autres.

– Je crois plutôt que la pieuvre essaie de nous distraire pendant qu'elle se met en position pour nous écraser, lâcha Océani.

Sa réflexion jeta ses amis dans la consternation.

– Pourquoi n'y a-t-il pas d'autres fresques après celle-ci ? fit Sage.

– Sans doute parce que notre avenir est incertain, expliqua Océani.

– Il est donc encore possible que Tramail ne nous détruise pas, se réjouit Kiev.

– Tous les tableaux illustrant des événements qui ne se sont pas encore produits ne représentent qu'une possibilité parmi beaucoup d'autres.

– Ne serait-il pas plus utile que la grotte nous offre des conseils plutôt que de nous montrer des probabilités ? grommela le jeune dieu.

– Je suis d'accord avec Kiev, l'appuya Azcatchi.

– Nous pourrions en débattre pendant des jours, leur fit remarquer Sage. Je suggère que nous laissions les dieux fondateurs s'occuper de la pieuvre et que nous nous préoccupions plutôt de notre combat.

– Dont la caverne ne parle pas du tout, ajouta le dieu-crave. Est-ce parce que nous serons écrasés au bout du compte ?

– Un peu d'optimisme, mon ami.

– Mais Azcatchi a raison, intervint Kiev. Si Upsitos ne parle que de Tramail, c'est sans doute le prochain événement qui se produira et il ne sait pas encore si nous y survivrons.

– Moi, je refuse de baisser les bras, s'entêta Sage.

– Tout comme moi, affirma Maridz.

– Cessons de penser à cette menace contre laquelle nous ne pouvons rien, trancha Océani. Faisons confiance aux dieux fondateurs. Et surtout, n'alarmons pas inutilement les Deusalas.

– Je suis d'accord, acquiesça Kiev en pensant à Mikéla.

Ils revinrent tous les six sur la place de rassemblement, plus décidés que jamais à ne pas laisser Javad l'emporter contre les dieux ailés. Kiev fouetta ses troupes et leur fit reprendre l'entraînement.

Pendant que Sage et Azcatchi continuaient de faire apparaître sur le plateau des hologrammes de plus en plus difficiles à abattre, assis sur la corniche face à l'océan, Maridz s'employa plutôt à surveiller les environs pour que la colonie ne soit pas victime d'une attaque surprise.

À la fin de la journée, lorsque tous les dieux ailés rentrèrent chez eux, Kiev s'avança vers Océani, en tenant Mikéla par la main.

– Emmène-moi jusqu'à Sappheiros, exigea-t-il. J'ai besoin de le voir.

– Si j'accepte, tu devras me promettre de ne pas le harceler, répondit Océani.

– Je te le promets.

Il prit les deux jeunes gens par la main et les transporta au bord de la rivière des Salamandres au moyen de son vortex. Le soleil déclinait, mais les huttes circulaires très colorées en retrait de la plage étaient bien visibles.

– Ne sont-elles pas vulnérables ainsi ? s'étonna Kiev.

– Tu finiras par apprendre que les humains ne pensent pas du tout comme les Deusalas, répliqua Océani.

Ils virent alors s'approcher une jeune femme blonde qui allumait les flambeaux piqués dans le sable à l'aide de la torche qu'elle tenait à la main. Elle reconnut l'un des visiteurs.

– Contente de te revoir, Océani. Qui nous amènes-tu ?

– Séïa, je te présente Kiev et Mikéla, qui sont venus visiter Sappheiros.

– Est-ce que c'est toi qui as attaqué le sorcier qui s'en prenait à lui ? demanda Kiev.

– Non, c'était Massilia. Elle est la seule à s'éloigner autant du village, malgré les ordres de notre commandante. Tu la trouveras certainement au chevet du dieu ailé.

– Merci.

Océani guida ses amis jusqu'à la hutte où Sappheiros reposait sur un lit. Il n'y avait personne avec lui. L'aîné passa une main lumineuse au-dessus de son corps et constata qu'il prenait du mieux physiquement, mais que sa magie était toujours absente. Sappheiros battit des paupières et le reconnut.

– Océani...

– Ne fais pas d'efforts. Tu es encore faible.

– J'ai en effet besoin de beaucoup de repos, mais je suis désormais capable de me rendre jusqu'aux feux pour la plupart des repas.

– Où sont tes enfants ?

– Massilia les occupe toute la journée. Je ne sais pas où elle les a emmenés aujourd'hui. En tout cas, ils ne se sont jamais autant amusés.

Sappheiros aperçut alors Kiev et Mikéla derrière Océani.

– Ce que je suis heureux que vous soyez là, murmura-t-il, ému.

– Ça me chagrine de te voir dans un état pareil, avoua Kiev en s'agenouillant près du lit.

– Océani m'a déjà dit que lorsqu'un sorcier meurt, tous ses sortilèges disparaissent avec lui. Alors je garde l'espoir que vous me rendiez mes forces en éliminant Lizovyk.

– Nous y sommes presque arrivés l'autre jour, mais le lâche s'est enfui avant que nous puissions l'achever.

– Il faudrait peut-être lui tendre un piège dont il ne pourrait pas s'échapper, suggéra Mikéla.

– Je ne vous ai pas emmenés jusqu'ici pour lui donner de faux espoirs, les avertit Océani.

– Ce n'était pas notre intention, Sappheiros, mais nous te promettons toutefois d'y réfléchir.

Le blessé fit un effort pour s'asseoir, alors Océani lui vint en aide puis recula pour le laisser s'entretenir avec les jeunes Deusalas. C'est alors que Mikéla eut un vertige et s'accrocha à son bras. Océani la sonda sur-le-champ.

– Tu es enceinte ?

– Moi ? s'étonna-t-elle.

– Quelle merveilleuse nouvelle ! les félicita Sappheiros.

– Mais nous ne voulions pas avoir d'enfants avant la fin de la guerre, s'affligea la future maman.

– Je suis certain qu'elle sera terminée avant la naissance de l'enfant, tenta de l'encourager Kiev, heureux.

Océani se demandait plutôt s'ils ne devaient pas la remplacer sans tarder dans leur trio volant. Avant qu'il puisse leur en parler, Argus et Azurée arrivèrent en courant dans la hutte.

– Papa ! Papa ! Nous avons tout plein de présents pour toi ! s'exclama la fillette.

Les bras chargés de mobiles de coquilles, des besaces remplies d'étoiles sur l'épaule, ils s'arrêtèrent net en apercevant les étrangers.

– Vous n'avez rien à craindre, les rassura Sappheiros. Approchez. Kiev et Mikéla sont des enfants de la colonie tout comme vous.

– Ils sont bien trop grands, répliqua Argus.

– Nous avons vieilli, lui expliqua Kiev.

– Pourquoi êtes-vous ici ? s'inquiéta Azurée, qui ne voulait pas retourner tout de suite vivre chez les Deusalas.

– Nous sommes venus nous assurer que votre papa prend du mieux.

– Il ne peut pas encore jouer avec nous, si c'est ce que vous voulez savoir.

– Soyez patients. Il se remettra de ses blessures.

Argus et Azurée déposèrent leur butin sur le lit de leur père. La fillette lui tendit une chaînette au bout de laquelle pendait une agate bleu ciel.

– C'est pour moi ?

– Oui ! Et Argus a finalement choisi une pierre verte.

Elle grimpa près de Sappheiros pour lui passer le collier autour du cou. Massilia arriva en soufflant.

– Enfin, vous voilà ! lança-t-elle. *Elle* vous avait dit de l'attendre !

– Nous étions trop pressés de lui apporter ses cadeaux, s'excusa Argus.

– Qui sont vos nouveaux amis ?

– Kiev et Mikéla de la colonie des Deusalas, qui désiraient voir Sappheiros, répondit Océani à la place des enfants.

– Maintenant que vous l'avez vu, dehors tout le monde. Il a besoin de silence.

– Massi, sois gentille, la pria Sappheiros. Je ne vois jamais personne. J'aimerais aller manger avec vous, ce soir.

La femme Chevalier poussa un grand soupir contrarié.

– Bon, d'accord, mais si *elle* voit que tu perds des forces, *elle* te ramènera ici et *elle* renverra tous les autres dans leurs huttes.

– Mais pas nous, n'est-ce pas ? voulut s'assurer Argus, inquiet.

– Le repas est déjà prêt, indiqua la Salamandre. Suivez Massi.

Océani aida Sappheiros à se lever.

– C'est toi qui as sauvé notre ami d'une mort certaine ? demanda Kiev à Massilia.

– *Elle* a juste fait son devoir, mais *elle* est contente qu'il soit ici. C'est l'heure de manger. Pressons.

– Avez-vous envie de vivre une expérience humaine ? fit Océani en direction du jeune couple.

– Tu parles ! s'enthousiasma Kiev.

La Salamandre conduisit le groupe jusqu'aux feux, où il y avait heureusement assez de nourriture pour quelques personnes de plus.

– Massi, tu dois arrêter de nous ramener tous les gens que tu trouves, l'avertit Alésia.

– Ceux-là sont importants, *elle* pense.

– Je m'appelle Kiev et je dirige l'armée des Deusalas, se présenta-t-il.

– Et moi, Mikéla. Je suis sa femme et je combats à ses côtés.

– Je suis Alésia, la commandante des Salamandres. Bienvenue dans notre village.

– Enchanté de faire votre connaissance, répliqua Kiev. Mais je croyais qu'il y avait des centaines de Chevaliers d'Antarès.

– Il y en a des milliers. Ceux de ma division sont postés sur toute la berge ouest du fleuve Caléana, pour que les Aculéos ne puissent mettre le pied nulle part.

– Ils ont faim, lui rappela Massilia.

– Vous avez de la chance, leur dit Alésia. C'est Léo qui a préparé le repas. Vous ne risquez donc pas l'empoisonnement.

Kiev jeta un regard inquiet du côté d'Océani, qui se contenta de sourire.

– Vous allez adorer ! s'exclama la violoniste en leur tendant des écuelles de pâtes blanches nappées de sauce à la viande.

Massilia s'occupa des enfants, car elle connaissait maintenant leur appétit d'oiseau. Elle ne leur donna qu'une demi-portion chacun. Puis elle s'empressa de servir Sappheiros elle-même.

– C'est toujours bon, ici, laissa tomber Azurée.

– Ça dépend à qui c'est le tour de préparer le repas, précisa Alésia.

Habitué à la nourriture humaine, Océani mangea en surveillant Sappheiros, qui n'avalait qu'une bouchée de temps en temps. Kiev et Mikéla se montrèrent plus prudents, car ils n'avaient jamais rien vu qui ressemblait à ce qui se trouvait dans leur écuelle. Ils observèrent les autres pour comprendre comment utiliser leurs ustensiles, puis les imitèrent.

– C'est vraiment très différent du poisson, avoua Mikéla, étonnée.

– Les bœufs et les poissons n'ont rien en commun, l'informa Massilia.

– Je ne sais pas ce qu'est un bœuf, mais c'est vraiment très bon, indiqua Kiev.

– C'est un animal un peu plus petit qu'un cheval et qui a des cornes sur la tête.

L'image des hommes-taureaux apparut aussitôt dans l'esprit du jeune Deusalas.

– Ce n'est pas du tout ce à quoi tu penses en ce moment, l'avertit Océani, amusé.

Assis de l'autre côté du feu, Ravenne examinait les nouveaux arrivés en silence. Il était devenu si difficile de dire qui était un ami et qui était un ennemi.

Après le repas, Gavril proposa une partie d'anneaux. Tous se réjouirent sauf leurs invités, qui n'avaient aucune idée de ce que cela pouvait être.

– C'est un jeu d'adresse, leur expliqua Séïa, qui avait capté l'interrogation dans leurs yeux.

– Je veux bien essayer, accepta Mikéla, pour oublier qu'elle était peut-être enceinte.

– Es-tu sûre que c'est bon pour toi ? chuchota Kiev.

– Nous ne sommes même pas certains que c'est vrai, répondit-elle à voix basse.

Ils se dirigèrent donc vers la plage, où Pergame et Domenti étaient en train de planter des piquets un peu partout. Océani fit asseoir Sappheiros sur un petit tapis et s'installa près de lui.

– Tu ne veux pas t'amuser avec les autres ?

– Ce serait injuste pour eux, plaisanta Océani. Tu connais mon adresse.

Nienna arriva avec un gros sac de toile sur le dos, qui semblait bien lourd. Elle le déposa sur le sable avant d'en sortir un grand nombre d'anneaux métalliques.

– Qu'en fait-on ? s'enquit Mikéla.

– Avant de jouer à quoi que ce soit, il faut toujours faire des équipes, lui dit Argus.

– Il a raison, l'appuya Alésia. Ce soir, les chefs d'équipe seront moi, évidemment, ainsi que Gavril, Domenti, Pergame, Napoldée, Léokadia et Nienna.

– Et *elle* ? se désespéra Massilia.

– J'aimerais que tu fasses partie de mon équipe, si tu veux bien, lui proposa Léokadia.

– D'accord ! se réjouit-elle.

Séïa se retrouva avec Alésia, Kiev avec Domenti, Mikéla avec Gavril, Argus avec Nienna et Azurée avec Léokadia et Massilia.

– Pour ceux qui ne connaissent pas ce jeu, les joueurs de chaque équipe doivent lancer cinq anneaux chacun sur les piquets. Chaque fois qu'ils y enfilent un anneau, ils marquent un point. Voici comment on fait.

La Salamandre lança habilement son anneau autour du piquet à quelques pas d'elle.

– Ça me paraît simple, commenta Mikéla.

– On a aussi des jeux beaucoup plus difficiles, comme les quilles, lui révéla Massilia. Les anneaux, eux, on ne peut pas les casser.

Ils commencèrent à jouer à la lueur des flambeaux tandis que l'obscurité enveloppait la plage. Les Deusalas se montrèrent très adroits, surtout Kiev. En peu de temps, les jeunes dieux ailés se mirent à encourager toutes les équipes comme le faisaient les autres Salamandres. Ce fut finalement celle de Léokadia qui remporta le match malgré les prouesses de Kiev. Les joueurs sautèrent de joie et vinrent étreindre les gagnants.

– *Elle* a gagné ! *Elle* a gagné ! cria Massilia en sautillant partout.

– Est-ce que vous jouez comme ça tous les soirs ? s'enquit Mikéla.

– Un soir sur deux, l'informa Séïa, sinon nous n'aurions pas le temps de présenter des spectacles de danse, de chant ou de théâtre.

Kiev alla s'asseoir de l'autre côté de Sappheiros.

– La vie ici est plutôt excitante, dis donc, lâcha-t-il, ravi.

– C'est ce que me répètent mes enfants tous les soirs.

– Tu pourras bientôt t'amuser, toi aussi.

– Je crois plutôt que lorsque mes pouvoirs me seront enfin rendus, je reviendrai à Girtab pour vous prêter main-forte. La guerre est imminente.

– Et tes petits ?

– Il me sera bien difficile de les arracher à cette nouvelle vie qu'ils adorent.

– Tu pourrais les laisser avec les Salamandres le temps que nous réglions nos comptes avec Javad. Cet endroit semble facile à défendre.

Kiev faillit alors lui parler de la pieuvre, mais se tut, car si Océani ne l'avait pas mentionnée depuis leur arrivée, c'était sans doute parce qu'il ne croyait pas Sappheiros en état de l'entendre.

Un éclair aveuglant les fit tous sursauter. Océani se précipita devant Sappheiros pour le protéger. Il vit alors, au milieu des piquets que Pergame et Gavril n'avaient pas encore enlevés, un homme qui portait des vêtements sombres.

– Du calme, tout le monde ! s'exclama Massilia. C'est juste le sorcier !

Toutefois, la dernière fois qu'il était apparu à cet endroit, il avait défié Wellan dans un duel de boules de feu... Même si elles avaient été armées, les Salamandres n'auraient rien pu faire contre lui.

– Que veux-tu cette fois, Wallasse ? lui demanda Alésia en se donnant des airs de chef.

Le mage ne se préoccupa pas des soldats et marcha résolument vers les Deusalas. Debout devant Sappheiros, Océani se prépara à faire apparaître ses couteaux. Kiev s'était également levé pour faire front commun avec lui. Instinctivement, Mikéla avait pris les deux enfants par la main et les avait éloignés du conflit en puissance.

– Pourquoi êtes-vous ici ? lança Wallasse.

– Nous sommes venus nous assurer que l'un des nôtres, qui a été blessé par Lizovyk, est en bonne voie de guérison, expliqua Océani.

– Aussi, au nom de tous les Deusalas, merci de nous avoir aidés à le faire battre en retraite sur la falaise, ajouta Kiev.

Wallasse, qui détestait les compliments, fit comme s'il ne l'avait pas entendu.

– Où est cet homme blessé ?

– Ici, répondit Sappheiros en s'accrochant aux bras d'Océani et de Kiev pour se mettre debout.

– Où est ta magie ?

– J'aimerais bien le savoir.

– Si tu es un dieu, Lizovyk ne peut pas avoir réussi à te la voler.

– C'est pourtant ce qui semble s'être produit, confirma Océani.

– Est-ce que tu pourrais la retrouver pour lui ? intervint Massilia.

– Pas sans capturer le voleur. Je ne pourrais pas l'obliger à la lui rendre autrement.

– Qu'est-ce qu'*elle* pourrait faire pour t'aider ?

– Qui, elle ? s'étonna Wallasse.

– Elle fait allusion à sa personne, le renseigna Sappheiros. C'est sa façon de parler.

– Il n'y a rien que les mortels puissent faire, l'avertit le sorcier.

– Y a-t-il une façon pour un autre dieu de lui redonner ses pouvoirs ? s'enquit Kiev.

– Je n'en connais aucun qui soit assez puissant pour y arriver. Ne restez pas ici. Vous pourriez attirer le fourbe sur mes terres.

– Nous allions justement partir, le rassura Océani.

Wallasse disparut sans rien ajouter.

– Devrions-nous ramener les enfants avec nous ? demanda Mikéla.

– Non ! s'écrièrent-ils.

Ils lâchèrent les mains de la Deusalas et allèrent se cacher derrière Massilia.

– *Elle* ne laissera personne vous emmener, leur dit la Salamandre pour les apaiser.

– Ne vous inquiétez pas pour eux, renchérit Sappheiros.

– *Elle* est capable de s'en occuper et de les protéger, ajouta Massilia.

– Merci pour cette excellente soirée, fit alors Océani.

Il étreignit Sappheiros en faisant bien attention de ne pas lui faire perdre l'équilibre, puis prit les mains de Kiev et de Mikéla pour disparaître avec eux.

ÉVADÉE

Zakhar se reposait dans la grotte royale après avoir pris Sierra de force lorsqu'il entendit courir sa garde personnelle dans les tunnels. Il se redressa pour tendre l'oreille. Les pas précipités furent aussitôt suivis de cris de terreur. « Je ne peux pas croire que c'est ma prisonnière qui suscite toute cette agitation », songea le roi des Aculéos en quittant la douceur de ses fourrures. Il se dirigea vers la sortie de ses quartiers, mais n'alla pas plus loin. Deux de ses guerriers lui bloquèrent la route.

– Laissez-moi passer ! rugit-il.

– Le général Genric nous a demandé de vous empêcher d'entrer dans la grande salle.

– Pourquoi ?

– Un intrus a réussi à s'y rendre.

– Un intrus dans mon palais ? Et vous croyez que je vais attendre sagement ici que vous l'ayez tué ?

– Ce sont nos ordres, Zakhar.

– Eh bien, je les contremande !

Le roi voulut les contourner, mais ils l'en empêchèrent.

– Je veux voir Genric tout de suite ! hurla-t-il.

Un des deux guerriers répéta sa requête à un autre plus loin dans le tunnel. Celui-ci détala pour aller en informer le général. Lorsqu'il arriva enfin derrière son chef, le carnage venait de prendre fin. Genric poussa un cri de rage.

– Allez débloquer les trous d'aération à la surface, commanda-t-il. Il faut évacuer la fumée !

– Général, le roi est dans tous ses états et il vous réclame, fit l'homme derrière lui.

Genric tourna les talons et se rendit à la chambre royale, persuadé qu'il perdrait sa tête pour cet échec cuisant. Les deux gardes le laissèrent passer.

– Qui a osé entrer dans mon palais ? tonna Zakhar.

– Un humain, l'informa le guerrier en s'efforçant de demeurer imperturbable.

– C'est lui qui a fait tout ce vacarme ?

Il contourna Genric et fonça dans le tunnel, son général sur les talons. Zakhar s'arrêta net à l'entrée de la salle du trône, hébété par le spectacle qu'il avait sous les yeux. Il y avait tellement de cadavres empilés les uns sur les autres qu'il ne pouvait même pas avancer.

– Un seul humain est responsable de ce carnage ?

– Il possédait de la magie, Zakhar. De ses mains jaillissaient des lames brûlantes qui coupaient mes hommes en deux. Et quand j'ai lancé une autre troupe contre lui, il a mis le feu aux corps qui les séparaient pour les empêcher d'avancer. Ils ont lancé des javelots sur lui à travers les flammes et la fumée, mais aucun ne le touchait.

– Où est ma prisonnière ?

– Il est parti avec elle.

– Elle était à moi ! hurla Zakhar. Retrouvez-la !

– Nous ne saurions même pas où la chercher. Avec cette magie, il a pu aller n'importe où.

– Je veux ses pouvoirs !

– Ce que tu me demandes va au-delà de mes compétences, mon roi.

Son aveu sembla désamorcer en partie la colère de Zakhar.

– Seuls les sorciers peuvent semer une telle destruction, grommela-t-il. Je veux devenir l'un d'eux.

Il se tourna vers les serviteurs agglutinés dans le tunnel derrière lui.

– Démembrez les corps qui ne sont pas trop brûlés et donnez-les à manger aux enfants. Jetez les autres à la mer.

Ils se précipitèrent de chaque côté de lui pour commencer ce macabre travail.

– Genric, rassemble d'autres guerriers, ordonna le roi. Nous allons reprendre ma prisonnière.

– Je n'ai pas l'habitude de m'opposer à toi, Zakhar, mais ce sont ta préférée et ton fils que tu nous as demandé de capturer vivants, pas des Chevaliers. C'est une stratégie qui pourrait se retourner contre nous. Et nous ne savons même pas qui est ta prisonnière. Comment pourrions-nous la retrouver ? Il y a des Chevaliers partout de l'océan jusqu'au grand fleuve. Et maintenant que les humains connaissent tes intentions, ils ne te laisseront plus jamais pénétrer sur leurs territoires.

– Je partirai seul, dans ce cas !

– Alors c'est la mort qui te guette.

– Personne ne me privera de ma vengeance. Cesse de t'opposer à moi, Genric. Ordonne à tes meilleurs hommes de me rejoindre à la barque invisible.

Même s'il n'était pas d'accord avec Zakhar, le général se frappa la poitrine du poing droit et tourna les talons.

– Et lavez-moi tout ce sang ! hurla le roi à l'intention des serviteurs. Je ne veux plus voir aucune trace de ce qui s'est passé ici à mon retour !

Il se faufila derrière le trône pour pénétrer dans le couloir qui menait au canal. Il atteignit l'embarcation et y fit les cent pas en attendant ses escortes, mais personne ne se présenta. Zakhar essaya donc de soulever la barque par lui-même, mais malgré sa force de scorpion, il n'arriva à rien. Une dizaine de guerriers arrivèrent finalement quelques minutes plus tard. Ensemble, ils mirent l'embarcation ensorcelée à l'eau. Toutefois, lorsque Zakhar voulut y monter, un bras puissant l'en empêcha. Son regard rencontra alors celui de son général.

– Je regrette, mon roi, mais ma priorité, c'est de te garder en vie.

– Ne me pousse pas à bout, Genric !

Incapable de le raisonner, l'Aculéos l'assomma, le chargea sur son épaule et tourna les talons. Croyant que Zakhar était monté derrière eux, les guerriers éloignèrent la barque du bord du canal pour le traverser en direction du campement des Chimères, où leur roi avait capturé sa prisonnière la veille.

– Mais où est Zakhar ? s'étonna l'un d'eux.

Une flèche le frappa en plein cœur et il s'effondra au milieu des autres rameurs.

– Retournons au tunnel ! ordonna un autre.

Ils pagayèrent aussi rapidement qu'ils le purent pour rentrer à la falaise, mais les flèches continuèrent à siffler et les abattirent un à un. Assis sur une haute branche, Ilo avait vu se former le sillon à la surface de l'eau. Il avait donc tiré là où il imaginait que chaque Aculéos pouvait être assis. Il entendit alors un étrange frottement de bois contre la pierre. Intrigué, Ilo se laissa souplement tomber sur le sol et s'approcha du canal. Il passa sa main dans le vide, jusqu'à ce qu'il touche ce qui lui sembla être le rebord d'une embarcation.

L'Eltanien sauta dans la barque invisible. Il décrocha la hachette de sa ceinture et en frappa le fond jusqu'à ce qu'il sente l'eau monter le long de ses bottes. D'un seul bond, il retourna sur le parapet. Le remous qui se forma alors au milieu des petites vagues lui apprit qu'il avait bien coulé le moyen de transport de ses ennemis. Avant d'être surpris par les sentinelles qui étaient en train de se relayer, Ilo fonça dans la forêt.

Genric déposa Zakhar sur les fourrures de la chambre royale et s'assit en tailleur pour attendre le réveil de son roi et son châtiment. Les heures passèrent. Il entendit alors des pas dans le couloir qui menait à la grotte et se retourna. Un des dix guerriers qui s'étaient portés volontaires pour accompagner le roi chez les Chimères s'arrêta sur le seuil, une flèche plantée dans la cuisse. Le sang coulait le long de sa jambe et ses lèvres crispées indiquaient qu'il souffrait beaucoup.

– Qui t'a fait ça ? se fâcha Genric.

Zakhar revint à lui juste à temps pour entendre sa réponse.

– La barque a été attaquée. Je suis tombé à l'eau, mais je ne savais plus où elle était, parce qu'on ne peut pas la voir. J'ai réussi à regagner le tunnel pour venir vous dire ce qui s'est passé.

– Va tout de suite chez le guérisseur.

– Merci, général.

– Genric, appela Zakhar en se redressant péniblement. Comment as-tu su que j'aurais pu mourir en accompagnant ces hommes ?

– Mon intuition de soldat.

– Serais-tu de mèche avec les Chevaliers, par hasard ?

– Jamais je ne trahirais les miens, Zakhar. C'est mon expérience qui m'a fait te suivre et t'empêcher de monter dans la barque. Elle me dit aussi que la femme que tu as enlevée était leur commandante et que les Chevaliers ont risqué gros pour la sauver.

Zakhar poussa un grondement de colère.

– Les Chevaliers savent désormais comment se rendre jusqu'à la salle du trône, poursuivit le général. Et ils possèdent le feu qui tue.

– Je n'ai plus le choix, Genric. Je dois mener une offensive différente. Grâce à notre nouvelle apparence, nous allons envahir le continent des humains à partir de ses côtes à l'ouest. Mais tu devras ordonner aux hommes de débarquer en douce sans tuer personne. Leur mission sera de s'infiltrer le plus loin possible à l'intérieur des terres et d'attendre mon signal. Lorsqu'ils seront dans toutes les villes, ils s'en empareront.

– Mais comment arriveras-tu à communiquer avec ces guerriers s'ils sont ainsi éparpillés ?

– Nous utiliserons la technologie des humains contre eux. Zakhar déroula sa carte d'Alnilam sur le sol.

– Nous commencerons par conquérir tous les pays depuis l'océan de l'ouest jusqu'à la grande rivière qui coule du nord vers le sud. Les premiers groupes se rendront jusqu'à ses villes riveraines. Les suivants s'arrêteront quelques cités avant et ainsi de suite jusqu'à ce que nous soyons partout.

– À pied, cette conquête nécessitera des mois.

– Tu as raison, mais toutes les fois où nous avons précipité notre offensive, nous avons essuyé de cuisantes défaites. Il est temps de procéder autrement. Étudions cette carte et choisissons les endroits les plus sûrs pour faire débarquer nos troupes. Nous essaierons de comprendre comment le temps se calcule sur Alnilam afin de déterminer la date de l'assaut. Ainsi, tous nos guerriers pourront attaquer le même jour.

– Jusque-là, je te suis bien, mais comment comptes-tu transporter autant de guerriers sur la côte ?

– J'exigerai que le sorcier me fournisse une centaine de grands radeaux et qu'il les rende invisibles. Cette fois-ci, étant donné qu'ils ne les verront pas approcher, les humains ne pourront pas les détruire.

– Je ne veux pas émousser ton enthousiasme, Zakhar, mais ils ont réussi à attaquer ta barque invisible tout à l'heure.

– À mon avis, ils ont tiré ces flèches au hasard et ils ont eu de la chance. Ils ne pourront pas faire la même chose aux milliers de guerriers qui débarqueront bientôt là où les Chevaliers ne les attendent pas.

– S'ils ne nous voient plus sur la falaise, ils finiront par soupçonner quelque chose.

– C'est pour cette raison que nous mènerons des raids de temps en temps.

– Avec quels hommes ?

– Nous utiliserons les femelles. Nous n'aurons plus besoin d'elles de toute façon quand nous aurons conquis le continent, car tes guerriers ne tueront que les hommes et épargneront les femmes. Ce sont elles qui nous donneront des enfants désormais.

– Tu as vraiment pensé à tout.

– Pendant que je m'occupe des radeaux, rends-toi dans tous les clans pour leur faire part de mon plan.

– Tu ne punis pas ma désobéissance d'aujourd'hui ?

– Oh mais si, mon ami. Tu feras partie de la première vague qui mettra le pied à Alnilam et qui se rendra jusqu'à la grande rivière sans se faire abattre.

Genric accepta son châtiment en baissant la tête. Il se frappa la poitrine avec son poing et quitta la chambre royale.

Zakhar resta assis un long moment devant la carte, à y promener son index aux endroits où ses troupes s'infiltreraient sur le continent. Ressentant de la faim, il finit par retourner dans la salle du trône. Efficaces comme toujours, ses serviteurs l'avaient déjà entièrement nettoyée. Il hurla ses ordres, certain qu'ils l'entendraient, puis s'approcha des chaînes qui avaient retenu sa prisonnière. Il se pencha et les examina. Les maillons avaient été sciés, sans doute par la même énergie qui avait coupé ses guerriers en deux. Il alla ensuite se planter au beau milieu de la pièce et se mit les mains sur les hanches.

– Olsson ! appela-t-il. Nous avons beaucoup de choses à nous dire !

Il attendit l'arrivée du sorcier en marchant en rond dans la caverne. Les serviteurs vinrent déposer un plateau de viande crue près du trône et disparurent prestement, craignant la mauvaise humeur de leur maître.

– Olsson !

Toujours rien.

– Avez-vous perdu votre magie? Avez-vous finalement perdu la vie aux mains de votre propre fils? Ou pire encore, m'avez-vous trahi?

DE RETOUR

Les premiers rayons du soleil filtraient à travers les persiennes de la fenêtre lorsque Wellan ouvrit l'œil. Ne trouvant pas Sierra près de lui, il se redressa d'un seul coup et la chercha des yeux. Il entendit couler l'eau de la douche et se recoucha, rassuré. Elle semblait avoir repris son aplomb. Toutefois, il ne la ramènerait pas sur le front avant que le docteur Leinad lui confirme qu'elle était de nouveau apte à commander. La dernière chose que Wellan voulait, c'était de la voir partir seule en croisade contre le roi des Aculéos dès son retour au nord d'Antarès.

Alors, tandis que Sierra se réconfortait sous l'eau chaude, Wellan se servit du stationarius pour la première fois. Il avait écrit les numéros des deux médecins dans son cahier. À cette heure, ils étaient probablement déjà au travail. Il composa d'abord celui de Leinad.

— Ici le docteur Leinad.

— Wellan à l'appareil, balbutia l'ancien soldat, qui ne connaissait pas vraiment le protocole de communication.

— Sierra est-elle en difficulté ? s'inquiéta aussitôt le psychiatre.

— Pas à mon avis. Et avant que tu lances quelqu'un à sa recherche, elle est revenue par elle-même à mon appartement au milieu de la nuit.

— Elle n'aimait pas nos matelas ?

— Elle ne s'y sentait pas en sécurité.

— Tu es donc devenu son indispensable garde du corps.

– Je préférerais qu'elle recommence à être la grande commandante autoritaire et indépendante qu'elle a toujours été.

– La vie a le don de nous faire changer malgré nous, Wellan.

– À qui le dites-vous ? En fait, ce que j'aimerais savoir, c'est si elle est suffisamment remise pour reprendre son poste.

– La séance d'hypnose s'est bien passée et, selon moi, elle a donné d'excellents résultats, mais le cœur des hommes est insondable. Tu n'auras qu'à nous la ramener si tu constates qu'elle ne va pas bien.

– Bien compris et merci pour tout.

– C'est à moi de te remercier de m'avoir débarrassé une fois pour toutes de mes lunettes. Quand la guerre sera finie, on te réserve une place comme médecin à l'hôpital.

– J'y songerai. Bonne journée.

– Bonne chance.

Wellan raccrocha juste au moment où Sierra sortait de la salle de bain en s'essorant les cheveux avec un drap de bain. Elle avait revêtu son débardeur, son pantalon et ses bottes, ce qui indiquait clairement ses intentions.

– À qui parlais-tu ?

– Au docteur Leinad, pour savoir si je peux te ramener sur le front.

– Même s'il t'a dit non, je veux y aller.

– Il a dit oui et ça me fera plaisir d'exaucer ton souhait, mais je te garderai à l'œil.

Elle lui décocha un regard chargé de défi.

– Il n'est pas question que tu te précipites dans les tunnels des Aculéos pour aller te venger, ajouta-t-il.

– Crois-moi, je n'en ai nulle envie. Zakhar finira par se retrouver sur ma route et il paiera pour cet outrage.

Wellan la trouvait étrangement calme, mais décida de ne pas le mentionner. Ils se préparèrent donc à partir en enfilant leurs plastrons et le reste de leur tenue de guerre.

– On dirait bien que le traitement a été efficace, laissa-t-il tomber.

– Il m'a fait revivre ces événements traumatisants pour m'aider à m'en détacher émotionnellement et je dois dire que ça m'a fait le plus grand bien. Je suis capable d'y repenser sans que ces souvenirs me paralysent. La peur et la colère ont disparu, mais il semble bien que Leinad n'a rien pu faire contre la rancune. Si le destin m'en fournit l'occasion, c'est certain que je tuerai le roi des Aculéos. Mais pour le moment, allons affronter ses guerriers pendant que j'en ai encore le courage.

– Je vais nous ramener dans ma tente chez les Chimères, alors il est préférable que nous ne soyons pas debout, surtout moi.

Wellan fit asseoir Sierra près de lui avec leurs sacoches sur l'épaule. Ils disparurent et se matérialisèrent aussitôt dans l'abri, assis sur le lit gonflable.

– Prête ? lui demanda-t-il.

– Plus que jamais.

Ils abandonnèrent leurs affaires dans la tente et en sortirent. Il ne restait que Méniox au campement. Il était en train de préparer le repas du midi au-dessus de plusieurs feux. Wellan se réjouit silencieusement qu'aucun climat de terreur ne règne chez les Chimères.

– Où sont tous les autres ? demanda Sierra.

Le jeune Chevalier sursauta et faillit en échapper sa poêle.

– Commandante ?

Il déposa ses ustensiles de cuisine, bondit vers elle et lui agrippa les bras avant d'appuyer son front contre le sien.

– Je suis tellement content de te revoir, et en pleine forme apparemment !

– Oui, grâce à Wellan.

Sierra choisit de ne pas lui parler des soins psychiatriques qu'elle venait de recevoir.

— J'ai fini de faire sauter les légumes et de rôtir le saumon. Avez-vous faim ?

La femme Chevalier hésita.

— Si tu ne manges pas maintenant, les Chimères ne te laisseront pas une seule seconde pour le faire quand elles arriveront, ajouta Méniox.

— Tu as raison.

Elle prit place près de Wellan et accepta l'écuelle que lui tendait le jeune cuisinier. Elle prit une bouchée et ferma les yeux.

— Ta cuisine est vraiment divine, le félicita-t-elle.

— Je fais mon possible.

Elle avala tout son repas comme un loup affamé. Wellan la surveillait discrètement en dégustant le sien.

— Ilo est-il revenu ? demanda alors la commandante.

— Non et ça nous chagrine beaucoup. Nous avons gardé l'œil ouvert, mais tu sais aussi bien que moi à quel point il peut être furtif. Je veux juste que tu saches que nous comprenons qu'il n'a pas eu le choix de faire ce qu'il a fait et que nous le croyons quand il dit qu'il n'a donné que de fausses informations à l'ennemi. Nous serions heureux de le reprendre comme commandant. Pas parce que Slava ne fait pas du bon travail, au contraire. C'est un excellent chef. Mais c'est Ilo qui a fait de cette division ce qu'elle est aujourd'hui. À mon humble avis, c'est lui qui mérite de continuer à la diriger.

Wellan avait approché sa fourchette de sa bouche, mais il attendit la réaction de Sierra avant de manger le morceau de saumon au cas où il aurait à intervenir.

— Il connaissait les règlements mieux que quiconque, Méniox, lui dit-elle. Il aurait dû venir m'en parler au lieu d'accepter cet odieux chantage.

— Je voulais juste que tu saches ce que nous pensons tous.

Sierra se mit à siroter son thé en silence. Wellan pouvait presque voir tourner les rouages dans sa tête pendant qu'elle réfléchissait.

Les Chimères commencèrent à revenir aux feux pour le repas du midi. Fous de joie, les premiers soldats se précipitèrent sur leur grande commandante. Heureusement, elle avait fini de boire. Elle se leva, serra leurs bras et appuya son front contre le leur. Même Skaïe et Kharla se mirent dans la file pour lui faire connaître leur soulagement qu'elle soit de retour saine et sauve. Pour sa part, Camryn lui sauta carrément dans les bras et la serra de toutes ses forces.

— Tu nous as fait tellement peur !

— Je suis là, maintenant. Tu n'as plus aucune raison de t'affoler.

Elle la redéposa sur le sol et l'envoya s'asseoir avec les autres, puis revint près de Wellan.

— Allez, raconte ! explosa Antalya.

Sierra aurait aimé ne plus jamais parler de cette horrible expérience, mais elle savait que ça faisait partie de son processus de guérison.

— Un Aculéos m'a donné un coup sur la tête dans la forêt alors que j'enquêtais sur un phénomène étrange avec Slava et Wellan, commença-t-elle.

— Comment se fait-il que tu ne l'aies pas vu approcher ? s'étonna Cyréna.

— Je n'en sais rien.

— Si leur embarcation était imperceptible, peut-être l'était-il aussi ? avança Slava. J'ai distinctement entendu des pas sur les aiguilles de sapin, mais je n'ai vu personne moi non plus.

— Étant donné qu'ils ont un sorcier à leur solde, il n'est pas impossible qu'il leur ait fourni un sort d'invisibilité, leur fit remarquer Wellan.

— Est-ce qu'ils t'ont emmenée à l'intérieur de la falaise, Sierra ? s'enquit Cercika.

– Je crois que oui...

– Je le confirme, intervint Wellan.

– C'était une immense caverne à peine éclairée, alors il était difficile de distinguer ce qui s'y trouvait.

– Elle ne grouillait pas d'Aculéos ? s'étonna Camryn.

– Je n'en ai vu qu'un seul.

– Ton geôlier ? devina Cyréna.

– Le Roi Zakhar lui-même.

Sa révélation plongea le groupe dans la stupéfaction.

– Comment est-il ? demanda Méniox en brisant le silence.

– Méchant, brutal et centré sur lui-même.

– Est-ce qu'il t'a violentée ? voulut savoir Thydrus avec de la tristesse dans la voix.

– Il m'a en effet agressée pour me faire dire où il pourrait trouver des généticiens dans notre monde.

– Quoi ? s'exclama Slava, surpris.

– Les Aculéos veulent sans doute poursuivre leur transformation au niveau interne, devina Cyréna.

– C'est possible, murmura Sierra.

– Pourquoi ne portes-tu aucune marque de ces mauvais traitements ? s'étonna Camryn.

– Wellan a eu la bonté de toutes les faire disparaître.

Slava se tourna alors vers l'ancien soldat.

– Tu as fait preuve de beaucoup de courage, Wellan. Nous savons tous que c'était une mission suicide dès le départ.

– J'en étais parfaitement conscient, mais je ne pouvais tout simplement pas la laisser là-dedans.

– Tu étais prêt à mourir pour elle ? se troubla Urkesh.

– Oui.

Sierra jeta un regard de côté à cet homme dont elle ne comprenait pas toujours le comportement héroïque.

– Nos ordres, quand un commandant tombe au combat, c'est d'en nommer un autre sans délai et de poursuivre notre mission de défense du territoire, l'informa Slava.

– C'est parce qu'il vient d'ailleurs que Wellan suit un code différent, le défendit Antalya.

– Il est vrai que dans mon armée, jamais nous n'avons abandonné l'un des nôtres où que ce soit, affirma-t-il.

– Je vous assure que je vais bien, trancha Sierra. Maintenant, arrêtons d'en parler et revenons à ce qui doit vraiment nous préoccuper, soit la protection d'Alnilam. Que s'est-il passé en mon absence ?

– Il n'y a rien de nouveau à signaler, répondit Slava, car les cadavres des hommes-scorpions qu'Ilo avait tués avaient depuis longtemps été emportés par le courant. Le sorcier Lizovyk n'est pas revenu et il n'y a aucun Aculéos sur la falaise, contrairement à ce que nous avions craint. Quels sont tes ordres ?

– À partir d'aujourd'hui, nous devrons être doublement vigilants, car notre ennemi est en train de modifier sa stratégie. Il veut ressembler à monsieur tout le monde pour nous tromper et s'infiltrer sur nos terres sans que personne l'arrête.

– C'est ce que je leur disais pas plus tard que ce matin ! s'exclama fièrement Camryn.

– Nous devrons trouver une façon de reconnaître ces imposteurs.

– Nous allons mettre au point un questionnaire infaillible, déclara Antalya.

– Présenterez-le-moi quand il sera prêt.

Durant la journée, Sierra décida de marcher d'un champ d'exercices à un autre en gardant le silence. Wellan la suivit sans savoir si elle observait ses troupes ou si elle était en train de réfléchir à la suite des événements. Il comprenait toutefois que cette longue balade lui faisait du bien. La grande commandante s'attarda devant les cibles que les archers criblaient de flèches, puis piqua vers le canal. Elle resta sous les branches pour observer la falaise.

Pour lui faire plaisir, Wellan déplaça les chaises qu'il avait fait apparaître quelque temps auparavant pour les installer sous le couvert des arbres. Sierra s'assit avec un sourire amusé.

– Il ne manque plus qu'une bière, plaisanta-t-elle.

L'ancien soldat lui en fit apparaître une.

– Tu es irremplaçable...

Ils restèrent là jusqu'au repas du soir. Les Chimères avaient préparé un véritable festin pour fêter le retour de leur grande commandante. Sierra accepta toutes leurs petites attentions sans les gronder, même si habituellement, sur le front, les choses ne devaient pas se passer ainsi. Wellan demeura en retrait, de façon à pouvoir sonder régulièrement la région. Il craignait que les Aculéos ou le sorcier profitent de cette distraction pour fondre sur les Chevaliers

Tout en sirotant son thé, Wellan observait aussi les soldats. Il remarqua que Skaïe et Kharla ne semblaient pas trop malheureux de se trouver encore sur le front. Quant à Sierra, elle se déplaçait d'un groupe de Chimères à un autre pour discuter avec elles. « Elle est forte », se réjouit Wellan. Elle accepta de jouer aux charades et aux devinettes avec son armée, puis, épuisée, elle s'excusa et se retira dans la tente d'Ilo. Wellan décida de rester assis devant les feux.

– Ou bien tu es un fou, ou bien tu es un héros, lui dit alors Slava en se joignant à lui.

– Un peu des deux, j'imagine, répliqua l'ancien soldat. Si j'ai pris ce terrible risque, c'était par reconnaissance.

– Moi, je pense que c'était aussi par amour, intervint Thydrus, assis un peu plus loin.

– Je ne me fais aucune fausse idée sur les sentiments de Sierra, mon ami. Son cœur ne sera jamais libre.

– Parfois, le destin nous joue des tours.

– À qui le dis-tu ? répliqua Wellan en riant. Un jour, j'ai aidé mon ami Onyx à reprendre son château, et le lendemain, je me retrouvais dans un cachot à Antarès.

– Tu sais ce que je veux dire.

– Ouais... Bonne nuit, tout le monde.

Wellan alla s'allonger sur son lit en pensant aux paroles de Thydrus. S'il était vrai qu'il éprouvait de tendres sentiments pour Sierra, elle lui avait déjà dit ce qu'elle en pensait. « De toute façon, il y a encore une chance que je puisse rentrer chez moi », songea-t-il. « Je ne voudrais pour rien au monde lui briser le cœur... » Il s'endormit quelques minutes plus tard, mais se réveilla subitement en pleine nuit. Normalement, lorsque ça lui arrivait, ce n'était jamais bon signe. Il sortit de sa tente et scruta les environs. C'est alors qu'il aperçut Sierra, enveloppée dans sa cape, assise devant un feu qu'elle avait rallumé. Il décida d'aller lui tenir compagnie.

– C'est de l'insomnie ?

– J'ai réussi à dormir un peu, puis je me suis mise à me retourner sans arrêt dans mon lit, alors j'ai décidé de prendre l'air.

Il lui prépara du thé.

– Tu es trop bon pour moi, Wellan. La gratitude a ses limites, tu sais.

– Pas pour moi. Tu as rendu mon naufrage à Alnilam plus intéressant qu'il aurait pu l'être.

– Mais je t'expose constamment au danger.

– C'est plus excitant que les quatre murs d'une cellule, crois-moi.

– Et tu ne demandes jamais rien en échange de tes bienfaits.

– Ça irait à l'encontre de mes valeurs.

– Tu es décidément un homme déroutant.

Sierra accepta le thé fumant, qu'elle se mit à boire à petites gorgées.

– À quoi étais-tu en train de penser avant que je vienne troubler ta quiétude ?

– Je faisais le point sur ma vie, avoua-t-elle.

– Tu songes à changer de carrière ?

– Très drôle. En réalité, c'est mon avenir après la guerre qui me tracasse. Avant ton arrivée, j'étais persuadée que je mourrais sur le champ de bataille, mais grâce à toi, je pourrais survivre à tout ça.

– Et tu n'as rien prévu pour ensuite.

– Non...

– À mon avis, tu as deux choix : ou bien tu restes dans l'armée et tu établis des postes de garde permanents partout sur le continent pour protéger les prochaines générations, ou bien tu te découvres une nouvelle passion comme l'astronomie, la gastronomie ou la médecine.

Sierra fit la grimace.

– J'ai toujours aimé les sciences, avoua-t-elle, mais je ne sais pas si je serais capable de passer le reste de mon existence enfermée dans un laboratoire.

– Mais si tu travailles dans celui de Skaïe, tu ne devrais pas t'ennuyer.

– C'est vrai, mais je préfère ta première idée. La création de forts me permettrait de rester libre et de continuer de vivre au grand air. Et toi, que feras-tu si jamais tu te retrouves coincé ici pour toujours ?

– J'aimerais visiter tous les pays où tu ne m'as pas encore emmené, maîtriser votre langue et écrire mes mémoires.

– Est-ce que l'idée de ne jamais pouvoir rentrer chez toi t'effraie ?

– Non, avoua Wellan. Je possède une remarquable faculté d'adaptation. Je crois que la vie mérite d'être vécue peu importe où elle nous entraîne.

À sa grande surprise, Sierra déposa son thé et se réfugia dans ses bras.

– Merci encore de m'avoir sortie de là...

Il la serra contre lui en lui transmettant une douce vague d'apaisement.

– Mais nous ne sommes pas au bout de nos peines, soupira-t-il. Il nous reste à combattre les Aculéos, l'armée de Javad et une pieuvre géante.

Sierra éclata de rire.

– Je pense que si tu trouvais un portail pour retourner dans ton monde, je t'empêcherais de l'utiliser. Je ne suis plus capable de me passer de toi, Wellan d'Émeraude, et c'est ta faute.

Elle garda le silence pendant un moment.

– Nous avons tellement de pain sur la planche que j'ai l'impression qu'il n'y aura plus jamais de répit et nous en aurions vraiment besoin, cette année, ajouta-t-elle.

– Je ne veux pas passer pour un oiseau de malheur, mais je doute que les guerriers-taureaux de Javad et Tramail éprouvent le même besoin viscéral que les hommes-scorpions de disparaître pendant tout un mois.

– Ouais, c'est ce que je me disais aussi...

– Il me semble qu'une douche chaude nous ferait du bien, suggéra-t-il.

Elle releva la tête avec un regard intéressé. Avec un sourire, Wellan les transporta tous les deux dans son appartement de la forteresse.

LE MONASTÈRE

Dans son antre, Olsson marchait le long de la paroi circulaire du cratère du volcan, en réfléchissant à tout ce
qu'il avait appris sur l'entité qui dominait désormais son fils, à
la possibilité que le seul monde qu'il avait connu disparaisse à
tout jamais et à la nécessité de s'allier aux autres sorciers pour
empêcher ce désastre. Lorsqu'il entendit l'appel de Zakhar
dans son esprit, il choisit de faire la sourde oreille. Les caprices
du roi des hommes-scorpions n'avaient plus aucune importance pour lui. Il devait d'abord sauver la planète.

Shanzerr, le plus sage des sorciers survivants, qui ne voulait plus se mêler aux autres et préférait vivre en ermite, avait
tout de même décidé de faire équipe avec les siens. « Je dois en
faire autant », se dit Olsson. « Je suis le plus puissant. Ils auront
besoin de moi. » Il se demanda par où commencer, puis décida
d'annoncer au moins aux autres qu'ils pouvaient compter sur
lui. Il localisa l'énergie de Salocin au sommet d'une montagne
à la frontière est d'Antarès et des territoires des Aculéos, entre
deux campements de Chimères. Il s'y transporta magiquement
et fut étonné de se matérialiser au milieu d'une grande pièce
où un feu brûlait dans l'âtre.

– S'il y a quelqu'un que je ne m'attendais jamais à voir
chez moi, c'est bien toi ! s'exclama Salocin en arrivant avec une
bouteille de vin encore scellée.

– Quel est cet endroit ?

– Je me porte très bien, et toi ?

Salocin savait bien qu'Olsson n'avait pas de manières et il ne résistait pas à la tentation de le taquiner. Il se laissa tomber sur un des fauteuils en débouchant la bouteille.

– C'est un monastère où vivait jadis une communauté d'hommes pieux qui, pour plaire à Viatla, avaient prononcé des vœux de silence, de privation et d'abstinence.

– Pourquoi ? s'étonna Olsson.

– J'ignore ce qui a poussé les moines à s'exiler de la sorte, sauf peut-être les fables des prêtres au sujet de la volonté des dieux. Ne reste pas planté là. Viens t'asseoir.

Olsson chercha des yeux un endroit où il serait à l'aise.

– Ne sois pas capricieux, plaisanta Salocin. Tous ces fauteuils sont confortables.

Le sorcier en choisit donc un au hasard, mais pas trop près du feu.

– Où sont ces hommes pieux maintenant ? Les as-tu tués ?

– Quelle réputation tu me fais, Olsson. Quand je suis arrivé, plus personne n'habitait ici. Ils ont eu peur des Aculéos dès les premiers raids, surtout quand ils ont compris que ces monstres pouvaient escalader ce pic rocheux.

– Et toi, tu ne crains pas qu'ils t'attaquent ?

– Moi, je peux me déplacer instantanément n'importe où sur le continent, mais je pourrais aussi rester pour donner une bonne frousse à ces bêtes à pinces.

– Elles n'en ont plus.

– Vraiment ?

– Leur roi a décidé de rendre ses sujets physiquement semblables aux humains pour qu'ils puissent s'infiltrer dans tous les pays d'Alnilam et semer la destruction.

– Quelles sont leurs chances de réussite, selon toi ?

– Tout à fait nulles.

Salocin fit apparaître deux coupes sur la table basse devant lui et y versa du vin. Il en tendit une à Olsson, qui commença par hésiter.

– Ne fais pas le difficile.

– Je ne bois jamais d'alcool.

– Juste un peu, pour me faire plaisir ?

Olsson ne but qu'une gorgée et déposa la coupe.

– De toute façon, Tramail pourrait détruire la planète avant même que les Aculéos commencent à mettre leur plan à exécution, ajouta-t-il. Et même sans leurs pinces et leur dard, ils n'arriveront pas à tromper qui que ce soit. Ils ne sont pas suffisamment évolués pour passer inaperçus dans les villes modernes.

– C'est ça que tu tenais tant à me dire ce soir ? s'inquiéta Salocin.

– Non.

– Bon, je sens que ce sera long, alors je vais nous procurer à manger. J'entends ton estomac se plaindre jusqu'ici.

Il était vrai qu'Olsson n'avait rien avalé depuis longtemps.

– Il est bien plus facile de discuter librement en partageant un bon repas, continua de le tenter Salocin.

Une énorme assiette de dinde rôtie découpée en tranches, de pommes de terre en purée et de petites carottes bouillies, le tout couvert d'une étrange sauce rouge sombre apparut au milieu de la table. Salocin y ajouta deux assiettes plus petites et des couverts.

– Où as-tu pris tout ça ?

– Sur la table d'un vieux prêtre irritable qui a besoin de perdre un peu de poids. Je t'en prie, sers-toi. Il y en a assez pour deux.

Tout en restant sur ses gardes, Olsson mit un peu de tout dans son assiette et prit les premières bouchées en silence.

– Est-ce que tu as toujours été méfiant comme ça ? déplora Salocin.

– C'est ainsi que j'ai réussi à survivre.

– On est bien plus efficace quand on se relaxe, mon frère.

Salocin respecta le besoin de silence de son hôte, puis retourna les restes chez Antos. Il s'adossa dans le fauteuil pour continuer de boire du vin.

– Ton âtre produit une chaleur plus réconfortante que le mien, laissa alors tomber Olsson.

– C'est parce que j'utilise de vraies bûches plutôt que de la magie pour l'entretenir. Les moines m'en ont laissé une impressionnante réserve. Veux-tu du thé ?

– Pourquoi pas ?

Il fit apparaître, sur un plateau en argent ouvré, une théière en porcelaine fine et deux tasses.

– L'eau est à la bonne température. Tu n'as qu'à te servir.

– Et j'imagine qu'il provient du même endroit que la dinde ?

– Tu lis en moi comme dans un livre ouvert, fit moqueusement Salocin.

Olsson huma prudemment le liquide doré qu'il venait de verser dans sa tasse.

– C'est un mélange de thé vert et de thé blanc, rien de toxique, je t'en donne ma parole, le rassura Salocin. C'est même excellent pour la santé. Maintenant, vide-toi le cœur.

– Ce soir, j'avais envie de parler à quelqu'un de la décision que j'ai prise de cesser d'appuyer les Aculéos, avoua-t-il après avoir bu une gorgée de la revigorante boisson.

– Es-tu en train de me dire que je peux désormais donner l'avantage aux Chevaliers d'Antarès ?

– Non. À mon avis, les hommes-scorpions pourraient leur être utiles quand Javad fera débarquer son armée à Alnilam.

– Tu as raison.

Olsson but encore un peu de thé, dont il aimait de plus en plus le goût.

– Je veux me concentrer sur notre problème le plus pressant.

– Tramail, soupira Salocin. Je n'arrête pas d'y penser. Nous ne sommes que des sorciers, Olsson, pas des dieux.

– Ce n'est pas une raison pour rester à ne rien faire.

– J'ai retourné le problème dans tous les sens, vois-tu, et je ne trouve aucune façon de persuader cette pieuvre d'aller voir ailleurs.

– Tous ensemble, serions-nous assez puissants pour lancer un appel de détresse aux dieux fondateurs ?

– C'est une suggestion très intéressante, admit Salocin. Soumettons-la à Carenza. Mais attendons au matin, si tu veux bien.

– Pourquoi attendre ?

– Cette petite soirée en ta compagnie me plaît énormément.

– Pourquoi es-tu toujours aussi insouciant ? Le temps presse.

– Je voulais juste tromper un peu ma solitude. La tienne ne te pèse-t-elle pas, parfois ?

Olsson revit le doux visage de Danaéla dans son esprit.

– Tu as eu une épouse et un fils tout comme moi et tu les as perdus, toi aussi.

– Je n'aime pas parler du passé, se déroba Olsson.

– Moi non plus, mon frère, mais la seule façon d'atténuer la douleur, c'est souvent de partager le présent avec des amis... ou en tourmentant un prêtre.

– Nous n'avons jamais été des amis, Salocin. Nous avons seulement vécu les mêmes expériences atroces dans des cages du palais d'Achéron.

– C'est vrai, soupira-t-il en jetant une autre bûche sur le feu. Mais n'oublie pas que nous sommes à la base des frères de sang que le rhinocéros a montés les uns contre les autres par ces mauvais traitements.

Il revint se caler dans son fauteuil.

– Dis-moi, Olsson, comment es-tu devenu aussi puissant ? Nous avons pourtant tous reçu la même éducation magique.

– Mais moi, j'ai complété la mienne dans ma cellule quand je n'arrivais pas à dormir, tout comme Carenza, d'ailleurs.

– De quelle façon ?

– Quand les chauves-souris nous ont enseigné à lire dans les pensées, j'ai décidé d'utiliser ce pouvoir pour aller chercher ce que je voulais savoir dans leur esprit pendant qu'elles dormaient.

– J'ignorais qu'elles étaient aussi savantes.

– Elles possèdent de grandes connaissances théoriques, mais les gènes d'Amecareth n'ont pas eu sur elles le même effet que sur nous. Elles sont incapables d'utiliser le quart des facultés qu'elles ont reçues du scarabée divin. Tandis que...

– Attends une petite minute. Es-tu en train de me dire que nous pourrions faire ce que tu fais ?

– Avec un entraînement soutenu, oui, c'est certain.

– Mais c'est une formidable nouvelle ! Quand commence-t-on ?

– Quand j'en aurai parlé à Carenza. Tout comme moi, elle a creusé dans le cerveau des sorciers d'Achéron à temps perdu. À nous deux, je pense que nous pourrions tous vous mettre à niveau.

– Oh mais j'adore cette expression !

Olsson constata que son frère d'éprouvette commençait à ressentir les effets de l'alcool. D'ailleurs, la bouteille était presque vide.

– Es-tu traumatisé autant que moi par ton enfance au palais ? s'attrista Salocin.

– On ne me remettra plus jamais en cage... plus jamais.

Il se leva.

– Tu t'en vas ?

– Dans ton état actuel, je crois que nous devrons en effet remettre notre visite à Carenza à demain.

– Mais je suis parfaitement lucide.

– Ce n'est pas ce que me disent mes sens magiques. Fais-moi signe quand tu auras dégrisé.

Olsson le salua et disparut.

– S'il avait accepté de boire avec moi, nous aurions pu avoir beaucoup de plaisir, marmonna Salocin.

Il lui vint alors une idée diabolique. La soirée était encore jeune et il n'avait pas du tout sommeil. Il déposa la bouteille vide sur la table et se transporta au sud du pays.

Antos venait tout juste de verrouiller les portes du grand temple de Viatla en grommelant, car un peu plus tôt, le repas que ses serviteurs venaient de déposer devant lui s'était volatilisé ! Puis, quelques minutes plus tard, son thé préféré lui avait échappé. Pire encore, les restes de la dinde étaient réapparus soudainement sous son nez. Il soupçonnait évidemment Salocin, ce fumiste sans scrupules, d'être l'auteur du larcin. Parce qu'il était affamé, le prêtre avait mangé le peu qui restait de la volaille, mais il était furieux.

Il remontait l'allée entre les bancs de la salle principale lorsqu'il remarqua en levant les yeux que la statue de la déesse-hippopotame n'était plus là !

– Là, il exagère ! hurla-t-il en courant jusqu'au sanctuaire.

Il s'arrêta net en s'apercevant que l'énorme statue était maintenant couchée sur le dos derrière l'autel, les mains jointes sur son ventre proéminent, un voile noir jeté sur son museau.

– Mais qu'est-ce que c'est que ça ?

– Recueillons-nous ensemble, Antos, résonna la voix du sorcier.

Le prêtre fit volte-face. Salocin se tenait debout au milieu de l'allée.

– Remets-la debout tout de suite, espèce de vaurien !

– Impossible, puisqu'elle est morte.

– Les divinités ne peuvent pas mourir !

– Encore une fois, tu te trompes. Les choses ne sont pas si agréables qu'on veut bien le croire dans la cité céleste. Deux des enfants du couple divin ont connu une fin tragique dans un autre univers. Malheureusement pour Achéron et Viatla, il ne restait plus que l'aîné et le benjamin.

– Pourquoi me racontes-tu tout ça ?

– Parce que Javad vient d'assassiner son père et sa mère, alors ton culte de Viatla ne rime plus à rien. Elle ne pourra plus venir te chuchoter ses messages à l'oreille, Antos, même si toi et moi savons que tu les inventais de toutes pièces.

– Tu dis n'importe quoi pour me faire fâcher.

– Habituellement, oui, mais là, c'est la vérité. Viatla n'est plus et c'est Javad qui règne désormais sur les humains. Toutefois, je ne pense pas que tu devrais adorer ce meurtrier et, pire encore, obliger tes fidèles à en faire autant.

D'un geste de la main, Salocin fit disparaître la statue de la déesse.

– Ramène-la tout de suite ! ordonna Antos.

– N'écoutes-tu pas quand je parle ? Elle n'existe plus.

– Les humains ont besoin d'adorer quelque chose ! se fâcha le prêtre.

– Bon, si tu insistes.

Sur le grand socle, Salocin se mit à construire ce qui ressemblait à un corps de zèbre debout sur ses pattes arrière, mais lorsqu'il arriva à la tête, il décida de lui donner les traits humains du plus jeune fils de Viatla.

– Mais qu'est-ce que c'est que ça ?

– Si tu avais bien étudié ta théologie, tu le saurais, mais j'ai pitié de toi, alors je vais te le dire. C'est le dieu-zèbre, Rewain. Il a survécu à la cruauté de son frère Javad. À mon avis, c'est lui qui devrait remplacer sa mère. Tout comme elle, il est doux, compatissant, sensible et indulgent. S'il survit à tout ce qui s'en vient sur la planète, ce serait un bon exemple pour tes ouailles.

– Mais comment vais-je leur expliquer ça ?

– C'est ton problème. Moi, je ne fais que rétablir les faits.

– Je préférerais leur mentir et leur faire croire que la déesse est toujours vivante.

– Il est temps de leur dire la vérité, Antos. En passant, merci pour la dinde. Elle était cuite à point.

– Espèce de voleur !

Salocin éclata de rire et se dématérialisa en effectuant une courbette devant le prêtre. Celui-ci poussa un cri de rage en marchant résolument vers la nouvelle statue.

– Mais je ne sais rien sur lui !

Salocin revint dans son monastère. Lorsqu'il se matérialisa sur le grand balcon qui en faisait tout le tour, il riait encore. « Il faut sauver cette planète, juste pour que je puisse continuer à torturer cet homme », se dit-il.

SAGE

Depuis quelques heures, Chésemteh était assise devant le feu avec Locrès et Mohendi, qui allaient bientôt relayer Samos et Trébréka dans le secteur le plus rapproché du campement. La lune était haute dans le ciel et rendait la visibilité acceptable sur le canal et la falaise. Il n'avait ni plu ni neigé depuis longtemps. Les Basilics ne s'en plaignaient pas. Il leur était plus facile de se déplacer sur les sentiers de terre battue entre les arbres et d'entendre les pas de potentiels ennemis.

– Que fait-on si le sorcier décide de revenir par ici ? demanda soudain Mohendi.

– Le mieux serait que vous convergiez tous vers moi, répondit la commandante. Si j'ai bien compris ce que Sage m'a expliqué, la pierre que je porte au cou le fera battre en retraite.

– Tu es donc devenue une arme toi-même, la taquina Locrès.

– Je te ferai remarquer que j'en étais déjà une, répliqua-t-elle avec un demi-sourire.

– Ton nouvel ami ne pourrait-il pas nous fournir à tous une pierre semblable ? s'enquit Mohendi.

– Il ne possédait que celle-là.

– On pourrait aller en chercher d'autres nous-mêmes.

– Dans son monde à lui ?

– Ouais, c'est peut-être un peu loin... Allez, Locrès, c'est à notre tour d'assurer la sécurité des Basilics.

Mohendi se dirigea vers la forêt.

– Jusqu'à présent, je n'ai détecté aucun signe de trahison de la part de ta mère, murmura Locrès à Chésemteh en se levant à son tour. Mais je vais quand même continuer à la surveiller.

– Merci de faire ça pour moi.

Il disparut à la suite de son compagnon d'armes. Quelques minutes plus tard, Samos et Trébréka arrivèrent. L'Eltanienne traînait son arc derrière elle.

– J'aimerais bien rester pour bavarder avec toi, Ché, mais mes paupières sont trop lourdes, ce soir. On se reprendra demain, d'accord ?

Sans attendre la réaction de la scorpionne, Trébréka poursuivit sa route jusqu'à son abri, où elle plongea comme un lapin.

Pour sa part, Samos décida plutôt de passer un peu de temps avec sa commandante. Il versa de l'eau chaude dans un gobelet et y laissa tomber un sachet de thé, puis vint s'asseoir près d'elle.

– Que va-t-il vraiment nous arriver, Ché ? soupira-t-il, découragé.

– Je ne suis pas voyante, moi. Comment veux-tu que je le sache ?

– Ton intuition de chef de guerre ne te dit rien du tout ?

– Elle me sert surtout à nous garder tous en vie.

Samos fit tourner le sachet dans l'eau pendant quelques secondes.

– J'ai beaucoup réfléchi pendant mon guet, avoua-t-il, et je ne vois tout simplement pas comment nous pourrions l'emporter contre des millions d'Aculéos, des soldats-taureaux et ce sorcier de malheur qui a failli te tuer.

– Tant que nous respirerons, Samos, il y aura de l'espoir. Ne l'oublie jamais. Nous trouverons le moyen de survivre.

– Nous ne possédons pas de magie.

– C'est vrai, mais nous avons toujours contenu les hommes-scorpions sur leur falaise. C'est la fatigue qui diminue ton courage. Va te coucher.

– Tu as sans doute raison.

Il termina le thé et se dirigea vers son abri.

Le silence tomba sur le campement. Les seuls Basilics qui ne dormaient pas se trouvaient dans les arbres à l'orée de la forêt et surveillaient l'ennemi. L'ouïe fine de Chésemteh lui permit de percevoir l'approche d'une autre personne. L'une des sentinelles revenait-elle pour lui apprendre une mauvaise nouvelle ? En voyant Sage émerger d'entre les sapins, elle ressentit une grande joie intérieure, un sentiment qu'elle n'avait jamais éprouvé auparavant. Au lieu de s'approcher, l'hybride s'immobilisa et lui fit signe de le rejoindre. Chésemteh bondit vers lui sans hésitation.

– Ce soir, je t'enlève, lui annonça-t-il avec un sourire irrésistible.

– Mais je suis la commandante des...

Avant qu'elle finisse sa phrase, il l'attira dans ses bras et disparut avec elle.

Ils se matérialisèrent dans une caverne éclairée par un feu magique en plein centre. Sage relâcha la scorpionne, qui inspecta rapidement l'endroit.

– Où sommes-nous ? s'étonna-t-elle.

– Chez les Deusalas.

– Ce n'est pas une bonne idée, Sage.

– J'ai choisi cette grotte parce qu'elle se trouve très loin des autres grottes de la colonie. Nous ne sommes pas dans la même falaise. Personne ne viendra nous déranger.

– Falaise ? répéta-t-elle, étonnée.

Elle marcha jusqu'à l'ouverture. C'était bien la mer qui s'étalait tout en bas, éclairée par les rayons de la lune.

– Détends-toi, Ché. Je n'ai dit à personne que je t'emmenais ici. Nous ne passerons que quelques heures chez les dieux ailés sans avoir à nous préoccuper de ce que nous disons ou de ce que nous faisons.

– Mes Basilics vont paniquer s'ils s'aperçoivent que j'ai disparu.

– Ça ne t'arrive donc jamais de t'isoler de ta division de temps à autre ?

– Je le faisais souvent avant l'arrivée de Wellan. Les choses ont bien changé depuis qu'il est là. Nous sommes tous devenus plus conscients de l'ampleur de la menace qui pèse sur nous.

Sage alla s'asseoir sur les couvertures qu'il avait empilées près du feu, bien décidé à profiter de ces quelques heures pour faire plaisir à la commandante.

– Je sais que vos règlements vous le défendent, mais les prochaines minutes nous appartiennent, Ché. Tu pourras dire à Sierra que tout était de ma faute.

– Et tu penses vraiment qu'elle me croira ?

Il lui fit signe de s'approcher. Chésemteh enleva son plastron, ses brassards et sa ceinture d'armes et alla s'asseoir devant lui pour profiter de la chaleur du feu. Elle s'appuya le dos contre la poitrine de l'hybride et il referma les bras sur elle en appuyant sa joue contre la sienne.

– Il est important, pour conserver notre santé mentale, d'échapper à nos soucis de temps en temps, chuchota-t-il.

– D'aussi loin que je me rappelle, ça ne m'est jamais arrivé. Mon esprit est continuellement préoccupé par ma survie et celle des membres de ma division.

– Ce doit être terriblement épuisant.

– Je n'en sais rien. Je suis faite ainsi.

Sage écarta les longs cheveux tricolores de Chésemteh et lui embrassa l'oreille. Le geste la fit sourire.

– Je ne comprends pas encore pourquoi ta femme ne t'a pas repris quand elle a appris que tu étais toujours vivant, laissa-t-elle tomber.

– C'est le genre de commentaire qui refroidit les ardeurs d'un homme, répliqua-t-il en riant, mais je vais te répondre quand même. Ma femme a épousé un homme qui est très bon pour elle. Elle aurait pu décider de le quitter pour revenir avec moi, mais puisqu'il était le père de ses enfants, elle est restée avec lui. J'imagine que ça n'a pas été une décision facile pour elle, car elle se souvient encore des merveilleuses années que nous avons passées ensemble.

– Est-ce pour ne plus jamais la revoir que tu as décidé de rester sur Alnilam après la guerre ?

– Pourrions-nous plutôt parler de nous, Ché ?

– J'aime que les choses soient claires.

– Alors sache que c'est pour être avec toi que je ne veux pas rentrer dans mon monde.

Elle se retourna brusquement dans ses bras et l'embrassa passionnément. Ils échangèrent de longs baisers, jusqu'à ce que la scorpionne retire son débardeur et entreprenne de déshabiller son nouvel amant.

– Quel genre de lit te faut-il ? parvint-il à demander entre deux étreintes.

– Il faut qu'il soit suffisamment haut pour qu'on puisse se glisser en dessous.

– Quoi ?

Comme il ne trouvait rien de satisfaisant aux rares endroits qu'il avait visités à Alnilam, Sage décida d'improviser. Entre les baisers, il modifia la paroi de la caverne pour créer un haut châlit en pierre.

– Est-ce que ça...

Chésemteh ne lui laissa pas terminer sa phrase. Elle le tira sous la nouvelle structure en même temps que les couvertures. Sa force musculaire était incroyable. « J'aime vraiment des femmes étranges », songea-t-il. Leurs ébats amoureux devinrent de plus en plus vigoureux. Jamais Sage n'avait vécu quelque chose de semblable avec son épouse sholienne ou son épouse faucon. Quelques minutes plus tard, il s'effondra dans les bras de Chésemteh, complètement vidé de ses forces. Elle se blottit contre lui en lui mordillant le cou.

– C'était assez particulier, haleta Sage. Est-ce que ça va pour toi ?

– Je suis assouvie, affirma-t-elle.

– Est-ce que tu y mets toujours autant d'énergie ?

– Je ne fais que suivre mon instinct et j'ai bien peur que ce soit surtout celui de mon sang de scorpion. Est-ce que je t'ai fait mal ?

– Je risque d'être courbaturé pendant plusieurs jours, mais heureusement, je sais encore comment me soigner avec ma magie.

– Les Deusalas pourraient-ils se passer de toi ?

– C'est une excellente question. Pourquoi veux-tu le savoir ?

– Parce que j'aimerais que tu deviennes un Basilic.

– Rien ne me plairait davantage, avoua Sage. Mais je devrai d'abord en discuter avec Kiev et les autres. Cependant, en attendant leur réponse, rien ne m'empêche d'aller te chercher de temps en temps.

– Ça me convient.

Ils demeurèrent enlacés, le temps que Sage reprenne son souffle, puis se rhabillèrent.

– Aucune de tes épouses n'a été humaine, n'est-ce pas ? demanda Ché en attachant sa ceinture d'armes.

– Non.

– Donc, il n'y aurait aucune chance que tu te sentes attiré par l'une de mes sœurs d'armes ?

– Aucune, la rassura Sage en s'efforçant de ne pas sourire.

– Excellent.

Sage lui prit la main et la ramena à l'endroit d'où ils étaient partis. Chésemteh se faufila dans ses bras et appuya la tête contre sa poitrine.

– Je ne sais pas trop ce qui m'arrive, mais ce n'est pas déplaisant, avoua-t-elle.

– Nous réussirons à nous apprivoiser mutuellement, promit-il.

Ils échangèrent encore quelques baisers, puis Chésemteh tourna les talons sans plus de façon. Dans les hautes branches d'un chêne, Mohendi avait assisté à la scène en arquant les sourcils. Il fut tenté de se laisser tomber sur le sol pour dire deux mots à Sage, mais celui-ci disparut avant qu'il se décide à agir. Chésemteh se dirigea vers les feux sans se presser. Elle allait sortir de la forêt lorsque Locrès lui bloqua la route.

– Où es-tu allée ? demanda-t-il sur un ton inquiet.

– J'ai eu envie de passer du temps avec Sage.

– Est-ce que tu te rends compte que ça va contre les règlements que nous impose l'Ordre et que tu fais respecter chez les Basilics ?

– Parfaitement. Si tu veux me dénoncer à Sierra, mon movibilis est dans mon abri.

– Ce n'est pas mon intention, Ché. Mais tu sais ce que je pense des étrangers.

– C'est une bonne chose d'être méfiant, Locrès, mais c'est encore mieux de faire confiance à sa commandante. Et, avant que tu ajoutes un seul mot, sache que je ne suis pas parfaite.

Chésemteh le contourna et poursuivit sa route jusqu'au campement.

Avant de rentrer dans la grotte qu'il partageait avec Azcatchi, Sage s'arrêta sur la grande place de rassemblement des Deusalas. Profondément songeur, il s'approcha du bord de la falaise pour contempler l'océan. Cette première expérience intime avec Chésemteh avait été déroutante, mais au fond de lui, il se sentait enfin revivre. Au lieu de retourner dans un monde où il pouvait à peine passer du temps avec son fils unique et de se résigner à terminer son existence seul dans sa petite maison d'Espérita, il avait la chance de recommencer sa vie à zéro. « À condition que nous survivions à ces guerres », soupira-t-il intérieurement.

Son instinct de guerrier l'avertit alors d'un danger. Au lieu de faire apparaître ses ailes d'épervier et de s'envoler, il s'écrasa vivement à quatre pattes. Une boule de feu passa au-dessus de sa tête. Il roula sur le côté et une autre rasa le sol près de lui. Il attendit avant de lever son bouclier de savoir qui l'attaquait. Une silhouette s'avançait vers lui. Il reconnut l'énergie maléfique de Lizovyk avant même de voir son visage. Les sentinelles n'avaient pas donné l'alarme car elles surveillaient l'océan à partir de plusieurs corniches sur la paroi de la falaise et non la place de rassemblement. « Il nous faudra remédier à cette lacune », songea Sage, prêt à défendre sa vie.

— Comment sauveras-tu ton âme sans la pierre qui te protégeait ? lui dit alors le mage noir.

L'hybride choisit de ne pas répondre et de lire plutôt les pensées de son agresseur.

— Ne perds pas ton temps, l'insecte. Tu n'apprendras rien sur moi de cette façon. Seul, tu ne peux rien contre ma puissance. Si je n'arrive pas à vous éliminer tous d'un seul coup, je vous neutraliserai un à un et je commencerai par toi. Surtout, n'aie pas peur. Tu ne sentiras rien.

Sage ne remua pas un seul muscle.

— Pas de bouclier pour te protéger, cette fois ? ironisa Lizovyk.

— Il n'en a pas besoin, répondit Azcatchi en arrivant derrière lui.

Le dieu-crave fonça dans les reins du sorcier à la façon d'un taureau. Sage eut aussitôt la présence d'esprit de rouler plus loin pour ne pas être précipité dans le vide en même temps que Lizovyk. Azcatchi alluma ses paumes pour achever le vil personnage avant qu'il ne se casse le cou sur les récifs, mais celui-ci avait disparu. Il scruta le plateau, puis se pencha sur Sage. Le sorcier semblait avoir préféré la fuite plutôt que d'affronter deux dieux aviaires.

Il saisit son ami par le bras et le transporta magiquement dans leur caverne, puis se rendit à l'ouverture pour sonder l'océan. Toujours aucune trace de Lizovyk. Il revint donc à l'intérieur.

– Je n'ai pas réussi à le tuer, alors c'est certain qu'il reviendra, laissa-t-il tomber. Comment se fait-il que tu n'aies pas senti son approche sur le plateau ?

– J'avais la tête ailleurs, avoua honteusement Sage.

– On dirait bien que c'était toi qu'il cherchait. Pourquoi ?

– Il a dit qu'il allait tous nous éliminer un par un. J'imagine qu'il a profité du fait que je me trouvais seul au bord de la falaise pour faire de moi sa deuxième victime, car il a déjà volé les pouvoirs de Sappheiros.

Azcatchi se croisa les bras, contrarié.

– Tu as raison d'être fâché contre moi, soupira Sage. J'ai fait preuve d'imprudence.

– Ça ne te ressemble pas.

– Mon attirance pour Ché grandit et me préoccupe beaucoup, mais je te promets de ne plus laisser mon cœur me distraire des dangers auxquels nous devons encore faire face.

– La prochaine fois, tu pourrais bien être tué.

– Je sais.

– Nous devons imaginer de nouvelles façons de protéger la colonie, ajouta Azcatchi. Il faut empêcher ce sorcier de s'en approcher quand bon lui semble.

– Si je possédais le don de voir l'avenir plutôt que le passé, je pourrais prévenir toutes ces attaques sournoises, déplora Sage.

– Va te coucher. Je prends le premier tour de garde.

Préférant ne pas l'irriter davantage, l'hybride se rendit à son nid. Il profiterait de l'absence du dieu-crave pour traiter ses muscles avant de dormir. Étant donné que plusieurs sentinelles surveillaient déjà le ciel au-dessus de l'océan, Azcatchi retourna sur la place de rassemblement et s'assit sur la corniche d'où était tombé Lizovyk. Il scruta son environnement sur plusieurs kilomètres, mais ne trouva aucune trace de lui. Il entendit alors des battements d'ailes et reconnut l'énergie d'Océani.

– J'ai senti une perturbation magique, lui dit le Deusalas en se posant près de lui.

– Le sorcier vient de nous rendre visite ici même.

– Encore ? Pendant qu'il n'y avait personne ?

– Sage était seul. J'ai senti aussi sa présence et je suis venu à sa rescousse juste à temps. J'ai précipité le sorcier dans le vide, mais il a disparu avant de s'écraser dans les rochers.

– Il reviendra, devina Océani.

– C'est ce que je pense aussi. Je vais donc rester ici pendant quelques heures pour être certain que ce ne soit pas cette nuit.

– Bonne idée. Je vais aller dormir un peu, puis je viendrai te relayer. Demain, nous réorganiserons les guets avec les autres.

– Il faudra quelqu'un sur la place de rassemblement, mais ce ne devra pas être un apprenti.

– J'en conviens. Garde l'œil ouvert.

Azcatchi hocha vivement la tête. Avant de rentrer chez lui, Océani piqua du côté de la petite maison en pierre où Maridz vivait, puisqu'elle ne possédait pas d'ailes pour se rendre dans les grottes comme les Deusalas. Lizovyk en avait-il profité pour s'en prendre à elle avant de s'attaquer à Sage ? Il n'eut pas le temps de se pencher devant la porte basse que Maridz en émergeait. Elle lui sauta dans les bras.

– Je suis si contente que ce soit toi, murmura-t-elle. J'ai senti l'énergie malfaisante de Lizovyk il y a un instant.

– Tu es trop vulnérable toute seule sur le plateau. Quand tu as peur, pourquoi n'utilises-tu pas ton vortex pour me rejoindre ?

– Je ne veux pas passer pour une froussarde.

– Jusqu'à ce que nous nous soyons débarrassés de Lizovyk, viens vivre chez moi.

Il ouvrit ses ailes, la prit dans ses bras et la transporta jusqu'à sa caverne, où ils pourraient veiller l'un sur l'autre. Maridz ne protesta pas. Elle pourrait y dormir sur ses deux oreilles.

REWAIN

Dans le campement des Manticores, Samara se réveilla plus tôt qu'à l'accoutumée. Le soleil venait à peine de se lever et de la lumière filtrait dans les petites fentes d'aération près du toit dans l'abri où Samara veillait sur Rewain. Elle se retourna et ne le vit pas près d'elle. Paniquée, elle marcha à quatre pattes jusqu'à l'entrée et poussa le morceau de métal rectangulaire qui en bloquait l'accès. Elle se précipita dehors et regarda partout. Elle ne vit que Messinée en train de terminer son repas matinal, sa mauvaise jambe allongée devant elle.

– As-tu vu Rewain ? lui demanda Samara en s'approchant rapidement.

– Pas encore. N'est-il pas censé dormir dans ton abri ?

– Il y était quand je me suis endormie, mais en ouvrant les yeux tout à l'heure, j'ai constaté qu'il m'avait faussé compagnie. J'ai pensé qu'il avait eu faim.

– Il est peut-être venu manger avant tout le monde. Questionne les autres. Ils sont déjà au parcours d'obstacles, sauf les sentinelles, bien sûr.

– Merci, Messinée.

Samara s'élança dans la forêt. Wellan lui avait enseigné à localiser les gens à l'aide de ses pouvoirs, mais elle était bien trop inquiète pour utiliser cette faculté. Rewain lui parlait souvent du vortex au sommet de la montagne bleue par lequel il était arrivé. Avait-il soudain éprouvé l'envie d'aller venger sa mère, même s'il se débrouillait à peine avec une épée ?

Elle arriva dans la clairière où ses compagnons d'armes étaient en train d'encourager à grands cris l'un des leurs qui faisait le parcours d'obstacles. Samara se faufila entre eux pour finalement constater avec surprise qu'il s'agissait de Rewain !

– Tu es une excellente entraîneure, Samara, la félicita Dholovirah. Il a fait des progrès incroyables en très peu de temps.

– Qui le chronomètre ?

– Riana. C'est le troisième essai de Rewain, ce matin. Il a déjà réussi un parcours de douze minutes et un autre d'un peu moins de dix.

– Dix ?

« Mais comment a-t-il pu s'améliorer à ce point ? » s'étonna Samara.

– Son style laisse à désirer, mais c'est le résultat qui compte, non ? ajouta Koulia.

Samara se rendit auprès de Riana pour être la première à connaître le temps du troisième essai du dieu-zèbre.

Sous ses yeux, Rewain sauta sur chaque marche de l'escalier en apex à la manière d'une sauterelle et franchit la ligne d'arrivée.

– Huit minutes, quarante-quatre secondes ! annonça Riana.

Les Manticores entourèrent le jeune homme pour le féliciter. Tanégrad lui lança une serviette mouillée sur la figure.

– Oh merci !

Il s'essuya le visage sans cacher son bonheur. Puis il aperçut Samara et s'approcha d'elle en arborant un large sourire.

– Comment as-tu réussi un exploit pareil ? explosa-t-elle.

– Je ne voulais pas t'en parler avant de compléter le parcours en moins de cinq minutes, mais tu m'as découvert. Tous les matins, je me lève avant le soleil pour m'entraîner.

– Dans l'obscurité ?

– Seulement au début. J'ai découvert comment faire briller mon corps quand j'en ai besoin. Alors j'éclaire moi-même mes pas, un obstacle à la fois.

Samara le fixait avec étonnement, ne sachant plus quoi penser.

– Dis-moi que tu es fière de moi.

– Bien sûr que je le suis, Rewain, mais je n'aime pas tellement les cachotteries.

– C'était plutôt une surprise que je voulais te faire.

– Pourquoi ai-je l'impression que tu n'as pas fini de nous étonner ?

– Parce que je vais continuer de me perfectionner !

– As-tu mangé ?

– Pas encore. Mon estomac n'aurait jamais pu retenir la nourriture pendant que je courais, que je sautais et que je me pendais la tête en bas.

– Dans ce cas, allons fêter ailleurs ton meilleur record de tous les temps.

Samara ramena le jeune homme au campement, où il restait heureusement un peu de porridge dans le fond d'une marmite. Elle en versa dans deux écuelles et en tendit une à Rewain avant de s'asseoir près de lui. Affamé, le jeune dieu vida la sienne rapidement. Toujours assise devant le feu, Messinée l'observait avec amusement.

– Possèdes-tu des pouvoirs de guérison, Rewain ? lui demanda alors Samara.

– Je l'ignore.

– Regarde bien ce que je vais faire.

La Manticore s'entailla légèrement la paume avec son poignard, faisant aussitôt grimacer Rewain de douleur. Avec son autre main, elle produisit une douce lumière verte qui referma sa blessure.

– C'est fascinant, avoua le jeune dieu, étonné.

– Maintenant, à toi d'essayer.

– Moi ? Je ne pourrais jamais me blesser moi-même !

– Bon, d'accord.

Samara se coupa au même endroit. Rewain se mit à blêmir en voyant couler son sang.

– Referme ma plaie, Rewain, et vas-y doucement. Ne m'incinère pas la main, d'accord ? Je ne possède pas la faculté de faire repousser mes membres.

– Je ne sais pas si j'y arriverai...

– Si tu ne fais rien, je mourrai d'hémorragie.

– Oh non ! Surtout pas !

Nerveux, Rewain réussit à produire une belle lumière violette au bout de plusieurs essais. Il prit la main de Samara entre les siennes et fit instantanément disparaître la plaie.

– Waouh ! s'exclama la Manticore. J'ai ressenti une chaleur si bienfaisante que je suis toute ragaillardie ! Puis-je continuer de te mettre à l'épreuve pour évaluer l'étendue de ta puissance ?

– Je ne peux rien promettre...

– Ça fait plusieurs fois que je tente de guérir la jambe de Messinée sans jamais y arriver, sans doute parce que mes pouvoirs ne sont pas assez grands.

– Euh... tenta de s'interposer la guerrière blessée.

– Si je peux rendre service aux Manticores, de quelque façon que ce soit, cela me fera le plus grand plaisir, affirma Rewain.

– Qu'est-ce que tu disais tout à l'heure au sujet de l'incinération ? s'inquiéta Messinée.

– Tu vois bien qu'il sait doser son énergie, tenta de la rassurer Samara. Je t'assure que tu n'as rien à craindre.

– Personnellement, je préfère boiter plutôt que de n'avoir plus qu'une seule jambe.

– Il fera très attention.

– Bon, je veux bien, à condition que je puisse mettre fin au traitement si je juge que ça ne pourra pas fonctionner.

– Ça va de soi et je ferai la même chose, promit Rewain. À quel endroit se situe exactement cette blessure ?

– Au genou.

Rewain approcha sa main de la rotule de Messinée et l'inonda de lumière violette.

– Jusque-là, ça va ? lui demanda sa sœur d'armes.

– J'avoue que c'est très réconfortant.

Dès que la lumière eut disparu, Samara demanda à Messinée de se lever et de faire quelque pas. Celle-ci rassembla son courage. À son grand étonnement, elle ne ressentait plus aucune douleur.

– Est-ce permanent ? osa-t-elle demander.

– Je l'espère bien... à moins que tu te blesses encore au combat.

Messinée se mit à courir autour des feux en poussant de petits cris de joie.

– C'est la première fois que je peux courir depuis des années !

– Maintenant, nous savons que je possède le don de guérison, se réjouit Rewain, mais quoi encore ?

– Nous devrions te faire évaluer par Wellan, qui est un vrai magicien, suggéra Samara. Moi, je ne suis encore qu'une novice.

– S'il n'est pas trop occupé, ça me plairait beaucoup.

– Je demanderai à la commandante la permission de communiquer avec lui. Qu'aimerais-tu faire aujourd'hui ? Et ne me dis pas que tu veux retourner sur le parcours. Tu as suffisamment fait travailler ton cœur.

– Pourrions-nous aller visiter les villes près de la rivière ?

– Pourquoi pas ? À condition toutefois que tu te laves et que tu changes de vêtements.

– Ce que tu viens de me dire m'a fait penser à ma mère...

– Allez, dépêche-toi.

– Merci encore, Rewain, lui dit Messinée, tandis qu'il s'éloignait pour aller chercher des vêtements de rechange dans son abri.

– Il n'y a pas de quoi.

– Ce serait vraiment bien si tous les dieux étaient comme lui, laissa tomber Messinée.

– Malheureusement, si on se fie à ce qu'il nous a raconté, c'est une exception. Veux-tu que je t'aide à faire la vaisselle ?

– C'est gentil de l'offrir, Sam, mais maintenant que je suis capable de marcher sans douleur, je pense que tout cet exercice de va-et-vient me redonnera des forces. Prépare-toi plutôt à faire découvrir le monde à ton jeune dieu.

Rewain passa devant elles pour se rendre à la rivière.

– Pourrais-tu garder l'œil sur lui pendant que je vais chercher mes armes ? demanda Samara à sa compagne. Je ne m'attends pas à trouver d'Aculéos à Paulbourg, mais sait-on jamais...

– Vas-y. Je peux très bien le voir d'ici.

Samara se rendit donc à son abri. Elle prit sa ceinture d'armes de même que son épée et son poignard, puis elle sortit à l'extérieur pour les glisser dans leur gaine. Pavlek, qui la surveillait depuis un petit moment depuis l'orée de la forêt, se décida à quitter sa cachette pour lui dire encore une fois ce qu'il pensait de sa relation avec le dieu-zèbre. Il n'alla pas très loin. Koulia lui barra la route.

– Si j'ai un seul conseil à te donner, Pavlek, c'est d'aller défouler ton agressivité ailleurs que sur Samara. Nous avons construit un parcours d'obstacles pour ça.

– Mais de quoi tu te mêles, Koulia ?

– Les Manticores ne tolèrent pas les disputes. Elles ne supportent pas non plus les crises de jalousie.

– De jalousie ? Tu ne sais même pas ce que je ressens.

– Je ne me trouverais pas devant toi si je l'ignorais. Samara a une mission à accomplir, que ça te plaise ou non. Laisse-la tranquille ou tu auras affaire à moi. Compris ?

Furieux, Pavlek eut d'abord envie de répliquer, puis il se souvint que Koulia était très proche de Priène, qui commandait désormais leur division. Le visage écarlate, il finit par tourner les talons et s'éloigner en direction du parcours d'obstacles. Priène en revenait justement et l'altercation ne lui avait pas échappé.

– Que se passe-t-il ? demanda la commandante.

– Il ne cesse de faire la vie dure à Samara parce qu'elle s'occupe constamment de Rewain. Je l'ai averti d'arrêter de la harceler sinon je lui réglerai son compte.

– Tu as bien fait. Je lui parlerai en privé plus tard pour lui rappeler les règlements au sujet des relations amoureuses sur le front.

– Le problème, c'est que l'amour n'est pas partagé dans son cas.

– Avec tout ce qui nous menace, nous ne pouvons vraiment pas nous permettre d'être distraits par ce genre de querelles ridicules.

– Absolument d'accord. Je le garderai à l'œil.

– Merci, Koulia.

Une fois qu'il fut lavé et changé, Rewain revint aux feux, où Samara l'attendait. Elle avait mis des fruits dans sa besace ainsi que deux gourdes remplies d'eau fraîche.

– Je suis prêt, annonça le jeune dieu.

Ils se mirent en route et descendirent la colline sans se presser. Le ciel était sans nuages et le vent tiède, réconfortant.

Sans alarmer son protégé, la Manticore promenait son regard sur le sommet de la falaise, mais l'ennemi n'y était visible nulle part. Ils traversèrent finalement le pont en pierres qui menait à la ville dévastée de Paulbourg. Rewain ralentit le pas.

– Est-ce que tu éprouves un malaise ? lui demanda Samara.

– Je ressens la terreur et les souffrances des gens qui ont vécu ici, murmura-t-il.

Plus ils avançaient sur la rue principale, plus il réduisait son allure, jusqu'à s'arrêter complètement.

– Ce sont des émotions conflictuelles, avoua Rewain, car en même temps, je capte une terrible soif de tuer...

– Sans doute celle des Aculéos. L'attaque qui a détruit cette ville et les autres sur la rive de la rivière a été foudroyante. Une seule personne y a survécu : notre grande commandante. Elle n'était qu'une enfant, à l'époque.

– Ces monstres doivent être de véritables géants s'ils sont parvenus à détruire toutes ces maisons avec leurs pinces.

– Il est vrai qu'ils étaient plus grands que les humains, mais ce sont les incendies qu'ils ont déclenchés en abattant les lignes électriques et les conduites de gaz qui ont fait ces ravages.

Une grande tristesse s'empara du dieu-zèbre.

– Ma mère n'aurait jamais supporté que quelqu'un détruise sa ville bien-aimée, murmura-t-il.

Au bord des larmes, il s'approcha des vestiges d'une maison et posa la main sur le seul mur en briques qui se tenait encore debout. Un terrible vent se leva. Samara saisit Rewain par le bras et le força à reculer, craignant que le sorcier qui avait tué Apollonia et Baenrhée soit de retour. Elle savait que la magie du jeune homme pourrait les sauver, à condition toutefois que Lizovyk n'utilise pas une ruse contre lui.

Sous leurs yeux étonnés, les débris de la maison se mirent à tourbillonner puis à se rassembler jusqu'à ce que la demeure soit entièrement reconstruite !

– Qu'est-ce que tu as fait ? balbutia la Manticore.

– Je suis tellement désolé...

– Tu as accompli un véritable miracle, Rewain.

Samara mit le pied sur la première des marches en bois qui menaient à la porte d'entrée, sans qu'elle cède sous son poids. Pourtant, un instant auparavant, ces planches gisaient dans l'herbe, à moitié consumées ! Elle poussa doucement la porte et jeta un œil à l'intérieur. Les planchers, les murs et même les meubles originaux s'y trouvaient !

La guerrière revint vers Rewain, lui prit la main et l'entraîna jusqu'aux ruines suivantes.

– Touche n'importe quoi, lui ordonna-t-elle.

– Pourquoi ?

– Pour voir si c'est vraiment un de tes pouvoirs ou si c'est une coïncidence.

Le même phénomène se reproduisit. En quelques minutes à peine, le bâtiment redevint ce qu'il était avant sa destruction par les Aculéos.

– Tu es génial !

– Mais je ne sais même pas ce que je fais !

– Tu pourrais rebâtir tout Paulbourg si tu le voulais.

– Est-ce que ce serait une bonne chose ?

– Seulement si cet exercice magique ne te vide pas de tes forces, parce que nous avons besoin de ta protection magique.

– Honnêtement, je ne ressens aucune fatigue.

– Rewain, si cette ville renaissait de ses cendres, des gens pourraient venir s'y installer après la guerre et lui redonner vie.

Encouragé par son enthousiasme, le dieu-zèbre reconstruisit magiquement une dizaine d'habitations au bord de la rivière, y compris le moulin. Heureusement, ces bâtiments se trouvaient au bord de l'eau et ne nuiraient pas à la vue des sentinelles.

– Je ne savais même pas qu'il y avait eu un moulin, s'étonna Samara.

– À quoi servent ces grandes ailes ?

– Le vent les fait tourner et, à leur tour, elles actionnent la meule à l'intérieur qui moud les grains pour en faire de la farine.

– Voilà beaucoup de mots qui ne me disent rien.

Elle le fit entrer dans le grand bâtiment circulaire et lui indiqua ses diverses composantes.

– Que fait-on avec la farine ? voulut-il savoir.

– Du pain, des gâteaux...

– Donc, c'est une bonne chose qu'il soit reconstruit ?

– C'est sûr.

Samara le laissa poursuivre son œuvre pendant encore quelques minutes. C'est alors que Rewain aperçut son air interrogateur.

– Saurais-tu aussi comment nous débarrasser des Aculéos ? lâcha Samara.

– Je ne suis pas un être agressif.

– Il doit bien exister une façon pacifique de régler ce conflit une fois pour toutes.

– Pourquoi ne pas donner à toutes les parties ce qu'elles veulent ? suggéra Rewain.

– Parce que les hommes-scorpions veulent tous nous tuer pour s'emparer de nos terres.

– Oh... Mais pourquoi en ont-ils besoin ?

– Nous avons d'abord pensé qu'ils manquaient d'espace là-haut, puis nous avons appris, grâce à Wellan, qu'ils veulent éliminer les humains parce qu'ils sont les créatures favorites des dieux.

– Par dieux, tu fais référence à mon panthéon ?

Elle hocha la tête.

– Dans ce cas, il s'agit d'une méprise, car ni mes parents ni mes frères n'ont jamais exprimé la moindre préférence pour l'une ou l'autre de leurs créations. Il suffirait sans doute de le faire comprendre aux Aculéos.

– Ouais, je me vois très bien demander audience à leur roi pour lui expliquer ça, plaisanta Samara.

– À mon avis, vous n'auriez rien à perdre.

– Sauf notre tête. Allez, je te laisse encore dix minutes pour t'amuser, puis nous devrons partir. Priène n'aime pas que nous nous absentions trop longtemps.

– Merci.

Encouragé par ses réussites, Rewain reconstruisit plusieurs autres maisons.

QUIHOIT

Dans la caverne qu'il avait découverte derrière une chute sur la frontière entre les plateaux enneigés et le Royaume d'Arcturus, Quihoit s'était débrouillé pour survivre en attendant que Lizovyk le retrouve, comme il le lui avait promis. Au fil des jours, le sorcier avait laissé à l'entrée de sa caverne plusieurs meubles encore utilisables qu'il avait sans doute trouvés à Paulbourg. Quihoit les avait traînés jusqu'au fond de la grotte. Il s'était ainsi construit une plateforme sous laquelle il dormait et sur laquelle il entreposait ses possessions et ses provisions. Lizovyk lui avait aussi procuré un couteau de chasse et des couvertures qui avaient échappé au feu, mais aucune nourriture.

Grâce à des javelots qu'il avait construits avec des barreaux de chaise, Quihoit pouvait harponner les poissons qui s'approchaient du bord du canal. Comme tous les hommes-scorpions, il n'avait pas besoin de manger chaque jour, alors ce qu'il réussissait à attraper lui suffisait amplement. Lui qui avait toujours vécu dans un clan, il s'étonna d'aimer autant sa vie solitaire. Il ne recevait plus d'ordres de qui que ce soit et il n'avait plus de comptes à rendre à personne. Zakhar lui avait raconté que, lorsqu'il était enfant, avant de devenir roi, il s'était isolé pendant de longs mois sur les terres inhospitalières du nord. Sa capacité à survivre pendant tout ce temps avait tellement impressionné son peuple que celui-ci n'avait pas hésité à l'accepter comme successeur de son vieux monarque. «Je suis en train de faire la même chose», comprit Quihoit.

La neige ne lui manquait pas du tout. Il aimait beaucoup la tiédeur qui régnait au pied de la falaise. Il se lavait dans les filets d'eau qui tombaient à l'intérieur de sa caverne. Il pouvait également s'y abreuver. La nuit, il s'assoyait au bord du canal et observait les étoiles. Sa nouvelle demeure se trouvait un peu à l'ouest du plus gros des campements des Manticores. Étant donné que les soldats humains avaient choisi de s'installer au sommet des grosses collines d'Arcturus, ils ne pouvaient pas le voir tant qu'il ne s'éloignait pas trop de la chute pendant le jour.

Une nuit, en rentrant de son observation du ciel, Quihoit grimpa sur la corniche et se faufila sous les torrents d'eau qui coulaient de la falaise. Il s'arrêta net en arrivant nez à nez avec Lizovyk. Il était assis au beau milieu de la caverne, sur un trône qu'il avait apporté avec lui. Malgré ses beaux vêtements rouge et or, il avait le teint blafard, le regard égaré et les cheveux broussailleux. Ce n'était plus du tout le sorcier que Quihoit avait rencontré sur les terres de son père. Pour ne pas provoquer sa colère, il ne lui fit aucune remarque sur son apparence.

– Je vois que tu t'es débrouillé pour survivre en mon absence, laissa tomber Lizovyk.

– J'ai appris à me tirer d'affaire dans n'importe quelles circonstances, répondit prudemment Quihoit.

– C'est très bien. J'ai maintenant besoin de toi.

« Enfin », songea l'Aculéos.

– En échange du trône de ton père, tu devras m'aider à faire quelque chose que ma magie ne me permet pas d'accomplir.

– J'ignorais que la magie avait des limites, s'étonna Quihoit.

– Le problème, lorsqu'on est très puissant, c'est que les autres créatures magiques peuvent flairer notre présence. Je suis donc incapable de m'approcher de certaines personnes qui doivent maintenant mourir.

– Tu voudrais que je m'attaque à d'autres sorciers ?

– Non. À ceux qu'ils protègent. Puisque tu ne possèdes aucun pouvoir, ils ne sauront même pas que tu es là. Est-ce que tu comprends ? Et parce que tu n'as plus ni pinces ni dard, tu pourras facilement passer inaperçu au milieu des humains et trancher la gorge de mes victimes.

Justement, Quihoit venait de trouver un couteau de chasse presque neuf...

– Pour le trône, je ferai n'importe quoi, déclara-t-il. Où dois-je aller ?

– De l'autre côté de la rivière, au-delà de la colline, tu trouveras le campement des Manticores.

– Tu veux que je m'attaque aux Chevaliers d'Antarès ?

– Je ne te demande pas de tous les éliminer, Quihoit. Je veux que tu découvres qui les dirige et que tu me débarrasses de cette personne. Quand ce sera fait, tu poursuivras ta route vers l'est et tu feras la même chose chez les Basilics, puis chez les Chimères.

– Il y a des ponts qui permettent de traverser la rivière, mais rien qui me permette de franchir le nouveau canal qui a été creusé par le dragon volant. Les Aculéos ne savent pas nager.

– Si ce n'est que ça...

Un bruit sonore fit sursauter l'homme-scorpion.

– Qu'est-ce que c'était ?

– Ton nouveau pont-levis. Je viens de l'arracher à un temple entouré d'eau. Il te sera plus utile qu'aux prêtres.

Sans même bouger le petit doigt, Lizovyk les transporta tous les deux sur le bord du canal, au pied de la falaise. « Heureusement que nous ne sommes pas en plein jour », ne put s'empêcher de penser Quihoit, car avec ses vêtements rouge et doré, il est certain que les sentinelles des Manticores auraient aperçu le sorcier ! Il remarqua alors un long rectangle en métal appuyé contre la paroi rocheuse.

– Lorsque tu voudras t'en servir, tu n'auras qu'à tourner cette manivelle, expliqua Lizovyk. Le pont descendra jusqu'à ce qu'il s'appuie sur le bord opposé du canal.

– Pourrai-je le faire remonter une fois que je l'aurai franchi ?

– Pas sans magie. Mais personne ne vit plus dans cette région et, de toute façon, les humains seraient incapables d'escalader la falaise jusqu'à ton refuge. Tu pourras le relever à ton retour, lorsque tu auras terminé ton travail.

– Je saisis.

– Tant mieux, parce que j'ai autre chose à faire. Ne me déçois pas, Quihoit, parce que c'est ta tête que je livrerai à Zakhar si tu me fais faux bond.

Le sorcier disparut en le laissant devant le pont appuyé contre le roc.

« Ça ne me semble pas trop difficile », s'encouragea-t-il. Toute sa vie, il avait rêvé de participer aux raids menés par les guerriers de son clan, mais son père l'en avait toujours écarté. C'était enfin sa chance de prouver aux siens qu'il n'était pas un lâche.

Il grimpa chez lui et passa une bonne partie de la nuit à préparer son plan. Il dormit toute la journée du lendemain et, quand il ouvrit les yeux, il entendit le grondement du tonnerre. C'était le moment parfait pour s'infiltrer chez les soldats, qui avaient de la difficulté à fonctionner sous la pluie. Quihoit passa son couteau à sa ceinture et retourna au bord du canal. En suivant les directives du sorcier, il fit descendre le pont, puis, sous le couvert de la tempête, il le traversa et courut sur la colline jusqu'à la forêt. L'eau qui lui martelait la peau était froide, mais pas autant que la neige. « Nous sommes supérieurs aux humains », se répéta Quihoit en se rapprochant du campement.

Il arriva dans une clairière parsemée de pierres dressées qui lui arrivaient à la taille. À la lueur des éclairs, il vit que des dessins étranges y étaient gravés. Il ne pouvait pas savoir qu'il s'agissait du cimetière des Manticores. Il poursuivit sa route et tomba sur le parcours d'obstacles, un véritable mystère pour l'homme-scorpion. Puis, il trouva enfin l'endroit qu'il cherchait. La pluie avait éteint les feux, mais le rassemblement de tous ces petits cercles de pierres lui indiqua une importante activité humaine. Il remarqua alors les abris construits avec des blocs rectangulaires. « Ils doivent tous être là-dedans, mais comment savoir lequel est le refuge de leur chef ? »

Quihoit aurait pu s'introduire dans chaque abri et y tuer tout le monde. Ainsi, il aurait été certain que cette personne se serait trouvée dans le lot, mais il risquait aussi que des cris de terreur le dénoncent et que toute la garnison s'en prenne à lui. Le mieux, c'était de faire preuve d'un peu de patience. Il grimpa donc dans un arbre et s'installa sur une haute branche afin d'observer le campement au matin. L'orage s'éloignait vers l'est, alors il s'allongea à plat ventre et somnola jusqu'à ce qu'il entende des voix. Il ouvrit les yeux et constata que le soleil allait bientôt se lever. Tout le campement était enveloppé d'une pâle lumière rosée qui empêcherait les Chevaliers de remarquer sa présence au-dessus d'eux.

– Il est trop dangereux de s'entraîner sur les obstacles quand il a plu toute la nuit, disait Samara à Rewain, qui se tenait plus loin. Aide-moi plutôt à préparer le repas.

– Je veux bien. Ce sera une nouvelle expérience pour moi.

– Nous allons donc commencer par quelque chose de très simple, puis je t'enseignerai à composer des plats plus compliqués de jour en jour. Viens, je vais te montrer où se trouvent les enveloppes de porridge dans le conteneur que nous recevons de temps à autre de la ville.

Quihoit cessa de se préoccuper d'eux en se disant qu'un vrai commandant ne s'abaisserait pas à nourrir lui-même son armée. Il attendit donc que les autres Chevaliers sortent un par un de leurs abris. Il tendit l'oreille et écouta attentivement les conversations, mais ne capta rien qui lui permette de découvrir la commandante. Personne ne donnait des ordres dans le campement. Chacun faisait ce qu'il voulait. La seule façon d'obtenir l'information qu'il désirait, c'était de capturer un des soldats et de l'obliger à la lui révéler.

Lorsque les Chevaliers eurent fini de manger cette bouillie qui sentait vraiment mauvais, ils se dispersèrent dans la forêt. Quihoit attendit d'être enfin seul pour descendre de son poste de guet. La plupart des soldats étaient partis en groupe, mais quelques-uns avaient pris une direction différente. Il choisit donc de suivre une femme qui marchait seule sur un sentier.

Koulia avait fait des cauchemars toute la nuit. Elle avait rêvé que le sorcier était revenu et qu'il avait assassiné Rewain avant de s'en prendre à toute la division. Personne n'avait rien pu faire. Elle avait senti son sang se glacer dans ses veines lorsque Lizovyk s'était finalement tournée vers elle et avait fait flamber son fouet. Refusant de capituler, elle avait sorti son poignard de sa ceinture, mais le mage noir avait fait jaillir de ses mains des faisceaux incandescents. La douleur qu'elle avait ressentie quand ils lui avaient traversé le corps l'avait réveillée en sursaut. Koulia avait à peine touché à son repas du matin, encore prisonnière du mauvais rêve, et, au lieu de suivre les autres au parcours d'obstacles, elle avait décidé d'aller se rafraîchir à la source.

Sans se douter qu'elle avait été suivie, elle s'agenouilla au bord de l'eau. Elle y plongea les mains et s'aspergea le visage avec soulagement. Elle allait recommencer lorsqu'elle aperçut un reflet à la surface de la source.

Derrière elle se tenait un homme aux longs cheveux noirs, torse nu, qui s'apprêtait à s'emparer d'elle ! Elle fit volte-face, agrippa Quihoit par son pagne et se laissa tomber sur le dos. Le geste eut pour effet de balancer son agresseur par-dessus sa tête et de le faire retomber durement sur le dos de l'autre côté du petit ruisseau. Elle bondit sur ses pieds et se retourna, prête à se battre à mains nues. Furieux d'avoir été traité de la sorte par une femelle, Quihoit se releva.

— Dis-moi où se trouve ton chef et je t'épargnerai, gronda-t-il.

— M'épargner ? Pour qui te prends-tu, l'Aculéos ?

Quihoit fonça sur elle à la manière d'un taureau. Koulia se déplaça sur sa droite et utilisa l'impulsion de son adversaire pour l'envoyer faire plusieurs roulades sur le sol. En fulminant, l'homme-scorpion sortit son couteau de sa ceinture.

— Tu as même apporté une arme pour me faciliter la vie ? ironisa la guerrière.

Il poussa un cri de rage et fonça sur Koulia. Elle évita habilement tous les coups de poignard en riant, ce qui acheva d'exaspérer Quihoit.

— Tu te bats comme une petite fille ! le piqua la guerrière.

Elle continua de s'amuser en faisant bien attention de conserver ses forces et de laisser son adversaire se vider des siennes. C'est alors que Priène et Dholovirah, qui venaient chercher de l'eau pour laver la vaisselle du matin, aperçurent le combat. Elles laissèrent tomber les seaux et coururent au secours de leur sœur d'armes.

— Koulia, que se passe-t-il ? s'écria Priène.

— C'est un Aculéos qui essaie de se faire passer pour un humain, sauf qu'il ne sait pas se servir d'un couteau !

Ni Priène ni Dholovirah n'étaient armées.

— Dholo, va chercher des renforts, ordonna le nouveau chef des Manticores.

La guerrière tourna les talons et fonça vers la clairière où se trouvait le parcours d'obstacles. Priène alla se placer derrière Quihoit pour le forcer à diviser son attention entre Koulia et elle.

– Que fais-tu sur notre territoire, saleté ? le provoqua-t-elle.

– Il cherche notre chef pour lui faire un mauvais parti, répondit sa compagne pour la mettre en garde.

– Si tu la trouves, il faudra nous dire qui c'est, Aculéos, parce que nous n'en avons plus.

– Notre commandante a été tuée par un sorcier, ajouta Koulia. Si tu veux t'emparer d'elle, il faudra aller la chercher dans le monde des morts.

– Vous mentez, femelles !

– Qui t'envoie ? poursuivit Priène. Ton roi ou le sorcier lui-même ?

– Rien ne me ferait plus plaisir que de te tuer à petit feu, gronda Koulia, mais j'ai bien peur que mes compagnons, quand ils sauront que tu te trouves ici, choisissent une exécution plus rapide.

Quihoit balançait sa lame d'une guerrière à l'autre sans savoir laquelle attaquer en premier.

« Pourquoi Lizovyk m'aurait-il envoyé assassiner une commandante qu'il a déjà tuée lui-même ? » se demanda-t-il. « Pour me mettre à l'épreuve ? » Puisqu'il savait qu'il ne pourrait pas déjouer Koulia, Quihoit fonça sur Priène. Mais au lieu de lui planter son couteau dans le corps, il lui percuta l'épaule, la renversa sur le sol et prit la fuite. Koulia fut tentée de le poursuivre, mais elle décida plutôt de se pencher sur sa sœur d'armes pour s'assurer qu'il ne lui avait pas porté un coup mortel.

– Ça va ? lui demanda-t-elle en l'examinant.

– Je n'ai même pas eu le temps de réagir...

– Ton épaule est encore disloquée. Prends une grande respiration.

Priène n'eut pas le temps de lui obéir que Koulia lui replaçait l'articulation d'un seul coup. La commandante poussa un cri de douleur.

– Je déteste quand tu fais ça ! Mais merci.

– Il n'y a pas de quoi.

Koulia l'aida à se remettre sur pied. Elles fonçaient dans la direction qu'avait prise Quihoit lorsque les Manticores arrivèrent en meute, leurs épées à la main.

– Ou bien il cherchera à se cacher, ou bien il tentera de rentrer chez lui, avança Koulia.

– Il y a un Aculéos armé d'un couteau aux alentours ! s'exclama Priène. Trouvez-le ! Regardez même dans les arbres !

Les Chevaliers se séparèrent en formant un éventail. Koulia suivit sa commandante jusqu'au campement pour aller chercher leurs armes. Pendant que Priène pénétrait dans leur abri, sa compagne monta la garde. L'Aculéos pouvait se trouver n'importe où. Les deux femmes attachèrent leur ceinture en courant vers la colline pendant que leurs compagnons ratissaient la forêt. Quand elles y arrivèrent enfin, elles virent Quihoit qui se dirigeait vers le pont de Paulbourg aussi rapidement que pouvaient le porter ses jambes.

– On dirait qu'il a eu sa leçon, laissa tomber Priène.

– Je ne sais pas comment sont les femmes chez les Aculéos, mais il a semblé très surpris que les nôtres sachent se défendre, lui fit savoir Koulia.

– Mais pourquoi ont-ils envoyé un seul homme pour me tuer ?

– Et un incapable, en plus.

Priène se remémora l'intervention funeste de Lizovyk dans leur campement.

– Je parie que c'est le sorcier qui l'envoie, déclara-t-elle. Il ne peut plus s'approcher de nous lui-même parce que Rewain le détruirait.

– Mais pourquoi s'en prendre aux commandants ?

– Pour nous désorganiser.

– On le poursuit ?

– Non.

– Dommage...

– Ne soyons pas trop confiantes, Koulia. Le sorcier en enverra d'autres. Il faut s'organiser pour que les prochains ne se rendent pas jusqu'à nous.

– En posant des pièges ? se réjouit sa sœur d'armes.

– Tu lis dans mes pensées. Allons rappeler les Manticores pour mettre fin à cette chasse à l'homme.

Pendant que les femmes Chevaliers retournaient vers leur campement, Quihoit franchit le pont de Paulbourg et continua vers le canal sans ralentir. Il courut jusqu'au pont-levis, le traversa et tourna la manivelle à toute vitesse pour le remonter. Il s'appuya contre le roc et chercha à reprendre son souffle.

Lizovyk lui avait demandé d'éliminer la commandante des Manticores, puis de faire subir le même sort aux chefs des Basilics et des Chimères. Sa première mission s'était soldée par un échec, alors il planifierait mieux les prochaines.

L'OCÉAN

Afin de clore en beauté la visite de sa famille au château d'Émeraude, Onyx décida de retourner les Hokous à An-Anshar pour qu'ils aident Lyxus à remettre la forteresse en ordre après le tremblement de terre, puis offrit aux autres d'aller passer la journée au bord de la mer. Il n'eut aucune difficulté à gagner les enfants. Les parents décidèrent d'en faire un événement dont ils se souviendraient longtemps. Napashni rassembla Anoki, Ayarcoutec, Obsidia, Phénix et Jaspe pour leur expliquer les règles de la courtoisie et de la prudence.

– Il s'agit d'une partie de plaisir, alors on ne bouscule personne et on garde un œil sur les plus jeunes pour que cette baignade ne se solde pas par une tragédie. Est-ce bien compris ?

Kira et Lassa en firent autant avec Lazuli, Marek, Maélys et Kylian, laissant à leur fille Kaliska la responsabilité d'adresser ses propres recommandations à son fils Héliodore. Quant à la petite Agate, elle ne comprenait pas pourquoi tout le monde était si excité. Onyx invita ensuite Aéquoréa et Strigilia à les accompagner. Ce dernier hésita.

– L'eau te fera du bien, le tenta sa femme.

– Tu as raison.

Lorsque tout le monde fut enfin prêt, Onyx les fit entrer dans son vortex, qui les mena sur sa plage préférée dans le Désert, près de la frontière de Zénor. Il n'eut pas le temps d'ouvrir la bouche pour rappeler à ses enfants d'être prudents qu'ils couraient déjà derrière leurs cousins d'Émeraude pour aller se jeter à l'eau. Lassa les suivit par mesure de prudence. Les pieds dans l'eau, il commença par sonder l'océan sur plusieurs kilomètres pour s'assurer qu'il n'y nageait pas de prédateurs qui se nourrissaient de petits mammifères en caleçons. Rassuré, il rejoignit les enfants. Les plus vieux avaient tout de suite organisé des courses auxquelles ne pouvaient pas participer les petits. Déçu, Jaspe s'était plutôt mis à la recherche de coquillages en eau peu profonde. Craintif, Héliodore avait décidé de l'imiter.

« Ce n'est plus du tout le petit garçon que j'avais de la difficulté à suivre dans les vagues », remarqua Lassa. Tout en gardant l'œil sur les aînés, il s'approcha d'eux.

— Si vous m'accompagnez là où c'est un peu plus profond, je vous enseignerai à nager, offrit-il aux deux garçons.

— Pas trop profond, l'avertit Jaspe.

Puisque le bambin avait accepté la proposition de Lassa, Héliodore fit le brave et les suivit là où il avait de l'eau à mi-cuisse. Il consentit à se mettre à quatre pattes et attendit que son papi ait montré à Jaspe à battre des pieds et des mains en le soutenant sous le ventre.

Il se rappelait être venu à cet endroit avec ses deux grands-pères, mais il ne comprenait pas pourquoi il ne savait plus nager comme Marek et Lazuli.

Lorsque Jaspe eut compris comment se mouvoir par lui-même, Lassa se tourna vers Héliodore.

— Pourquoi est-ce que je ne sais plus comment faire ? se désola l'enfant.

— Ça arrive parfois même aux grands. Mais la bonne nouvelle, c'est qu'une fois qu'on a déjà appris quelque chose, on peut s'y remettre assez facilement.

Avec beaucoup de patience, Lassa lui montra à se détendre dans l'eau, puis à se servir de ses bras et de ses jambes pour avancer, tout comme il l'avait fait pour Jaspe.

– En attendant que ça te revienne, je te suggère de ne pas t'aventurer là où tes pieds ne touchent plus le fond, d'accord ?

– Je te le promets, papi.

Pendant ce temps, Onyx fit apparaître un grand dais, qu'il venait de subtiliser à un riche commerçant de Fal, afin de protéger du soleil Strigilia, Aéquoréa, Napashni, Kira, Kaliska et le bébé, qui ne s'étaient pas précipités dans l'océan avec les enfants.

– Tout est toujours si facile pour toi, Onyx, fit remarquer Kira.

– Si tu savais, soupira Napashni.

– J'aime obtenir ce dont j'ai besoin et je suis capable d'aller le chercher moi-même, alors... se défendit-il avec un sourire ironique.

Il fit ensuite apparaître des cruches d'eau froide.

– Quand les enfants auront faim, je trouverai quelque chose au château, leur fit-il savoir.

Strigilia, qui regardait l'horizon, se tourna alors vers lui.

– La nuit dernière, Patris a convoqué les dieux fondateurs chez lui, lui apprit-il, mais je ne peux pas me résoudre à m'y rendre. Je ne veux plus avoir de démêlés avec Tramail.

– Est-ce que je pourrais prendre ta place ? lui offrit Onyx, intéressé.

– Même si nous sommes parents, nous ne possédons pas la même constitution. Tu ne survivrais pas aux conditions différentes du monde de Patris.

– Ça m'irrite beaucoup d'être écarté de ce combat.

– Parce que tu es foncièrement un guerrier, lui dit Kira. Je pense que nous devrions faire confiance à Patris, surtout après qu'il a débarrassé ta forteresse du démon qui vivait en dessous. S'il y a quelqu'un qui peut régler le compte de Tramail, c'est bien lui.

– Tu ne peux pas être partout à la fois, ajouta Kaliska.

– Ce n'est pas parce qu'il n'essaie pas, plaisanta Napashni.

– C'est le rôle d'un chef de famille de protéger sa femme et ses enfants, répliqua Onyx. Et quand on est empereur de surcroît, ça fait beaucoup de monde à défendre.

– Aujourd'hui, on te demande juste d'être papi Onyx, le taquina Kira.

Marek arriva en courant de la plage.

– Allez-vous enfin vous joindre à nous ? lâcha-t-il.

Onyx se leva, incitant Napashni, Strigilia et Aéquoréa à en faire autant. Kira, qui n'avait jamais aimé l'eau, offrit à Kaliska de rester avec le bébé pour qu'elle puisse elle aussi aller s'amuser. Elle remit aussitôt Agate à sa mère et l'embrassa sur la joue. Tout comme Napashni et Aéquoréa, elle enleva sa robe et ne garda que ses sous-vêtements.

– Le dernier à l'eau est un escargot ! cria Marek.

Kaliska s'élança derrière lui comme lorsqu'ils étaient enfants et le plaqua sur le sable pour mettre le pied dans les vaguelettes avant lui.

Ce jour-là, ils parvinrent à oublier la menace qui pesait sur eux et sur les habitants de toutes les galaxies environnantes. Ils s'amusèrent tous comme des fous, surtout Strigilia et Aéquoréa, qui renouaient avec l'océan pour la première fois depuis la destruction de leur monde. Onyx en profita pour nager en se promettant de le faire plus souvent. Cet exercice bienfaisant lui avait beaucoup manqué.

Lorsque les enfants commencèrent à manquer d'inspiration, Onyx se souvint d'un sport qu'il avait vu les Itzamans pratiquer sur leurs plages dans le nouveau monde. Il laissa son esprit parcourir la côte et trouva exactement ce qu'il cherchait. Une quinzaine de longues planches minces munies d'un aileron apparurent sur le sable.

– C'est pour quoi faire ? demanda Obsidia.

– On monte dessus et on se laisse porter par les vagues, répondit Onyx. Laissez-moi vous montrer comment, après ce sera à vous d'essayer.

Ils l'observèrent tandis qu'il faisait flotter sa planche près de lui en s'éloignant du bord. Une fois qu'il eut de l'eau à la taille, il se mit à plat ventre dessus et pagaya avec ses bras pour s'éloigner vers le large. Puis, il se retourna et se mit debout sur la planche en arrachant un cri d'effroi aux enfants.

– Mais qu'est-ce qu'il fait là ? s'exclama Maélys.

Une grosse vague arriva derrière Onyx et souleva sa planche. Il oscilla de gauche à droite pour conserver son équilibre, mais fut balancé dans l'eau quelques minutes plus tard. Il en émergea et nagea pour aller chercher sa planche.

– Vous voyez comme c'est facile ! leur cria-t-il.

Lassa, Napashni, Kaliska, Anoki, Ayarcoutec, Obsidia, Phénix, Lazuli et Marek s'emparèrent d'une planche et imitèrent la technique de l'empereur.

– N'allez pas aussi loin que moi pour commencer ! les avertit Onyx.

Il se tourna ensuite vers Héliodore, Jaspe, Kylian et Maélys, qui hésitaient à suivre les plus vieux.

– Il y a une autre façon d'utiliser la planche, leur dit-il.

Prenant Maélys comme volontaire, car elle était un brin plus téméraire que les trois autres, il entra dans l'eau jusqu'à ce qu'il en ait aux genoux, puis souleva la petite et l'assit sur sa planche. Les vagues, qui perdaient de la force à cet endroit, la transportèrent tout doucement jusque sur le sable.

– Waouh ! s'enthousiasma la jumelle. J'aime ça !

– Moi aussi ! réclama Jaspe.

Puisqu'il était le plus petit, Onyx l'emmena moins loin, puis l'incita à recommencer en traînant la planche lui-même dans l'eau. Cet exercice lui raffermirait les bras. Héliodore et Kylian, qui avaient bien compris la démonstration, se mirent aussi à se laisser transporter sur les vagues. Onyx se tourna alors vers les grands pour voir comment ils se débrouillaient. Ils devenaient de plus en plus habiles et ne se lassaient pas de retourner au large même s'ils tombaient toujours avant d'arriver sur le sable. Celle qui se détacha du groupe fut incontestablement Kaliska. On aurait dit qu'elle avait fait ça toute sa vie. Gracieuse sur sa planche, elle n'avait aucune difficulté à conserver son équilibre et la dirigeait même habilement entre les autres surfeurs.

Strigilia et Aéquoréa avaient décidé de monter sur la même planche, avec des résultats désastreux, mais comme ils riaient aux éclats chaque fois qu'une mauvaise manœuvre les faisait planer dans les airs avant de les précipiter dans l'océan, Onyx décida de ne pas leur donner de leçon supplémentaire. Il surveilla plutôt les jeunes.

— Emmène-moi tout là-bas, le supplia alors Maélys.

— Seulement si Héliodore accepte de s'occuper de Jaspe et de ton frère.

— Oui, oui, répondit le jeune prince. Allez-y.

Onyx fit asseoir l'enfant aux cheveux lilas sur la planche avec lui et lui demanda de pagayer elle aussi avec ses mains. Lorsqu'ils furent au large, il se leva le premier et l'aida à se tenir debout devant lui.

— Essaie de garder ton équilibre, lui dit-il en voyant approcher une grosse vague. Si tu tombes, j'irai te chercher.

— D'accord !

La planche décolla comme un bolide et la jumelle explosa de joie. Ses deux occupants parvinrent à rester debout pendant un long moment, puis en furent catapultés à proximité de la plage.

— Encore !

— Tu y vas avec Lassa, cette fois, décida Onyx.

— Moi ? protesta-t-il. Mais j'ai du mal à tenir plus de quelques secondes !

– Je vais te montrer comment faire, papa, tenta de le rassurer Maélys.

Les trois familles s'amusèrent tout l'après-midi. Quand Onyx demanda grâce, il trouva Obsidia pliée en deux sur le sable, en train de reprendre son souffle.

– Ça va, ma puce ?

– Oui, mais c'est dur pour les jambes, répondit-elle en se redressant. Il est évident que Strigilia et Aéquoréa sont heureux dans l'eau. Ils vont sûrement aimer notre lac quand il sera enfin terminé.

– N'essaie pas de me manipuler, petite futée.

Onyx retourna sous le dais, où se trouvait maintenant un grand tapis.

– D'où sort-il, celui-là ?

– Tu n'es pas le seul à savoir comment aller chercher ce dont tu as envie, répliqua Kira. J'ai pensé que ce serait plus confortable et moins salissant. Ça m'a aussi permis de faire asseoir Agate sans qu'elle ait du sable plein ses langes.

Le soleil commençait à descendre tout doucement à l'ouest.

– Tu veux y aller aussi pendant que je m'occupe de la petite ?

– Non merci. Vous regarder vous amuser m'a fait encore plus de bien.

– C'est le moment de penser à nourrir la marmaille. Il y a de petits pâtés à la viande dans les cuisines d'Émeraude, de la salade au fromage de chèvre à Fal, de petits bols de riz au marché de Jade, du maïs sucré à Itzaman, des bananes à Ellada et des fruits exotiques à Djanmu.

Au fur et à mesure qu'il les nommait, les mets apparaissaient au milieu du tapis.

– Tu peux arrêter, l'avertit Kira. Il y en a déjà pour toute une armée.

La bande revint se faire sécher sur le tapis et se régala de tous les petits plats qui s'y trouvaient. Kira se chargea de matérialiser des gobelets pour y verser l'eau des cruches tandis qu'Onyx allait chercher un bon vin dans la réserve de Fal.

– Est-ce qu'on pourra retourner jouer dans l'eau après le repas, maman? demanda Kylian à Kira.

– Ce ne serait pas une bonne idée, mon cœur, car c'est à cette heure que les poissons remontent des profondeurs pour se nourrir.

– Je le confirme, l'appuya Strigilia.

– Est-ce qu'on pourra rester jusqu'à ce qu'il fasse noir, papa, ou est-ce qu'ils se hissent aussi sur la plage? le supplia Obsidia.

– Moi, je ne suis pas pressé, leur fit savoir Onyx.

– Pourquoi il n'y a pas de poisson à manger? s'enquit Kylian.

– Parce que tu es le seul qui aime ça, le taquina Marek.

Onyx fit apparaître de petites bouchées de flétan enroulées dans des feuilles d'algues en provenance de Jade. Les enfants acceptèrent d'y goûter et Kylian s'en régala.

– J'aime ta façon d'utiliser ta magie, fit Strigilia à l'intention d'Onyx.

– Je suis certain que tu pourrais faire la même chose.

– Moi, je voudrais vivre ici pour toujours, laissa tomber Obsidia, amoureuse de la mer.

– Parce que tu ne serais plus obligée de creuser ton lac? plaisanta Onyx.

– Surtout pour ça, mais aussi parce qu'il fait chaud, ici. Ne pourrais-tu pas déménager notre château sur cette plage?

– Je serais bien trop isolé de mes sujets, ma puce.

Lorsque tous furent repus, il retourna les plats vides où il les avait pris. Kira en fit autant avec les gobelets. Le soleil s'abîmait dans l'océan et les premières étoiles commençaient à apparaître dans le firmament. Onyx se débarrassa également du dais et s'allongea sur le dos pour admirer le ciel. Tous l'imitèrent. Couchée sur le ventre de sa mère, Agate dormait déjà.

– Là, juste au-dessus de nous, c'est la constellation du Filet, leur apprit Onyx. À sa gauche, c'est celle de l'Araignée.

– Un peu plus loin, du même côté, il y a le Puits, dont les étoiles forment un rectangle, ajouta Kira. Juste en dessous, c'est celle du Dragon.

Kaliska poussa un soupir mélancolique, car son mari était un dragon.

– Mais qui a donné des noms aussi ridicules aux étoiles ? explosa Maélys.

– Des hommes qui ont vécu des milliers d'années avant nous, lui expliqua Lassa. Grâce à ces noms ridicules, les capitaines de bateaux peuvent s'orienter en pleine mer.

– Est-ce qu'on pourrait leur en donner d'autres, maintenant ? proposa Kylian.

– Ils sont bien trop connus.

– Et comme tu t'en rendras compte en grandissant, les gens n'aiment pas le changement, s'empressa de préciser Marek.

– Moi, oui ! s'exclama Maélys.

– J'ai beau regarder, je ne vois vraiment pas le Filet et encore moins l'Araignée, soupira Ayarcoutec.

– Je te procurerai un livre d'astronomie, lui promit Onyx.

– Il est temps de rentrer avant que vos paupières soient trop lourdes, décida Napashni.

Les enfants protestèrent d'une seule voix, mais ils furent quand même transportés dans le hall d'Émeraude, sur le tapis où ils étaient encore couchés.

– C'est le moment de faire vos adieux, les poussins, les avertit Lassa.

Ils s'étreignirent tous en se promettant de se revoir bientôt.

– Qui aurait pensé que nous en arriverions là un jour quand nous combattions les Tanieths sur la côte, soupira Kira, debout près d'Onyx.

Napashni rassembla ses petits autour d'elle.

– Merci pour la belle journée, fit Lassa en faisant reculer les siens.

Onyx les salua de la tête et disparut avec sa famille. Ils réapparurent à l'étage des chambres de la forteresse d'An-Anshar, où tout était sens dessus dessous.

– Mais qu'est-ce qui s'est passé ici ? s'étonna Ayarcoutec.

– Un léger tremblement de terre, répondit Onyx. Je vous raconterai ça demain à table. Tâchez de vous rendre comme vous le pourrez jusqu'à votre lit et n'y pensez plus cette nuit. Nous rangerons tout demain.

Pendant que les enfants enjambaient ce qui était tombé sur le sol, Onyx conduisit Strigilia et Aéquoréa à la chambre d'amis.

– Je vous promets que vous aurez bientôt votre propre demeure.

– Merci de nous accueillir ainsi chez toi, fit Strigilia en serrant les bras de son neveu cosmique. Nous éprouvons un immense besoin de nous sentir en sécurité, tous les deux.

– Rien ne vous arrivera, ici.

Aéquoréa l'étreignit avec reconnaissance.

– Aujourd'hui, c'est la première journée où je n'ai pas pleuré depuis la tragédie, avoua-t-elle.

– C'est le début de votre nouveau bonheur.

Onyx retourna à sa chambre, plutôt fier de lui-même.

RÉUNION

D ans sa haute hutte circulaire, sur son île couverte de végétation luxuriante et entourée de plages ensoleillées, Patris attendait ses enfants qu'il avait conviés à une importante réunion. Sa compagne, la douce et timide Arria, avait fait placer vingt chaises en paille tressée autour du feu magique dont elle avait aussi diminué l'intensité afin que tous puissent se voir au-dessus des flammes. Avant leur arrivée, le patriarche avait décidé de méditer, assis en tailleur sur le bord de la chute qui coulait du volcan endormi derrière son palais. Pendant plusieurs heures, il ne fit qu'un avec l'univers qu'il avait créé. Il avait infusé dans l'âme de ses descendants l'amour de l'harmonie qui lui était si chère. « Ils comprendront que l'heure est grave », se dit-il. Arria effleura son épaule et attendit qu'il ouvre les yeux.

– Il est temps, murmura-t-elle.

Elle l'embrassa sur le front et regagna ses appartements. Arria n'était pas la mère des enfants de Patris. Elle était arrivée dans la vie du vieil homme des siècles après leur création.

Patris mit fin à sa transe. Il alla enfiler sa longue tunique blanche et se rendit dans la hutte. Comme il sentait déjà l'approche de sa progéniture, il s'installa sur son trône. Les premiers à entrer dans le palais furent Abussos, le dieu-hippocampe, et Lessien Idril, la déesse-louve. Pieds nus, ils s'avancèrent jusqu'au cercle de chaises et se courbèrent devant le patriarche.

– Je savais que vous seriez ici avant tout le monde, car vous êtes déjà conscients de l'urgence de la situation, fit Patris. Je vous en prie, prenez place.

Le couple choisit les sièges les plus rapprochés du vieil homme.

– Les autres ne sauraient tarder, l'encouragea Abussos. Ont-ils tous accepté votre invitation ?

– Tous sauf quatre.

Les suivants furent Equus, le dieu-cheval, et Elnis, la déesse-biche. Ils étaient grands et élancés. Tous deux avaient de longs cheveux bruns, fins comme de la soie, et leurs yeux noirs brillaient de sagesse. Ils portaient des tuniques courtes de la couleur de la terre, ceintes par des cordons noirs.

– Heureux de te revoir, père, lui dit Equus. Il y a bien longtemps que nous ne sommes venus ici.

– Comment les choses se passent-elles dans votre galaxie ? voulut savoir Patris.

– Nous avons créé des mondes pacifiques dont nous prenons le plus grand soin, répondit Elnis.

– Cela fait plaisir à entendre.

Entrèrent ensuite dans la hutte Pakhu, le dieu-éléphant, un homme trapu à la peau sombre, dont les longs cheveux noirs retombaient en une multitude de petites tresses sur ses épaules, et son épouse Zarapha, la déesse-girafe, une très grande femme dont les nattes orangées formaient une ruche au sommet de son crâne. Tous deux étaient vêtus de longues tuniques aux couleurs flamboyantes et aux motifs symboliques.

– Quelle joie d'être ici, père ! s'exclama Pakhu d'une voix forte. Nous ne nous rencontrons pas assez souvent.

– Je me disais justement la même chose. Merci d'être venus.

Urus, le dieu-bison, qui ressemblait à Abussos comme un frère jumeau, et Orssa, la déesse-ourse aux longs cheveux noirs parsemés de mèches rousses, contournèrent les chaises. Ils étaient vêtus de tuniques frangées de couleur noire. Après avoir salué Patris, Urus s'arrêta devant Abussos, qu'il serra dans ses bras avec affection. Il prit même place près de lui avec sa femme.

Profondément inquiets, Nektos, le dieu-serpent, et son épouse Lacerta, la déesse-iguane, pénétrèrent à pas feutrés dans le palais en regardant partout. Ils avaient la peau olivâtre, des yeux dorés à la pupille verticale, ainsi que des cheveux vert forêt drus et courts.

– Paix et tranquillité, père, siffla Nektos.

– À vous aussi, mes petits.

– Le danger doit être important pour que vous nous convoquiez ainsi, ajouta Lacerta, anxieuse.

– En effet, mais ensemble, nous pourrons l'écarter. Je vous en prie, assoyez-vous.

Vinrent ensuite Isatis, le dieu-renard, et Aïna, la déesse-hyène. Leurs longs cheveux roux leur atteignaient la taille. Ils portaient des tuniques moirées qui chatoyaient sans cesse du noir au doré.

– Que se passe-t-il, père ?

– Je vous le dirai quand tout le monde sera là.

– Tu vois bien que nous ne sommes pas les derniers, glapit Aïna.

– Prenez place avec les autres, les invita Patris, en souriant tendrement.

Ils furent suivis de Hellente, le dieu-wapiti, et de Kassie, la déesse-castor. Cet homme était le plus grand de tous les enfants de Patris. Il les dépassait tous d'au moins une tête. Sa compagne, plus robuste, lui arrivait sous les aisselles. Leurs cheveux mi-longs étaient châtains et ils portaient un pantalon et une tunique kaki. L'élégance de Hellente charma aussitôt ses frères et sœurs.

– Il me tardait de vous revoir tous, déclara-t-il d'une voix suave. Merci de nous donner cette occasion, père.

– Il a raison, l'appuya Kassie. Vous nous avez manqué.

Le patriarche leur demanda de choisir une place parmi les huit chaises restantes. Il ne manquait plus que deux participants à cette importante réunion, mais Patris ne désespérait pas encore de voir apparaître ceux qui avaient annoncé leur absence. Peut-être changeraient-ils d'avis ?

Ils entendirent alors des battements d'ailes et surent que c'étaient les dieux Hapaxe et Atalée qui venaient de se poser à l'extérieur de la hutte. Ils en franchirent le seuil et s'approchèrent du reste de la famille en faisant disparaître leurs ailes. Leurs cheveux longs étaient aussi blonds que les blés. Hapaxe ne portait qu'un large pantalon blanc tandis que son épouse était vêtue d'une robe rose tendre qui descendait jusqu'à ses pieds.

– Nous avons eu de la chance d'entendre votre requête, père, avoua la déesse, car nous continuons de parcourir la galaxie à la recherche de nos descendants.

– Lorsque nous aurons réglé le problème qui nous occupe, je vous aiderai à les retrouver, promit Patris. Je vous en prie, prenez place.

Les dieux ailés lui obéirent.

– Je vous ai conviés au point d'origine de tous les mondes parce que l'heure est grave, continua-t-il.

– Mais père, il manque encore quatre de nos frères et sœurs, lui fit remarquer Urus.

– Achéron et Viatla n'ont pas répondu à mon appel. Quant à Strigilia et Aéquoréa, ils sont encore trop ébranlés pour se joindre à nous aujourd'hui. Ce dont je dois vous parler ne peut pas attendre qu'ils se remettent du choc de la destruction de leur monde.

– Ne tardez plus, dans ce cas, le pressa Isatis, car les nôtres sont sans protection en ce moment.

– En réalité, ils cesseront d'exister si nous n'arrivons pas à enrayer la menace qui nous guette tous.

– Expliquez-vous, père, le pressa Hapaxe.

– Comme vous le savez déjà, dans l'univers, deux forces doivent être maintenues en équilibre.

– L'obscurité et la lumière, leur rappela Lessien Idril.

– C'est exact.

– Et l'un est en train de l'emporter sur l'autre ? s'alarma Nektos.

– Une entité qui porte le nom de Tramail est en train de dévaster une lointaine galaxie et quand elle n'aura plus rien à manger, elle se dirigera vers les nôtres.

– Comment une seule créature peut-elle semer autant de destruction ? s'étonna Aïna.

– Et en combien de temps ? ajouta Equus.

– Moins d'une centaine d'années.

Les divinités manifestèrent leur consternation.

– Nous avons affaire à un être aussi puissant que moi, continua Patris.

– Mais vous êtes le créateur du monde, protesta Urus.

– Je suis le côté lumineux de la première étincelle divine. Il est le côté obscur.

– Pourquoi a-t-il choisi notre secteur de l'univers ? demanda Pakhu.

– Je l'ignore, mon enfant. Tout ce que je sais, c'est que cette pieuvre géante détruit un système solaire après l'autre.

– L'avez-vous vue ? s'enquit Orssa, les yeux écarquillés.

– Pas de mes propres yeux, mais elle m'a été décrite par Strigilia et Aéquoréa, qui ont assisté à l'annihilation de leur monde. Elle leur est d'abord apparue sous une forme humaine flottant dans le ciel, mais Aéquoréa a été séparée de son époux et lorsqu'elle a flotté dans l'espace en direction de mon monde, elle a vu le poulpe, avec ses tentacules et son bec.

– Comment pouvons-nous empêcher Tramail de nous faire subir le même sort ? voulut savoir Elnis.

– Je crains qu'il soit impossible de négocier avec lui. Lorsqu'il est affamé, apparemment, plus rien ne peut l'arrêter. Il écrase tous ceux qui le défient.

– Il n'est pas question de le défier, mais de l'anéantir, lui rappela Pakhu.

– Sommes-nous assez puissants ? s'inquiéta Atalée.

– Oui, si nous travaillons tous ensemble.

– Et si nous échouons ? se troubla Hellente.

– Alors l'univers cessera d'exister quand la pieuvre aura consommé la dernière planète.

Catastrophés, les dieux baissèrent les yeux sur le plancher en réfléchissant.

– Si nous ne faisons rien, vos galaxies sombreront dans le néant ainsi que tout ce que vous y avez créé.

– Pourquoi personne ne vous a appelé à l'aide dans cette galaxie lointaine ? demanda Hapaxe.

Patris ouvrit la bouche pour lui répondre, mais n'en eut pas le temps. Strigilia et Aéquoréa firent leur apparition dans la grande hutte en se tenant par la main. Ils contournèrent le cercle de chaises et vinrent se placer de chaque côté du patriarche.

– Personne n'en a eu le temps, laissa tomber Strigilia d'une voix tremblante. Tramail est une entité sans aucune conscience et sans pitié pour qui l'univers n'est qu'une source de nourriture. Il n'hésitera pas un seul instant à tuer tous ceux qui tentent de l'empêcher de manger. La seule chose qui l'intéresse, c'est la satisfaction de ses propres besoins au détriment de la survie même de l'ensemble de tout ce qui existe. Pire encore, il est sournois et silencieux. Il est impossible de sentir son approche meurtrière avant qu'il resserre son étau sur le monde de son choix. Il possède un si grand nombre de tentacules qu'il peut pulvériser plusieurs planètes à la fois... en quelques minutes à peine.

– Quelques minutes ? répéta Urus, effrayé.

– Je dis la vérité, mon frère. Ma galaxie n'existe plus, ni les sujets que j'étais censé protéger. Mes enfants ont tous péri.

– C'est vraiment atroce, compatit Elnis.

– Dites-nous quoi faire, père, le pressa Abussos.

– Nous ne voulons pas que nos mondes subissent le même sort, renchérit Lessien Idril.

– Je peux localiser Tramail seul, mais je ne m'approcherai pas de lui pour qu'il ne flaire pas notre piège, répondit Patris. Lorsque ce sera fait, je vous appellerai en utilisant une forme d'énergie subtile qu'il ne pourra pas identifier. Rejoignez-moi en l'utilisant comme signal pour me retrouver et surtout, soyez discrets.

– Devrons-nous rester ici en attendant votre appel ? demanda Isatis.

– Non. Retournez auprès de vos sujets et soyez vigilants. Nous ignorons les intentions de la pieuvre et la vitesse à laquelle elle se déplace. Si vous captez sa présence, avertissez-moi tout de suite.

Les dieux fondateurs s'inclinèrent en guise d'acquiescement.

– Je me mettrai en route dès que vous serez partis. Nous nous reverrons très bientôt. Allez dans la lumière et la bonté.

Plutôt déprimées, les divinités quittèrent la hutte deux par deux. Seuls Strigilia et Aéquoréa restèrent auprès de Patris.

– Merci d'avoir finalement répondu à mon appel malgré la frayeur qui vous habite encore, les remercia le vieil homme.

– Onyx m'a fait comprendre qu'il est important d'épargner à nos frères et nos sœurs le chagrin que nous continuons d'éprouver. C'était mon devoir de les persuader d'agir pendant qu'ils le peuvent encore. Mais je ne suis pas certain de vouloir participer à cette mission dangereuse.

– Nous prendrons toutefois le temps d'en discuter tous les deux, affirma Aéquoréa.

Patris laissa partir le couple marin en lui promettant que plus personne n'aurait à vivre les mêmes horreurs qu'eux. Il resta ensuite assis en silence. Il n'avait jamais eu à détruire quoi que ce soit. Son seul rôle dans l'univers avait été de créer la vie et d'en confier la protection à ses enfants. Il ne comprenait pas pourquoi une entité conçue en même temps que lui avait pu recevoir une mission opposée.

Arria, sa compagne eltanienne, qu'il avait déifiée pour qu'elle puisse partager sa vie dans le monde des dieux, s'approcha. Elle lui caressa doucement la joue, le ramenant de sa rêverie. Patris plongea son regard sage dans le sien. Ils n'avaient jamais eu à s'expliquer ce qu'ils ressentaient. Ils le savaient déjà. Mais c'était la première fois qu'Arria craignait pour la vie de son compagnon.

– Je vois bien que je ne pourrai pas t'empêcher de partir et je sais pourquoi tu dois le faire, avoua-t-elle de sa voix mélodieuse. Mais que ferai-je si tu ne reviens pas ?

– La seule pensée que tu puisses te retrouver toute seule ici décuplera mes forces, ma belle amie. Aie confiance en moi.

Elle se blottit contre lui comme si elle n'allait plus jamais le revoir.

– Je t'en conjure, sois prudent. Ce n'est pas un de tes descendants déviants que tu t'en vas affronter, mais l'obscurité incarnée.

– Je suis la lumière personnifiée. Je reviendrai, Arria.

À l'extérieur de la hutte, les dieux se transformèrent en pure énergie et filèrent comme des comètes vers leurs mondes respectifs, sauf Urus, Orssa, Abussos et Lessien Idril, qui s'attardèrent un moment. Avant de recevoir une galaxie en cadeau de leur père à l'âge adulte, toutes les divinités avaient grandi sur cette grande île où rien ne les menaçait. Ils y avaient développé leurs talents magiques sous l'œil attentif de Patris. Ces enfants spéciaux jouaient parfois ensemble, mais la plupart du temps, ils s'exerçaient séparément afin de mieux comprendre qui ils étaient et ce que l'univers attendait d'eux. Certains de ces jeunes gens avaient tissé des liens serrés. C'était le cas d'Urus et d'Abussos, qui étaient devenus inséparables jusqu'au jour où Patris avait exigé qu'ils partent. Au premier abord, le dieu-bison et le dieu-hippocampe n'avaient rien en commun, mais ils avaient rapidement été attirés par leur énergie mutuelle.

Urus et Abussos s'étaient encouragés durant leur apprentissage. Ils avaient passé des heures à discuter de tout et de rien. Ils avaient même demandé à Patris de leur fournir des apparences humaines assez semblables et des épouses qui possédaient les mêmes qualités. Lorsque vint le temps d'aller régner sur leurs galaxies respectives, les deux hommes avaient eu beaucoup de chagrin d'être ainsi séparés.

— C'est dommage de nous revoir seulement lorsqu'un terrible danger nous guette, regretta Abussos.

— Tu as raison, mon frère. Quand nous l'aurons écarté, j'aimerais voir où tu as choisi de t'établir, pour constater si nous avons fait les mêmes choix sans nous consulter.

— Rien ne me ferait plus plaisir que de te recevoir chez moi, Urus.

— Puis, ce sera à toi de me rendre visite.

— Je te le promets.

Ils se serrèrent les bras avec affection pendant qu'Orssa et Lessien Idril en faisaient autant. Ils virent alors surgir par le trou au sommet de la hutte une étoile aveuglante qui fila tout droit vers l'espace.

— Je n'aime pas voir père partir seul, soupira le dieu-bison.

— Tu le connais aussi bien que moi, Urus, répliqua Abussos. Il n'a jamais aimé que nous discutions ses ordres.

Je suis certain qu'il trouvera Tramail et que bientôt, il nous appellera à ses côtés. Rentrons chez nous, comme il nous l'a demande, et gardons l'œil ouvert, car cette pleuvie est hypocrite. Elle s'est peut-être attaquée à ce monde éloigné pour nous y attirer pendant qu'elle fonce sur nos galaxies.

– C'est sans doute le plus sage, en effet. Au plaisir de vous revoir bientôt, Lessien Idril et toi, dans de meilleures circonstances.

Les quatre dieux se changèrent en étoiles filantes et quittèrent l'île de Patris dans des directions différentes.

NOUVEAUX VOISINS

Lorsque Strigilia et Aéquoréa rentrèrent finalement à An-Anshar, la famille d'Onyx était déjà à table pour le premier repas de la journée. Anoki, Ayarcoutec, Obsidia, Phénix et Jaspe mangeaient en riant. Ils n'arrêtaient pas de parler de leur merveilleuse journée à la mer et de ce qu'ils feraient lorsqu'ils y retourneraient. Les dieux marins allèrent s'asseoir sur les deux chaises libres.

– Vous arrivez juste à temps, les accueillit Onyx.

– Je vous en prie, servez-vous, les pria Napashni. La nourriture est excellente, aujourd'hui. Les Hokous se sont vraiment surpassés.

– Vous n'étiez pas dans votre chambre, ce matin, leur reprocha Obsidia.

– Et qu'y faisais-tu, jeune demoiselle ? s'étonna la mère.

– Je voulais entendre parler de leur monde. Je les ai cherchés à tous les étages et même dans les jardins. Ils n'étaient nulle part !

– Est-ce que tu sais ce que veut dire le mot « intimité » ? intervint Onyx.

– Moi, je le sais ! s'exclama Ayarcoutec.

– Pourrais-tu l'expliquer à ta sœur ?

– C'est quand on a besoin d'être seul pour réfléchir ou pour faire certaines choses qu'on ne veut partager avec personne.

– Je le savais déjà, bougonna Obsidia.

– À partir de maintenant, tu vas respecter l'intimité de Strigilia et d'Aéquoréa, compris ? lui ordonna Onyx.

– Je voulais seulement bavarder, pas les importuner.

– Pour ça, tu dois attendre qu'ils se mêlent à nous, comme ce matin à table ou après le repas, ajouta Napashni.

– C'est bon, j'ai compris.

– Je veux bien vous dire où nous étions, fit Strigilia pour mettre fin à la remontrance.

Il se tourna vers Onyx.

– J'ai suivi tes judicieux conseils et je me suis présenté avec Aéquoréa à la réunion convoquée par Patris pour faire comprendre à mes frères et à mes sœurs l'importance d'une action concertée contre Tramail. Toutefois, je n'ai pas le courage de participer à cette attaque.

– Ils seront suffisamment nombreux pour l'abattre, le rassura Onyx.

– Mais s'ils ne réussissent pas... s'étrangla Aéquoréa.

Napashni s'approcha d'elle et lui frictionna le dos.

– Il n'y a pas de problèmes, seulement des solutions, la réconforta-t-elle en répétant ce que son mari disait constamment à leurs petits.

– S'il le faut, les enfants des dieux fondateurs s'uniront pour repousser Tramail, promit Onyx.

– Et même les enfants de leurs enfants ! s'exclama Obsidia.

Aéquoréa essuya ses larmes et se mit à choisir ses aliments en s'efforçant de ne plus montrer ses craintes. La conversation redevint animée autour de la table et tous mangèrent à leur faim.

– Tout à l'heure, je vais vous fournir votre propre château où vous pourrez avoir un peu d'intimité, laissa alors tomber Onyx en jetant un regard de côté à Obsidia.

– Vous pourriez aussi en profiter pour faire des bébés, ajouta-t-elle.

– Quand apprendras-tu que la vie privée des gens ne te regarde pas, jeune fille ? se fâcha Napashni.

– Je veux juste m'assurer que nous pourrons un jour avoir des amis dans cet endroit inaccessible.

– Vous ne pouvez pas nier que nous sommes isolés, la défendit Anoki.

– Moi, je préfère dire que je vous élève loin de toute mauvaise influence, intervint Onyx. Quand vous serez grands, vous pourrez aller où bon vous semble. En attendant, votre mère et moi vous faisons cadeau de la meilleure éducation qui soit.

– Et n'allez pas dire que vous n'avez pas d'amis, renchérit Napashni. Les enfants de Kira et de Lassa ne peuvent pas vous rendre visite tous les jours, mais vous les voyez quand même régulièrement.

– Elle a raison, l'appuya Phénix.

– Moi, je suis d'avis que nous devrions aller à Émeraude encore plus souvent, s'exclama Ayarcoutec.

– Surtout que nous ne pourrons pas vraiment les inviter ici avant que le lac soit terminé, grommela Obsidia.

– Moi, je veux ! s'écria joyeusement Jaspe.

– Toi, tu es toujours d'accord avec tout le monde, le taquina Anoki en ébouriffant ses cheveux noirs.

Après le repas, Napashni envoya les enfants au dernier étage de la forteresse pour leurs leçons de la journée auprès du vieux Lyxus et ne garda que Jaspe avec elle, car il était encore trop petit et qu'il dérangeait les autres lorsqu'il s'ennuyait.

Onyx emmena Strigilia et Aéquoréa à l'extérieur. Ils traversèrent les jardins, dont les Hokous étaient déjà en train de s'occuper, et contournèrent le grand trou que les enfants avaient commencé à creuser.

– C'est le futur lac dont les enfants ne cessent de parler ? s'enquit la déesse marine.

– Eh oui, répondit Onyx. Je leur enseigne la valeur de l'effort personnel en les laissant le créer eux-mêmes, mais je m'attends à être obligé de le terminer à leur place.

Ils s'arrêtèrent à l'autre bout du plateau.

– Le lac s'arrêtera à peu près ici, annonça Onyx. Il restera donc suffisamment d'espace sur le plateau pour y installer votre future demeure.

– Pourquoi fais-tu tout ça pour nous ? s'étonna Strigilia.

– Parce que si je me trouvais dans votre situation, ça me réchaufferait le cœur que quelqu'un me tende la main de la même façon.

– La vue est magnifique, ici, s'émerveilla Aéquoréa. On peut même voir la mer tout là-bas.

– Si vous voulez, quand votre château sera arrivé, nous pourrons construire une route qui y mènera, offrit Onyx.

– Tu parles comme si tu possédais les pouvoirs d'un dieu fondateur, remarqua Strigilia.

– Ce n'est pas le moment, mais un jour, devant un bon feu, je vous raconterai où j'ai acquis mes facultés supplémentaires. Maintenant, revenons sur nos pas, sinon nous serons écrasés par votre impressionnante nouvelle demeure.

Intrigués, Strigilia et Aéquoréa accompagnèrent Onyx jusqu'au milieu du futur lac. Ce dernier s'immobilisa et son regard devint fixe tandis que son esprit filait vers Irianeth. Ce n'était pas lui qui avait construit la forteresse toute noire, mais on lui en avait fait cadeau. Il considéra donc qu'il avait le droit d'en faire ce qu'il voulait. Utilisant toute sa puissance magique, Onyx souleva le palais d'Irianeth d'un seul bloc et le fit monter très haut dans les airs pour qu'il ne fasse pas paniquer les habitants des villages au-dessus desquels il allait voler, puis le fit filer vers les volcans qui séparaient Enkidiev d'Enlilkisar.

Deux heures plus tard, le château apparut dans le ciel et se mit à perdre de l'altitude jusqu'à ce qu'il se pose à sa place, à un peu moins d'un kilomètre de la forteresse d'An-Anshar. Leurs portes d'entrée se retrouvèrent face à face.

– C'est incroyable, se troubla Aéquoréa.

Ayant dépensé presque toutes ses forces, Onyx s'écroula dans les bras de Strigilia. Au même moment, Napashni sortait de la forteresse avec les enfants qui avaient fini leurs classes du matin. Elle se précipita au secours de son mari et envoya les enfants chercher des couvertures. Ils confectionnèrent un lit de fortune en plein air où Strigilia déposa l'empereur.

– C'est ce qui lui arrive quand il abuse de ses pouvoirs, soupira Anoki.

– Et qu'il déplace des bâtiments sur des milliers de kilomètres, répondit la mère.

– Il est vraiment beau, ce château, s'extasia Obsidia.

– Maman, est-ce que papa est en train de mourir ? s'alarma Ayarcoutec en s'agenouillant près de lui.

– Pas du tout, mon petit rayon de soleil, mais éloigne-toi par mesure de précaution.

– Pourquoi ?

Elle lui prit le bras et la fit reculer de plusieurs pas. Un cocon de lumière blanche enveloppa aussitôt Onyx. Napashni expliqua alors aux enfants que c'était ainsi qu'il allait recouvrer ses forces et les avisa de ne pas toucher à l'enveloppe d'énergie sous peine d'être brûlés.

– Est-ce qu'on pourrait aller voir le château maintenant ? demanda Obsidia.

– Non, ma puce. Il appartient dorénavant à Strigilia et à Aéquoréa et je tiens à ce que vous appreniez à respecter la propriété d'autrui. À partir de maintenant, vous ne pourrez y entrer que si vous y êtes invités par ses nouveaux propriétaires. Compris ?

– Oui, maman, firent les enfants en chœur.

– Je crois qu'il serait plus convenable d'attendre le réveil d'Onyx, estima Aéquoréa.

– Combien de temps passera-t-il là-dedans ? se découragea Obsidia.

– Il a dépensé beaucoup d'énergie, alors certainement une heure ou deux, évalua Napashni.

– En attendant, on pourrait continuer de creuser pour en finir avec ce lac, proposa Strigilia.

– Oh oui ! se réjouit Obsidia.

Elle lui expliqua que les blocs devaient tous être découpés de la même façon dans le sol volcanique pour continuer de construire les remparts de chaque côté du plateau, à l'est et à l'ouest.

– Montre-moi comment en faire un pour que je puisse t'imiter.

Avec beaucoup de fierté, Obsidia s'exécuta. Mais au lieu de transporter le bloc vers le bord du plateau, elle le déposa devant le dieu marin pour qu'il l'examine attentivement.

– Ses dimensions sont bien enregistrées dans mon cerveau, annonça-t-il.

– C'est la même chose pour moi, renchérit Aéquoréa.

– Vous allez nous aider aussi ? Chouette !

– Nous allons nous diviser les tâches, expliqua Strigilia. Mon épouse et moi allons découper les blocs et les déposer de chaque côté du trou et ce sera à vous de les mettre en place pour poursuivre la construction de votre muraille.

– J'accepte, décida la fillette au nom de toute la famille.

Anoki fit donc équipe avec Phénix. Ce dernier, qui possédait de la magie, se chargerait de faire voler les blocs du côté de l'ouest et son grand frère lui indiquerait où les déposer sur ceux qui s'y trouvaient déjà. Ayarcoutec et Obsidia s'occuperaient de l'est.

Puisque Strigilia et Aéquoréa étaient de puissantes divinités, en quelques heures à peine, le lac fut entièrement excavé. Il ressemblait davantage à un immense bassin rectangulaire qu'à une dépression naturelle, mais personne n'allait s'en plaindre. Ils avaient travaillé si rapidement que les enfants se retrouvèrent avec une montagne de blocs qu'ils n'arrivaient pas à empiler à la même vitesse.

Napashni les rappela pour les obliger à boire de l'eau.

En apercevant le trou qui s'étendait à perte de vue, ils écarquillèrent les yeux. Leurs invités avaient terminé ce qu'ils ne seraient pas parvenus à faire avant des mois !

Le lac n'avait que quatre mètres de profondeur, mais les adultes jugèrent que c'était bien suffisant. Pour que les plus jeunes puissent aussi en jouir, Strigilia remodela le bord le plus près de la forteresse de leur père pour qu'elle présente une pente douce sur un peu plus de deux cents mètres.

– Que pensez-vous de ça ? demanda-t-il aux enfants.

– C'est vraiment excellent, apprécia Phénix. Même Jaspe pourra s'y amuser sans avoir de l'eau par-dessus la tête.

– Nous pourrons amarrer nos bateaux de chaque côté, où ce sera plus profond, décida Obsidia.

– Mais comment ferons-nous monter de l'eau jusqu'ici ? se découragea Anoki.

– Le fleuve de l'est est salé, mais pas celui de l'ouest, leur apprit Aéquoréa.

– Pour que vos embarcations durent plus longtemps, de l'eau douce serait préférable, leur conseilla Strigilia.

– Alors, c'est ce que nous voulons, décida Obsidia.

Le dieu marin descendit dans le bassin en utilisant la pente douce. Napashni attrapa Jaspe juste à temps pour qu'il ne l'y suive pas. Strigilia s'immobilisa devant la paroi ouest et écarta les bras. En suivant la pente descendante des volcans, il fora à la droite du bassin, près du fond, un trou bien rond d'un demi-mètre de diamètre et un autre semblable à l'autre bout à gauche, mais tout près de la surface cette fois, afin d'assurer une bonne oxygénation.

– Qu'est-ce qu'il fait ? s'étonna Ayarcoutec.

– Une entrée et une sortie pour que l'eau circule en permanence dans votre lac, sinon elle deviendra stagnante et se transformera en marais, expliqua Aéquoréa.

– C'est une très bonne idée, approuva Obsidia.

Strigilia revint sur ses pas et remonta la pente au moment où l'eau de la rivière Sérida se mettait à jaillir du trou de droite. Les enfants poussèrent des cris de joie, même Jaspe qui ne comprenait pas ce qui se passait. Napashni se tourna vers Onyx, qui dormait dans son cocon lumineux depuis près de cinq heures déjà. Elle ne savait pas comment évaluer son état.

– Ça ne sera plus bien long, l'encouragea Aéquoréa.

Lorsque le dieu-loup ouvrit enfin les yeux, le lac était presque rempli et les enfants pataugeaient dans l'eau qui remontait de plus en plus sur la pente. L'empereur se souleva sur les coudes et parvint à s'asseoir, surpris du spectacle qui s'offrait à lui.

– Combien de temps ai-je été inconscient ? s'étonna-t-il.

– Longtemps, répondit Jaspe en revenant vers lui.

– Plusieurs heures, précisa Napashni, assise sur une couverture avec les dieux marins. Nous sommes au milieu de l'après-midi.

– On dirait plutôt que ça fait plusieurs semaines...

– Nous leur avons donné un petit coup de pouce, expliqua Strigilia.

– Mais ils étaient censés apprendre les mérites de la patience.

– Nous trouverons autre chose, mon chéri, le réconforta Napashni.

– Papa ! s'écria Ayarcoutec en s'apercevant qu'il était enfin revenu à lui.

Elle se jeta dans ses bras pour le serrer très fort. Les autres enfants se massèrent autour de lui.

– Est-ce qu'on peut aller visiter le château, maintenant ? demanda Obsidia.

– Nous sommes aussi très curieux de voir à quoi il ressemble, admit Strigilia en aidant Onyx à se remettre sur pied.

Les adultes contournèrent le lac, suivis des enfants excités par tous ces changements dans leur vie. Ils arrivèrent finalement devant le pont-levis qui protégeait l'entrée de la muraille rectangulaire. Des tours s'élevaient aux quatre coins.

– On dirait le Château d'Émeraude en miniature, lâcha Anoki.

– Je pense que c'était ce que son bâtisseur avait en tête, commenta Onyx.

– À quoi sert un pont-levis quand il n'y a pas de douve ? demanda Phénix.

– Tu as raison.

Le roc s'enfonça devant leurs pieds pour former un large fossé peu profond tout autour de la petite forteresse. Onyx perça aussi deux canaux souterrains pour alimenter la douve à partir de l'eau du lac.

– Là, c'est mieux ?

– Oui, mais comment fait-on descendre le pont ? s'enquit Ayarcoutec.

– On le lui demande.

Les planches, retenues ensemble par de solides éléments métalliques, tombèrent devant eux, permettant ainsi l'accès à la petite cour. Les adultes y entrèrent les premiers, les enfants sur les talons.

– Il y a l'écurie comme à Émeraude, mais pas la forge, remarqua Anoki.

– Ni l'aile des Chevaliers, ajouta Ayarcoutec.

– En fait, il ne reste que le palais, nota Obsidia.

– C'est déjà très grand pour nous, commenta Strigilia, impressionné.

Ils grimpèrent les marches qui menaient à la partie habitable.

– Dis-moi que tu n'as délogé personne, chuchota Napashni à l'oreille d'Onyx.

– Je te jure qu'il n'était pas habité. Je l'ai toutefois débarrassé de toutes les toiles d'araignées et des vieux nids d'oiseaux avant de le transporter ici.

– Es-tu bien certain qu'il n'y avait pas d'œufs ou d'oisillons dedans ? voulut s'assurer Ayarcoutec.

– Absolument certain.

Ils pénétrèrent dans le vestibule, à partir duquel un large escalier montait vers les deux étages.

– Ouais, c'est vraiment pareil, confirma Obsidia, sauf que les pierres sont noires au lieu d'être grises.

Dans le hall, il n'y avait aucun meuble, mais l'âtre était au même endroit qu'à Émeraude. Devant leurs yeux apparut alors une longue table en bois verni entourée d'une douzaine de chaises recouvertes de velours turquoise.

– Où es-tu allé chercher ça ? s'inquiéta Napashni.

– Dans la résidence privée d'un des prêtres d'Agénor, répondit Onyx avec un sourire amusé.

Un feu magique s'alluma dans l'âtre, répandant aussitôt sa chaleur bienfaisante dans le hall. Pendant que les autres se promenaient dans la pièce pour en examiner tous les détails, Onyx resta sur place, les bras croisés.

– Qu'es-tu encore en train de faire ? se méfia Napashni.

– Je meuble le reste du palais, ma chérie. Je pense qu'ils aimeront mes choix.

La visite dura tout le reste de l'après-midi. Les enfants s'exclamaient en entrant dans chaque pièce décorée dans un style qui leur était inconnu.

– Agénor, encore une fois ? demanda Napashni à son mari.

– Oui, mais je n'ai pas tout pris dans la même maison. J'ai plutôt fait le tour d'un quartier très riche.

– Tu es incorrigible...

– Cette demeure est cent fois plus somptueuse que celle où nous avons passé toute notre vie, avoua Aéquoréa.

– Si vous le désirez, je peux vous envoyer quelques Hokous pour faire le ménage et vous apporter de bons petits plats, offrit Napashni.

– Ce ne sera pas nécessaire. J'ai ma magie pour tout ça. D'ailleurs, l'océan n'est pas trop loin. Nous y trouverons tout ce qu'il nous faut pour nous nourrir. Vous avez déjà été assez bons pour nous.

– Maman, il faudrait leur présenter les Ipocans, lui dit Ayarcoutec. C'est certain qu'ils les aimeraient.

– Tu as raison, mais chaque chose en son temps. Ils viennent à peine d'arriver.

– Et nous allons les laisser tranquilles jusqu'au repas du soir, ajouta le père. Allez, tout le monde dehors.

Pendant que les enfants dévalaient l'escalier, Onyx se tourna vers ses nouveaux voisins.

– Vous êtes évidemment conviés à notre table, ce soir, leur dit-il. Je vous ferai préparer un repas de fruits de mer.

– Comment pourrions-nous refuser une telle invitation ? se réjouit Strigilia.

Onyx et Napashni les étreignirent et rejoignirent leurs petits dehors. Quand ils arrivèrent au bout du pont-levis, ils virent qu'ils s'étaient immobilisés pour contempler quelque chose et constatèrent, en s'arrêtant près d'eux, que le bassin était maintenant rempli d'eau jusqu'au bord.

– Est-ce qu'on peut aller se baigner ? les supplia Obsidia.

– Certainement, répondit Onyx, mais de notre côté du lac.

Les enfants se précipitèrent vers la forteresse d'An-Anshar tandis que leurs parents les suivaient en marchant main dans

la main. Ils retournèrent s'asseoir sur la couverture et surveil-
lèrent les enfants qui se retrouvaient souvent sur les fesses, car
maintenant qu'elle était recouverte d'eau, la pente de roc volcanique était particulièrement glissante.

Le soir venu, Napashni envoya les enfants se changer pendant qu'Onyx faisait apparaître sur les tables de la cuisine tous
les ingrédients que les Hokous pourraient utiliser pour leur
imaginer un festin : des crevettes, des pétoncles, des langous-
tines, de petits crabes et différents poissons des mers.

Ravis, les cuisiniers relevèrent le défi et préparèrent des
salades, des feuilletés, des papillotes et des brochettes avec
tous ces fruits de mer.

Lorsque Strigilia et Aéquoréa furent prêts à partir à la fin
de la soirée, Onyx fit apparaître des torches magiques qu'il
planta avec son esprit à tous les cinq mètres sur les bords les
plus longs du lac pour éviter que ses invités ne tombent à
l'eau. Napashni en profita pour faire monter les enfants à leur
chambre. Quant à son mari, il resta debout près de la pente qui
pénétrait dans le bassin en terminant sa dernière coupe de vin.
Il pouvait voir s'éloigner sa tante et son oncle divins qui ba-
vardaient à voix basse. Il ne savait pas combien de temps ils
resteraient dans son monde. Peut-être que Patris déciderait,
après son combat contre Tramail, de leur octroyer une autre
galaxie...

Puisqu'il était parfaitement remis de son déplacement du
château d'Irianeth jusqu'aux volcans d'An-Anshar, Onyx alla
chercher une tonne de sable dans le Désert au sud de Fal, qu'il
déposa au fond du lac ainsi que sur la pente pour éviter que
ses enfants se blessent. Il alla ensuite fouiller à Agénor et arracha deux quais de moyenne longueur pour les installer de
chaque côté de la pente. Il ne restait plus qu'à trouver une petite embarcation qui permettrait à Obsidia de se prendre pour
une grande exploratrice. Il trouva donc à Ellada une nacelle

à une voile toute neuve qui avait été mise à l'eau la veille et qui semblait avoir été abandonnée au bout d'un quai. « Elle est parfaite », se réjouit-il. Il la transporta sur son lac et alla l'attacher aux amarres d'un des deux quais.

Il sentit alors les bras de Napashni lui enserrer la taille. Elle l'embrassa sur la joue en se collant dans son dos.

– Je savais que tu ne pourrais pas résister à y ajouter ta propre touche, chuchota-t-elle. Allez, viens dormir, toi aussi.

Content de lui, Onyx se laissa entraîner vers les grandes portes de sa forteresse.

LA COMÈTE

En quittant son île bien-aimée, Patris était monté tout droit vers l'espace. Il ne lui fallut pas beaucoup de temps pour remarquer qu'une comète filait vers les confins de la galaxie. Il vola vers elle aussi vite que le lui permettaient ses pouvoirs et parvint à atterrir sur sa surface gelée. Utilisant sa volonté, il modifia la course de cet astre qui parcourait ce système solaire depuis des centaines d'années. La comète n'était pas encore passée suffisamment près d'un des soleils pour s'échauffer et se vaporiser. L'absence de queue de gaz et de poussières permettrait donc à Patris de l'utiliser pour se rapprocher de Tramail sans qu'il se doute de quoi que ce soit.

Le vieillard décida d'explorer d'abord l'univers d'Achéron et de Viatla. Le fait qu'ils n'aient pas répondu à sa requête le portait à croire que la pieuvre était peut-être responsable de leur silence. Debout sur le nez de ce morceau de roc géant, le vieil homme se servit de sa magie pour le guider là où il voulait aller sans avoir à se transformer lui-même en pure énergie, sinon Tramail aurait tout de suite senti sa présence. Au bout d'un certain temps, Patris aperçut des millions de débris de planètes qui se dispersaient rapidement dans l'espace. À cette vitesse, ils risquaient de se transformer en astéroïdes et de semer la destruction dans d'autres systèmes. D'un geste de la main, il les réduisit en poussière. « De pauvres créatures ont-elles péri lorsque la pieuvre a fait éclater ces mondes ? » se demanda-t-il.

Plus Patris avançait, plus il trouvait de la désolation. Il continua donc de pulvériser les restes des planètes qui jonchaient son chemin, désormais persuadé qu'il était sur la bonne voie. Soudain, il capta une énergie si maléfique qu'il en frémit d'horreur. Il fit ralentir la comète et ferma les yeux. Ces ondes négatives résonnaient dans toute la galaxie. Patris avait toujours su que l'obscurité devait exister quelque part, mais il ne l'avait jamais vraiment ressentie.

Tandis qu'il se dirigeait plus lentement vers la source du mal, Patris songea à sa naissance. À l'époque, il avait cru être la seule créature pensante de l'univers. Il soupçonnait désormais que Tramail avait été créé en même temps que lui dans une région sombre qui ne lui avait pas permis de développer sa bonté. Il ne respirait que pour satisfaire ses propres besoins et jamais ceux des autres.

Au début des temps, Patris n'avait été qu'une âme endormie jusqu'à ce qu'un éclair aveuglant lui fasse ouvrir les yeux. Il ne pouvait pas encore appréhender ce qui se trouvait autour de lui. Sa vision était embrouillée, mais il captait des sons.

Petit à petit, il avait commencé à distinguer les étoiles qui l'entouraient à l'infini. C'étaient elles qu'il entendait chanter. Rassuré, il avait quitté son nid cosmique pour s'aventurer dans l'espace.

Il n'avait pas de parents ou, s'il en avait eu, ils n'étaient pas restés pour le voir grandir en force et en sagesse. Toutefois, pendant qu'il cherchait le but de son existence, Patris avait été guidé par des voix qui s'adressaient directement à lui dans son esprit. Il n'avait jamais su d'où elles venaient ni s'il s'agissait de celles de ses créateurs. Elles n'avaient pas voulu le lui dire. Elles se contentaient de lui prodiguer des conseils lorsqu'il en demandait.

Patris avait finalement compris comment fonctionnait l'univers, mais il s'était senti très seul. Alors, un jour, il avait demandé aux voix s'il existait d'autres créatures comme lui quelque part. Elles lui avaient répondu qu'il n'y en avait qu'une seule, Tramail, qui était sa contrepartie, mais que s'il devait la rencontrer un jour, ce serait catastrophique. Patris n'avait donc jamais cherché à la trouver. Il s'était plutôt créé une famille même s'il n'avait pas de compagne. Ses enfants avaient tous été le reflet de sa propre lumière sauf un : Achéron. C'était son mouton noir, comme disaient les humains.

La première forme de Patris avait été celle d'un dragon ardoisé. Il avait longtemps erré dans l'espace avant de découvrir la planète où il résidait encore à ce jour. C'était un matin, en dessinant sur le sable du bout d'une griffe, qu'il avait imaginé la forme humaine. De siècle en siècle, il l'avait améliorée, puis il l'avait finalement adoptée lui-même. « Tramail a-t-il connu le même cheminement que moi ? » se demanda Patris tandis qu'il voguait entre les étoiles.

Il aperçut alors la pieuvre orangée au loin et immobilisa aussitôt la comète. Pendant un long moment, il l'observa. Ses mouvements étaient si lents qu'ils en étaient imperceptibles.

« A-t-il atteint une taille pareille à force de manger des planètes ? » se demanda le vieil homme. Il était difficile de sonder les intentions de Tramail à une telle distance, mais il ne pouvait se permettre de s'approcher davantage.

— Il y a bien longtemps que je n'ai fait appel à vous, mais si vous êtes encore là, j'ai de nouvelles questions, fit Patris en s'adressant aux voix qui l'avaient si longtemps guidé.

— *Nous sommes toujours présents. C'est toi qui es demeuré silencieux.*

— Sans doute parce que j'avais atteint l'âge d'expérimenter les choses par moi-même. Savez-vous où je me trouve, en ce moment ?

— *Nous voyons et nous entendons tout. Nous sommes la matière de l'univers dans laquelle évoluent les créatures que tu as su créer.*

– Eh bien, je suis plutôt certain que je n'ai pas façonné celle que je suis en train d'observer. Il s'agit d'un énorme poulpe qui se nourrit de systèmes solaires.

– *Tramail.*

– Vous m'avez déjà mentionné son nom il y a des lustres. Mais, à l'époque, je n'ai pas compris toutes vos explications, car je venais à peine de naître.

– *Tramail fait partie de toi comme tu fais partie de lui, car tout ce qui existe possède un côté sombre et un côté lumineux.*

– Donc, si je le détruis, je mourrai aussi ?

– *Une partie de toi mourra.*

– Mais si je le laisse vivre, tout cessera d'exister...

– *C'est exact.*

– Que devrais-je faire ?

– *La vie est une série de choix. Nous ne pouvons pas les faire pour toi.*

– Pouvez-vous au moins me dire comment je dois m'y prendre pour me débarrasser de lui sans à mon tour tout détruire ?

– *L'apparition et la disparition de la vie font partie de l'évolution de l'univers. Tout a une fin, même si pour certains elle est plus éloignée que pour d'autres.*

– Qu'en est-il de Tramail ?

– *Sa temporalité est semblable à la tienne.*

– Je ne peux pas le laisser continuer à dévorer des planètes qui regorgent de vie, rétorqua Patris, tourmenté. Mais si je l'anéantis, ne détruirai-je pas l'équilibre entre la lumière et l'obscurité ?

– *Tu n'es pas obligé de l'écraser pour mettre fin à son carnage. Tu pourrais aussi le retourner à son état originel.*

– Je ne sais même pas ce que c'était.

– *Tout comme toi, il n'était qu'une simple cellule lorsque le flambeau vous a sortis du néant.*

– J'ai appris beaucoup de choses depuis, mais j'ignore comment je pourrais renverser ce processus.

– *Nous ne pouvons rien te dire de plus.*

– Au contraire, vous devez m'aider à sauver cet univers magnifique que vous avez créé. Je ne peux pas le faire seul.

– *Nous sommes l'étincelle, rien de plus.*

– Ne m'abandonnez pas maintenant.

Les voix se turent. Patris savait qu'il ne disposait pas de beaucoup de temps pour arrêter Tramail, mais il ignorait comment y parvenir.

En une fraction de seconde, il remonta dans ses souvenirs, mais ne trouva rien. Il se décida donc à rappeler ses enfants auprès de lui, mais il devait le faire de façon à ce que la pieuvre n'intercepte pas son message télépathique. Il choisit donc de n'utiliser qu'un seul mot en y ajoutant subtilement ses coordonnées énergétiques, puis le laissa partir.

– Venez... murmura-t-il.

À quelques années-lumière de Patris, Tramail achevait sa digestion du système solaire précédent en se positionnant au-dessus d'Alnilam.

En attendant de ressentir de nouveau le besoin de manger, il s'amusait à torturer les humains qu'il s'apprêtait à dévorer par l'entremise d'un des leurs. C'était là une toute nouvelle expérience qui lui plaisait beaucoup. Le jeune sorcier qu'il avait capturé dans ses filets avait parfois fait preuve d'un peu trop d'indépendance. Lizovyk tuait à tort et à travers sans se servir de son intelligence pour choisir ses proies. La prochaine fois, Tramail prendrait le temps de trouver une marionnette plus brillante. Pour l'instant, cela n'avait plus aucune importance, car Lizovyk mourrait en même temps que tous les autres habitants de son monde.

Sans se presser, car rien ni personne dans l'univers ne pouvait l'arrêter, Tramail étirait ses tentacules dans toutes les directions afin de capturer les planètes dont il se nourrirait une à une. C'est alors qu'il sentit une puissante énergie en provenance de l'espace. Il ouvrit ses énormes yeux et scruta la galaxie. Ce qu'il avait capté, l'espace d'un instant, provenait de très loin. S'il n'avait pas été sur le point de frapper sa proie, il se serait sans doute mis à la recherche de cette étincelle de pure lumière. Pourtant, depuis sa création, il n'avait jamais rencontré aucune force qui puisse menacer son existence. Il ne savait même pas si c'était possible. Pouvait-il s'être trompé sur le degré d'évolution de ses prochaines victimes ? Étaient-elles capables d'appeler à l'aide une créature aussi dangereuse que lui ?

Debout sur sa comète, Patris avait perçu le balayage télépathique de Tramail. Il enferma aussitôt l'astre dans une énorme bulle de protection en se félicitant de n'avoir prononcé qu'un seul mot. Le monstre ne devait pas savoir qu'il était là avant l'arrivée de ses enfants. Sa réaction lui avait cependant démontré que malgré son apparente lenteur, Tramail possédait une grande sensibilité à ce qui se passait dans l'espace. « Nous allons devoir être très prudents », comprit-il.

Une fois que les inquiétudes de la pieuvre furent endormies, Patris se mit à façonner derrière lui un long couloir d'énergie qu'il étendit jusqu'aux confins de la galaxie. Les dieux fondateurs en reconnaîtraient facilement l'origine et ils pourraient l'utiliser pour se rendre jusqu'à lui sans se faire repérer par Tramail.

RETROUVAILLES

Au beau milieu de la nuit, Shanzerr se réveilla en sursaut. Il se redressa en scrutant les alentours pour déterminer ce qui avait bien pu le sortir ainsi de son sommeil. Il entendit alors l'appel de Carenza qui désirait réunir tous les sorciers avant le lever du soleil. «Sommes-nous près de la fin?» se demanda-t-il en posant les pieds sur le plancher. Lui qui se servait rarement de la magie dans l'antre qu'il s'était construit au pied de la montagne bleue, il l'utilisa pour allumer le fanal sur la table à manger afin de se préparer à cette rencontre. Il se tourna vers Tatchey, qui dormait à poings fermés dans le lit qu'il avait fabriqué pour lui.

L'instinct de Shanzerr l'avertit de ne pas mêler le toucan à ses discussions avec les autres mages, même s'il était un hybride lui aussi. Non seulement Tatchey ne possédait aucun pouvoir à part celui de se transformer, mais il passerait son temps à poser des questions, car il était d'une curiosité sans bornes. Le sorcier ne pouvait cependant pas le laisser sans protection chez lui pendant plusieurs jours, puisque sa caverne se trouvait à proximité du portail du sommet de la montagne. Le toucan n'était pas une créature agressive. Il serait incapable de se défendre contre une attaque et rien n'indiquait qu'il penserait à prendre la fuite si Javad se décidait tout à coup à faire débarquer son armée par le vortex d'Arcturus.

Au bout d'un moment, Shanzerr eut une idée. Il commença par réveiller Tatchey pour lui expliquer la situation.

– Je dois me rendre à une importante réunion.

– Vous me laisseriez seul ici ?

– Justement, non. Ce serait trop dangereux.

– Mais où pourrais-je aller dans ce monde dont j'ignore tout ? s'alarma-t-il.

– Eh bien, j'ai pensé à un endroit qui vous plairait beaucoup. Nous allons par contre attendre encore une heure ou deux avant de partir, parce qu'il est préférable de ne pas effrayer au beau milieu de la nuit ceux qui vous accueilleront.

– Pourquoi tout ce mystère, monsieur ? Ne pourriez-vous pas me dire dès maintenant ce qui m'attend ?

– C'est une surprise, Tatchey. Je vais aller chercher quelques bûches pour raviver le feu et nous préparer du café.

– Y a-t-il quelque chose que je puisse faire pour vous aider ?

– Commencez à faire votre toilette, car je vous emmène auprès d'une personne importante.

– Est-ce un roi de votre monde, monsieur ?

– Mieux que ça, répondit Shanzerr en sortant de la grotte.

Le sorcier se dirigea vers sa réserve de bois en humant les odeurs de la nuit pour les imprimer dans sa mémoire, au cas où leur groupe ne réussirait pas à faire reculer Tramail. Il aimait cette vie qu'il s'était construite et il craignait de la perdre à tout jamais. En fait, il était probablement celui parmi les siens qui comprenait le mieux les enjeux de toutes ces guerres. Il prit quelques bûches et promena le regard sur la petite clairière et la rivière. « Je ne peux pas le laisser détruire tout ça... » décida-t-il. Lorsqu'il revint dans la caverne, il trouva Tatchey dans tous ses états.

– Monsieur, je ne possède que ces vêtements qui apparaissent en même temps que mon apparence physique et j'ignore comment les nettoyer.

– Je vais le faire pour vous avec ma magie, cette fois, mais au contact de vos nouveaux hôtes, il vous faudra apprendre à le faire à leur manière.

– Cela va de soi.

Shanzerr passa la main devant le costume noir de maître d'hôtel que portait le toucan, le rendant tout net et propre.

– Mille fois merci, mais c'est vraiment dommage que vous n'ayez aucun miroir dans votre foyer, monsieur.

– Pour tout vous dire, je déteste observer mon propre reflet. Mais je vous assure que vous ferez une bonne impression.

– Bon d'accord, je veux bien vous faire confiance.

Le sorcier fit chauffer du café. Assis bien droit sur sa chaise, le toucan but la boisson chaude en faisant attention de ne pas en renverser sur son uniforme.

– Quand partons-nous ? demanda-t-il.

– Dès que j'aurai repéré mentalement celui qui vous accueillera. Donnez-moi encore un moment.

Tatchey alla porter sa tasse dans l'évier et arpenta nerveusement la grotte tandis que Shanzerr ratissait le nord du pays avec son esprit.

– Ça y est, je l'ai, annonça-t-il enfin.

Le toucan mit la tasse du sorcier avec la sienne et retira la cafetière du feu.

– Je suis prêt, déclara-t-il.

Shanzerr posa la main sur son bras et les transporta tous les deux dans une sombre forêt.

– Je ne comprends pas, s'étonna Tatchey en regardant autour de lui. Pourquoi ne sommes-nous pas dans un palais ?

– Je suis désolé de ne pas vous avoir prévenu, mais c'est ici que se cache celui à qui j'ai l'intention de vous confier.

– Ne pouvez-vous pas me parler un peu de lui avant que nous arrivions chez lui ?

– Et gâcher tout votre plaisir ?

Il faisait si sombre que le toucan marchait presque sur les talons de Shanzerr pour ne pas le perdre de vue. Ils avancèrent sur un sentier que le sorcier suivait grâce à ses sens invisibles.

Ils passèrent près du cimetière, mais ne le virent pas dans le noir, puis aboutirent dans la clairière où se trouvait le parcours d'obstacles des Manticores. Un seul homme s'y entraînait, entouré d'une étrange lumière qui le suivait partout.

— Là, je suis véritablement inquiet, chuchota Tatchey.

— Encore un peu de patience, l'encouragea Shanzerr. Nous y sommes presque.

Ce ne fut que lorsqu'ils se furent rapprochés du circuit d'exercices qu'il reconnut enfin celui qui était en train de franchir le pont, une série d'étroites planches sur lesquelles il devait marcher en conservant son équilibre.

— Par tous les dieux, jeune maître ! s'exclama le toucan. Descendez tout de suite de là ! Vous allez vous blesser !

Se croyant seul dans la forêt, Rewain sursauta en entendant cet éclat et mit un pied dans le vide. Shanzerr intervint aussitôt pour l'empêcher de faire une dure chute dans le lit de pierre sous le pont. Le jeune dieu ne comprit pas tout de suite pourquoi il demeurait suspendu à quelques centimètres du sol. Une force irrésistible le fit ensuite voler dans les airs par-dessus l'obstacle et le déposa debout devant deux étrangers.

— Vous êtes vivant ! s'exclama Tatchey en ouvrant tout grand les bras et en se précipitant sur lui.

Rewain, qui n'avait jamais vu le toucan sous sa forme humain, prit peur et tourna les talons pour aller se cacher sous l'escalier en apex.

— Maître Rewain, vous n'avez rien à craindre ! C'est moi, Tatchey !

Le jeune homme reconnaissait fort bien cette voix, mais il demeura tout de même au fond de sa cachette.

— Est-ce une autre ruse du sorcier ? demanda-t-il en s'efforçant d'adopter un ton de bravoure.

— Le sorcier, ce n'est pas moi, mais plutôt lui, répondit le toucan en pointant son compagnon, même si Rewain ne pouvait pas distinguer grand-chose dans cette obscurité.

– Il parle de moi, Shanzerr. Nous nous sommes déjà rencontrés dans le désert il y a peu de temps lorsque mon ami Olsson vous y a transporté par magie.

Le dieu-zèbre sortit sa tête illuminée de sous l'escalier. Pour qu'il puisse mieux voir leurs traits, le sorcier alluma ses mains et retourna ses paumes vers lui et l'autre homme.

– Oui, je vous reconnais, lâcha finalement Rewain. Mais où est Tatchey ?

– Mais c'est moi ! s'exclama l'étranger. Je comprends votre confusion, puisque je ne me suis jamais manifesté à vous sous mon autre apparence, mais je vous jure que c'est bien moi !

Rewain s'approcha à pas prudents pour examiner ses traits.

– Laissez-moi achever de vous convaincre.

Il reprit sa forme de toucan pendant quelques secondes, puis redevint humain.

– Mais tu ne m'as jamais dit que tu pouvais faire ça ! s'exclama Rewain.

– Lorsque nous vivions au palais, il y avait beaucoup de choses que je ne pouvais pas vous dire.

– Pourquoi es-tu dans le monde des humains ?

– Il répondra à toutes vos questions tout à l'heure, intervint Shanzerr. La raison pour laquelle je l'ai emmené ici, cette nuit, c'est que je dois participer à une rencontre à laquelle je ne peux pas l'emmener. J'ai donc décidé de le confier à quelqu'un en qui il peut avoir confiance.

– Moi ? s'étonna le dieu-zèbre. C'est plutôt moi qui dépendais de lui quand je vivais chez mes parents.

– Peu importe. Je dois y aller.

– Vous pouvez partir en paix, monsieur Shanzerr, lui dit le toucan. Je m'occupe de Rewain et si cela est possible, j'aimerais pouvoir rester avec lui au lieu de retourner chez vous à votre retour.

– J'allais justement vous le suggérer. Je tenterai de revenir voir comment vous vous débrouillez tous les deux, mais il se peut aussi que je sois retenu ailleurs pendant un moment.

– Nous tâcherons de survivre.

Shanzerr les salua et se dématérialisa.

– Viens t'asseoir, fit Rewain à son fidèle serviteur.

Le toucan le suivit jusqu'à l'escalier, qu'il n'avait heureusement pas sali en s'entraînant ce matin-là. Tatchey n'aurait pas supporté de tacher son pantalon.

– Pardonne ma méfiance, commença le jeune dieu, mais trop de personnes méchantes en veulent à ma vie en ce moment.

– C'est la même chose pour moi.

– Comment es-tu arrivé ici, Tatchey ?

– Puisque votre frère Javad a assassiné votre père et qu'il s'est emparé du pouvoir, il a bien fallu que je m'exile sinon il m'aurait tué moi aussi. Je me suis jeté en bas de la plateforme sans vraiment savoir où j'aboutirais. Mais le hasard fait bien les choses, on dirait. J'ai aperçu monsieur Shanzerr à partir d'en haut et j'ai décidé de lui demander conseil. Quel homme admirable, malgré le fait qu'il est sorcier. Il m'a recueilli chez lui et il a commencé à me parler de ce curieux monde dans lequel il vit.

– Il faudra que je trouve le moyen de le remercier.

– C'est sûr. Nous y réfléchirons ensemble. Je sais que vous êtes habitué à ma forme d'oiseau, mais monsieur Shanzerr m'a conseillé de ne pas l'adopter ici si je ne veux pas m'attirer des ennuis.

– Dans un sens, il a raison. Mais si le palais de mes parents était un endroit dangereux, cette planète recèle de plus graves dangers encore. Il y a des hommes-scorpions qui vivent dans le nord. Ils détruisent tout et ils tuent les humains. L'armée des Chevaliers d'Antarès essaie de les repousser sur leurs terres depuis presque cinquante ans. Pire encore, il y a une espèce de créature monstrueuse qui veut s'en prendre à toute la planète !

— Je suis malheureusement au courant de cette menace, soupira Tatchey. Mais monsieur Shanzerr et ses amis sorciers se préparent à l'affronter.

— Mais les sorciers ne possèdent pas les pouvoirs des dieux, déplora Rewain.

— Vous dites vrai, mais apparemment, vous êtes la seule divinité encore vivante avec Javad.

— Qui, lui aussi, s'apprête à attaquer cette planète. Nous sommes perdus, Tatchey.

— Rappelez-vous les paroles de votre mère, jeune prince. Tant que le soleil brille, il y a toujours de l'espoir.

— Elle disait ça parce qu'elle n'avait jamais entendu parler des Aculéos, de Tramail et de la cruauté de son fils aîné.

Rewain baissa tristement la tête.

— Ce n'était qu'une question de temps avant que Javad se débarrasse de mon père comme il l'a fait avec ma mère et avec moi. Il ne doit pas savoir que je suis encore vivant, Tatchey, sinon il m'achèvera.

— Je vous protégerai, maître Rewain, même si je dois y perdre la vie.

— Je préférerais que ça n'arrive pas.

— Vous n'êtes pas un guerrier, et j'en suis très conscient, alors, en cas de grave danger, nous prendrons la fuite.

— Pour aller où ?

— Je ne pourrai pas vous répondre avant d'avoir étudié la géographie de ce monde couvert de belles forêts odorantes.

— Samara possède des cartes que je pourrai te montrer.

— Qui est Samara ?

— C'est elle qui m'a secouru après que Javad m'a lancé du haut de la montagne. Je suis certain que tu l'aimeras. Elle est merveilleuse.

– Je suis soulagé d'apprendre que vous ne vivez pas tout seul dans cet endroit.

– Oh non ! Nous sommes à dix minutes d'un campement de plusieurs centaines de Manticores, avec qui j'habite, d'ailleurs.

– Qu'est-ce qu'une Manticore ?

– Les Chevaliers d'Antarès sont divisés en quatre groupes : les Manticores, les Chimères, les Salamandres et les Basilics. Je regrette de ne pas pouvoir t'en dire plus sur les trois derniers, car je ne les connais pas du tout. Je n'ai pas encore osé m'aventurer loin d'ici.

– Sage décision, jeune maître.

– En passant, tu ne pourras pas m'appeler ainsi pendant que tu seras parmi ces soldats. Pour ne pas attirer l'attention de Javad, je dois me vêtir et me comporter comme un simple soldat.

– Un simple soldat ? s'horrifia Tatchey.

– On a même commencé à m'enseigner le maniement des armes, mais je ne serai hélas jamais aussi habile que mes nouveaux mentors.

– Votre mère ne serait pas d'accord.

– Je m'en doute, mais Samara est d'avis que je dois apprendre à me défendre au cas où je me retrouverais coincé quelque part où je ne peux pas prendre la fuite. Il me suffirait alors de blesser mon agresseur pour qu'il ne puisse pas me poursuivre tandis que je retournerais sur mes pas. Est-ce que tu comprends ?

– Oui, mais je n'approuve pas.

– Si tu m'aimes encore un peu, tu feras en sorte de respecter mon entente avec les Manticores.

– Mais je vous aime énormément, jeune maître.

– Alors, appelle-moi uniquement par mon nom à partir de cet instant.

– Ce ne sera pas facile...

– Rien ne l'est, ici, mais nous n'avons pas le choix.

Grâce à la lumière qui continuait d'émaner de son corps, Rewain prit le temps d'examiner la nouvelle apparence de son ancien serviteur.

– Il faudra aussi changer tes vêtements, Tatchey, parce que dans cet accoutrement, tu serais une cible bien trop facile pour un assassin.

– Ce n'est pas un accoutrement, jeune maît... Rewain, s'offusqua le toucan. C'est mon uniforme.

– Nous ne sommes plus au palais et personne ne t'oblige désormais à le porter. Il va falloir trouver une façon de te faire passer inaperçu, toi aussi.

– Ça ne me plaît pas du tout, mais si vous y tenez...

– Il faudra aussi que tu arrêtes de me traiter avec autant de révérence et de me vouvoyer, sinon un espion devinerait sur-le-champ que je suis un dieu.

– Ce sera très difficile, puisqu'on m'a conçu pour servir.

– Tu peux certainement le faire avec moins d'égards.

Le ciel commençait à pâlir, car le soleil allait bientôt se lever. Samara, qui, encore une fois, n'avait pas trouvé Rewain près d'elle à son réveil, se douta qu'il était allé s'entraîner. Son instinct lui recommanda d'attacher sa ceinture d'armes en sortant de son abri avant de partir à sa recherche. En arrivant au parcours d'obstacles, elle aperçut son protégé en compagnie d'un étranger. Elle tira aussitôt son épée de son fourreau en s'approchant.

– Tatchey n'est pas votre ennemi! s'exclama Rewain en apercevant l'éclat de sa lame.

– Tatchey? répéta Samara en s'approchant prudemment.

– C'était le serviteur de ma famille. Il a dû fuir le palais lui aussi.

– Et, par hasard, il t'a retrouvé tout de suite?

– Non, madame, répondit le toucan. Ça ne s'est pas du tout passé ainsi.

– Ne l'appelle pas madame, l'avertit Rewain. C'est Samara. Je sais que tu es habitué à une courtoisie différente, mais je t'assure que ce n'est pas une faute contre les règles du savoir-vivre dans ce monde que de s'adresser aux gens en utilisant juste leur nom.

– Bon, d'accord.

– Tatchey n'est pas ici par hasard, Samara. Un sorcier l'a conduit jusqu'à moi.

– Un sorcier ? s'alarma la Manticore.

– Ce n'est pas celui qui nous a attaqués, s'empressa de préciser Rewain. Celui-là est de notre côté.

– Il devait participer à une rencontre avec ses amis et il a décidé de me mettre à l'abri ici.

– Je suis venue te chercher pour le repas, Rewain. As-tu fini ton parcours ?

– Non, mais j'ai quelque peu perdu ma motivation...

– Suivez-moi tous les deux et je t'avertis, Tatchey, je supporte mal la trahison.

– Moi aussi, mada... Samara.

Elle prit les devants en utilisant ses pouvoirs d'Aludrienne pour surveiller l'inconnu qui marchait derrière elle avec Rewain. Quand ils arrivèrent aux feux, les soldats qui s'y trouvaient se levèrent en mettant la main sur la poignée de leur épée ou de leur poignard. Priène déposa son écuelle de porridge sans cacher son inquiétude et s'approcha de sa sœur d'armes.

– De qui s'agit-il, cette fois, Samara ?

– D'un autre fugitif du monde d'Achéron, apparemment.

Koulia arriva derrière Priène avec l'intention de ne rien laisser lui arriver.

– Un autre zèbre ? s'enquit-elle avec un sourire moqueur.

– Non. Je suis un toucan.

– C'est quoi, ça ?

Jugeant qu'une image valait mille mots, Tatchey se transforma en un oiseau noir de la taille d'un homme, dont la caractéristique la plus frappante était son gros bec jaune et orange, puis reprit son apparence humaine.

– Voilà ce que c'est.

Tout le monde le fixait avec de grands yeux ronds.

– Il aurait été préférable que tu ne fasses pas ça, Tatchey, lui chuchota Rewain.

– Que sommes-nous censées en faire ? demanda Priène en prenant sur elle.

– En fait, si vous le permettez, j'aimerais continuer de veiller sur Rewain comme je l'ai toujours fait depuis sa naissance, répondit le toucan.

– Je ne crois pas que ça nuirait au bon fonctionnement du campement.

– Sait-il se battre ? demanda Koulia.

– Absolument pas, madame. Mais j'ai de très bonnes manières.

– Ça fera changement, ici, plaisanta la Manticore.

– Installe-toi quelque part. Mactaris va te servir à manger.

– Vous comprendrez que je devrai m'assurer que Rewain reçoive tous les nutriments dont il a besoin pour conserver son excellente santé.

– Mais oui, nous comprenons tout ça, affirma Koulia.

Elle retourna à sa place en riant. Rewain tira son serviteur par le bras et le fit asseoir entre lui et Samara devant l'un des feux. Mactaris leur remit aussitôt des écuelles fumantes et des cuillères. Tatchey commença par humer le repas de son jeune maître.

– Mais qu'est-ce que c'est que ça ? s'exclama-t-il en éloignant l'écuelle de son nez.

– Du porridge, répondit Rewain. On l'obtient en faisant bouillir des flocons d'avoine. J'en ai même préparé moi-même. On peut y ajouter toutes sortes de saveurs.

– Pourquoi ne ressemble-t-il pas à la véritable céréale ?

– Parce qu'elle est transformée pendant sa cuisson.

Rewain en prit une bouchée devant le toucan pour lui prouver que ce n'était pas du poison.

– Il est excellent, ce matin, fit-il savoir à Mactaris.

– Je l'ai préparé avec des pommes et de l'érable.

– De l'érable ? s'étonna Tatchey. Qu'est-ce que c'est ?

– C'est un arbre dont la sève sert à plusieurs usages en cuisine.

– De la sève ?

– Commence par y goûter, le pria Rewain.

– Non, merci. Mon nez me renseigne amplement sur sa valeur pour la santé.

Koulia se laissa tomber sur le dos du petit banc où elle était assise et éclata d'un rire communicatif. Malgré les réticences de son serviteur, le dieu-zèbre avala toute sa portion de porridge. « S'il veut mourir de faim, c'est son affaire », se dit-il.

Lorsque Mactaris versa de l'eau bouillante dans un gobelet et qu'elle y laissa tomber un sachet de thé avant de le tendre à Rewain, Tatchey se dressa sur ses ergots.

– Ce n'est pas la façon convenable de préparer la boisson préférée des dieux ! s'exclama-t-il, outré. Avez-vous utilisé une eau légèrement minéralisée ?

– Je l'ai prise dans la source, le renseigna Mactaris, qui ne comprenait pas ce qu'elle avait fait de mal.

– Les minéraux fixent les tanins, permettent au thé de s'épanouir et ne laissent pas de pellicule sur les tasses.

– Mais...

– L'eau ne doit jamais être bouillie pour le thé. Vous devez d'abord verser l'eau chaude dans une théière pour qu'elle la réchauffe, puis la jeter.

– Nous n'avons que des marmites...

– Qu'attendez-vous pour vous procurer de véritables théières ?

– Les boutiques se trouvent à au moins quatre jours à cheval, intervint Pavlek pour venir au secours de Mactaris.

– Samara, je compte sur toi pour faire visiter la région à notre invité, lui ordonna Priène, ce qui signifiait qu'elle ne voulait pas qu'il embête tout le monde pendant la journée. Il verra par lui-même que nous sommes vraiment loin de tout.

Tout de suite après le repas, Samara emmena donc Tatchey et Rewain à Paulbourg, mais le dieu-zèbre ne reconstruisit pas de nouvelles maisons, pour éviter de susciter d'autres commentaires négatifs de la part du toucan.

À leur retour, il commençait à faire sombre. Le jeune homme redoutait déjà la réaction de son serviteur au repas du soir. Ce fut Tanégrad qui distribua les écuelles.

– De la viande ! s'écria Tatchey. Vous allez tous être malades !

– Les humains en mangent régulièrement, lui apprit Rewain.

– Mais pas les dieux !

– Je m'y suis accoutumé et ce n'est pas si mal que ça.

– Mais vos habitudes alimentaires sont tout à fait barbares !

– Tatchey, quand nous sommes reçus ailleurs, la politesse exige que nous nous pliions aux coutumes de nos hôtes, le sermonna finalement Rewain. Il est impératif, pour que mes ennemis ne me retrouvent pas au milieu des Chevaliers, que je me comporte comme eux. Et cette règle de survie s'applique aussi à toi.

– Je n'en mangerai pas, grommela le toucan en s'assoyant.

– C'est un ragoût. En fouillant dans la sauce, tu trouveras des légumes. Mais si tu veux vraiment me faire plaisir, goûte au moins à un petit morceau de viande.

Tatchey commença par faire la grimace. Il piqua le cube de bœuf avec sa fourchette et le porta à ses lèvres avec dédain. Il l'avala presque tout rond et se contenta finalement de manger les légumes.

– On devrait lui construire une cage et exiger qu'il se transforme en oiseau pour l'y enfermer, maugréa Tanégrad en s'éloignant.

– Il est bien trop amusant, répliqua Koulia.

Le soir venu, lorsque Tatchey entra finalement dans l'abri de Samara, il en ressortit en reculant à quatre pattes et en poussant des cris d'indignation.

– Ces conditions de logement sont inacceptables ! Rewain est un...

Le bras de Samara sortit par l'ouverture, agrippa celui du toucan et le tira de force dans l'abri. Puis, ils n'entendirent plus un son.

– Les dieux soient loués, elle l'a enfin assommé, se réjouit Tanégrad.

– Mais pourquoi est-ce qu'on le garde, exactement ? demanda Riana.

– Parce qu'il va veiller sur Rewain à la place de Samara, répondit Pavlek, content.

– Avouez qu'il met de la vie dans le campement, intervint Koulia. Moi, j'ai vraiment hâte de le voir sur le parcours d'obstacles.

– C'est assez, tout le monde, ordonna Priène. Vous êtes en train de relâcher votre vigilance et ce pourrait nous être néfaste.

Koulia s'éloigna en riant dans la forêt pour commencer son tour de garde.

PREMIÈRES TENTATIVES

Assise sur le bord de la falaise des Deusalas pour respirer l'air du soir, Maridz avait entendu l'appel de Carenza. Elle avait immédiatement sondé la colonie pour savoir ce que faisaient tous ses membres. Seules les sentinelles et Océani ne dormaient pas encore. Puisqu'elle n'avait pas d'ailes, la sorcière utilisa son vortex pour se rendre chez son nouvel amant. Le feu magique brillait au centre de sa caverne. Le dieu ailé était allongé sur le dos, dans son nid, les yeux ouverts. En voyant apparaître la jeune femme, il se redressa sur les coudes, craignant qu'elle lui annonce une mauvaise nouvelle.

– Que se passe-t-il ? s'inquiéta Océani.

Maridz grimpa dans le nid et se blottit contre lui.

– Il n'y a rien à signaler, mais je suis conviée à une rencontre de sorciers et je voulais t'en informer. Je ne voudrais pas qu'à leur réveil demain matin, les Deusalas pensent que j'ai été enlevée pendant mon guet.

– Une rencontre à quel sujet ?

– Sans doute Tramail. Nous avons déjà discuté de ce que nous pourrions faire pour retarder l'inévitable. Si Carenza veut nous revoir, c'est sans doute pour accélérer notre plan.

– Une poignée de sorciers ne pourra rien contre lui.

– J'en suis consciente, Océani, mais si nous ne faisons rien, nous nous condamnerons nous-mêmes.

– Je n'aime pas l'idée que tu t'éloignes et que je ne puisse pas te protéger.

– Rappelle-toi que je me suis débrouillée pour rester en vie depuis mon évasion du palais d'Achéron. Au lieu de te soucier de moi, tu devrais plutôt t'inquiéter pour le sort de l'humanité.

– Il ne passe pas une seule seconde sans que j'y pense.

Le Deusalas serra Maridz contre lui.

– Je veux que tu me reviennes saine et sauve.

– Moi aussi...

Ils s'embrassèrent pendant un long moment, comme s'ils n'allaient jamais plus se revoir.

– Ne m'oblige pas à aller te chercher, fit alors Océani avec un demi-sourire.

– Ne m'oblige pas à te ramener ici, rétorqua Maridz, amusée.

Elle se dégagea de son étreinte.

– Si ça ne met pas mes compagnons en danger, je t'apprendrai ce qui se passe par télépathie, lui dit-elle. Sinon, je te raconterai tout à mon retour.

– Et si tu as besoin de moi, n'hésite pas un instant à m'appeler.

– Promis.

Elle l'embrassa une dernière fois et se dématérialisa.

Comme elle pressentait que les sorciers étaient sur le point de se battre contre Lizovyk et son horrible maître et que certains d'entre eux pourraient perdre la vie, Maridz décida d'aller voir sa fille une dernière fois au lieu de se rendre directement dans le désert de Mirach.

En fonçant vers le nord, la sorcière chercha Sierra et la trouva finalement chez les Chimères. Elle apparut dans sa tente, où la grande commandante dormait seule. Pendant plusieurs minutes, Maridz contempla son visage paisible en se rappelant le jour où elle avait dû la confier à une famille humaine, sans savoir que leur coquette petite ville sur le bord de la rivière allait un jour être ravagée par des monstres.

Elle s'agenouilla près du lit gonflable et caressa tendrement la joue de Sierra. Celle-ci battit des paupières et sursauta en apercevant une silhouette aussi près d'elle, craignant que Zakhar ne soit revenu pour la reprendre. Elle tendit vivement le bras pour s'emparer de son poignard qu'elle avait déposé sur la caisse en métal, à portée de main. En apercevant son geste, la sorcière alluma le fanal suspendu au-dessus d'elle.

– C'est moi, Maridz, la rassura-t-elle.

Sierra se détendit d'un seul coup.

– Je ne désirais pas troubler ton sommeil, mais tu m'avais demandé de te tenir informée de nos progrès.

Maintenant réveillée, la grande commandante s'assit sur son lit. Sa mère portait désormais une longue robe bleue à la façon des Deusalas.

– Apparemment, nous n'allons pas demeurer à l'écart de la bataille qui se prépare contre la pieuvre, lui dit Maridz. Nous avons l'intention de participer aux combats.

– Quoi ? Comment ? Où ça ?

– J'ignore encore les détails de notre intervention, mais je crois que ce sera sans doute au point d'entrée de Tramail sur cette planète, puisque nous ne possédons pas le pouvoir de l'attaquer dans l'espace.

– S'il n'y avait pas ces satanés Aculéos qui nous menacent, j'enverrais toute mon armée pour vous seconder.

– Tes soldats ne nous seraient d'aucun secours, car cet affrontement sera certainement de nature magique.

– Est-ce que tu t'es arrêtée ici parce que c'est peut-être la dernière fois que nous nous voyons ?

– C'est possible, Sierra, car je n'hésiterai pas à me sacrifier pour que tu aies un bel avenir.

La femme Chevalier sortit de son lit et la serra dans ses bras.

– Ce serait vraiment injuste que je te perde maintenant, murmura-t-elle.

– La vie n'est pas toujours juste, comme tu le sais probablement déjà. Mais qu'est-ce que je capte tout à coup dans ton énergie ?

– Ma peur de l'abandon ?

– C'est encore plus terrible. As-tu été violentée ?

Sierra relâcha son étreinte et retomba assise sur son lit. Tout à coup, elle avait de la difficulté à respirer. Même si Leinad l'avait libérée d'une grande partie de sa terreur et de sa colère, il subsistait toujours une profonde rancune dans son cœur. Maridz prit aussitôt place près d'elle.

– Veux-tu me raconter ce qui s'est passé ou préfères-tu que je m'en informe moi-même en consultant tes souvenirs ?

– Surtout pas ! Je veux juste l'oublier.

– Ce n'est pas arrivé quand tu étais jeune, n'est-ce pas ? devina la sorcière. C'est même tout récent. Ton agresseur était-il un de tes Chevaliers ?

– Jamais de la vie !

– Un ennemi, alors. Si c'est trop difficile pour toi d'en parler, je peux aller chercher cette expérience dans ta tête sans que tu ressentes quoi que ce soit.

Indécise, Sierra baissa la tête sans répondre. Maridz interpréta son geste comme un acquiescement. Elle caressa ses cheveux blonds en plongeant dans un état de transe.

– Qui était cet homme sauvage ? demanda-t-elle au bout d'un moment.

– Le roi des hommes-scorpions, murmura Sierra, dégoûtée. Je me suis bêtement fait capturer.

– Il t'aurait tuée si Wellan ne t'avait pas secourue.

– Sans doute.

– Cet homme a fait preuve d'une grande bravoure en s'aventurant seul dans les tunnels de tes ennemis.

– Un vrai héros. Je ne sais même pas comment le remercier.

– Est-ce que tu l'aimes, Sierra ?

– Je ne peux pas nier que je me suis attachée à lui depuis qu'il est arrivé dans notre monde, mais je ne veux pas aller plus loin, parce que je sais qu'un jour, il partira. Je ne veux pas me faire briser le cœur deux fois.

– Il ne faut pas refuser l'amour juste parce qu'on ignore combien de temps il durera.

– Comme tu l'as fait avec mon père...

– Et comme je suis sur le point de recommencer avec un autre homme qui a manifesté un certain intérêt pour moi, lui révéla Maridz pour diriger la conversation dans une direction différente.

– Un Deusalas ?

– C'est exact. Je ne sais pas si ça fonctionnera, mais si je survis à toutes les catastrophes qui nous guettent, je crois bien que je lui accorderai sa chance.

– J'aurai peut-être un petit frère ou une petite sœur avec des ailes ?

– J'ignore si nous irons jusque-là. Avant de rejoindre mes compagnons, il y a quelque chose que j'aimerais t'enseigner.

Sierra n'eut pas le temps de lui demander de quoi il s'agissait. Elle se retrouva assise près des feux, qui n'étaient plus que des braises à cette heure de la nuit.

– Ici ? répliqua-t-elle. Nous risquons d'être surprises par les sentinelles des Chimères.

– Pas dans la bulle d'invisibilité dont je viens de nous entourer. Tes soldats ne nous importuneront pas, car ils ne pourront pas nous voir.

– Que veux-tu me montrer ?

– Je vais réveiller au moins un de tes pouvoirs.

– Parce que j'en ai plusieurs ? s'étonna Sierra.

– Autant que moi, mais malheureusement, tu n'as pas appris à les activer graduellement depuis ton enfance, alors ton entraînement sera plus long.

« Ce sera peut-être la seule chose qu'elle pourra m'apprendre si elle se fait tuer avec les autres sorciers », ne put s'empêcher de penser Sierra.

Maridz alla se placer derrière sa fille. Elle l'entoura de ses bras et appuya ses paumes sur son plexus solaire.

– Voici l'endroit d'où jaillit notre magie. Avant de l'utiliser, tu dois faire l'effort conscient de réchauffer cette partie de ton corps grâce à ta respiration. Avec le temps, cet exercice devient un réflexe.

– Wellan fait-il la même chose ?

– Oui, tout comme ses amis de son monde et même les Deusalas. Cette nuit, je vais te montrer à repousser tes agresseurs avec ton pouvoir de lévitation pour que plus jamais un homme ne puisse te soumettre à sa volonté contre ton gré.

– J'ai bien hâte de voir ça.

Maridz prit les mains de Sierra et les pressa contre son ventre.

– Dans ton imagination, aspire de ton plexus solaire l'énergie dont tu auras besoin pour l'opposer à ton assaillant.

– Comme si j'allais chercher une arme invisible ?

– C'est une excellente image. Utilise-la. Respire profondément jusqu'à ce que tu arrives à sentir de la chaleur sur tes paumes.

– En effet, je sens que ça devient chaud.

Maridz lâcha les mains de sa fille et se redressa. Pendant que celle-ci prenait des inspirations de plus en plus longues, elle parcourut les villes minières abandonnées les plus proches avec son esprit. Elle trouva un gros baril en bois vide et le fit apparaître à deux mètres devant elle.

– Lorsque tes mains seront brûlantes, lance ton arme invisible sur le tonneau de cette façon.

Elle exécuta un mouvement brusque avec ses bras. Le baril fut projeté plus loin. Avec sa magie, la sorcière le ramena à sa place.

– À toi, maintenant.

Au premier essai, Sierra l'ébranla à peine.

– Avec un peu plus de conviction, l'encouragea Maridz.

Après plusieurs tentatives, la grande commandante parvint à le renverser.

– Je n'arrive pas à croire que c'est moi qui viens de faire ça ! s'étonna-t-elle.

La sorcière remit la cible à sa place.

– Si tu veux empêcher le roi des hommes-scorpions de te prendre de force, il faudra que tu y mettes un peu plus d'énergie.

En levant les bras, Sierra poussa un cri de rage et envoya le baril jusqu'à l'orée de la forêt.

– Incroyable... murmura-t-elle.

Wellan fut réveillé par son cri et se demanda si elle était encore victime d'une tentative d'enlèvement. Il sortit rapidement de sa tente et aperçut un gros tonneau qui venait de décoller des feux en direction du sentier qui menait au canal de Nemeroff. Il chargea ses mains par précaution tandis qu'il scrutait les lieux avec ses sens magiques.

Maridz posa les mains sur les épaules de Sierra pour lui recommander de prendre une pause.

– Nous avons de la compagnie, chuchota-t-elle.

La grande commandante se retourna et vit Wellan qui s'approchait, les paumes allumées. Elle bondit aussitôt sur ses pieds.

– Je vais te laisser avec ton héros, poursuivit Maridz. Rassure-le.

Sierra étreignit sa mère une dernière fois.

– Merci, Maridz, et bonne chance. Donnez une bonne raclée à cette pieuvre.

– Nous ferons de notre mieux.

Elle embrassa sa fille sur le front avant de disparaître. Le sort d'invisibilité fut instantanément levé.

Wellan sursauta en voyant Sierra se matérialiser devant lui.

– Mais qu'est-ce qui vient de se passer ? s'étonna-t-il.

– Ma mère vient de m'offrir le plus beau des cadeaux, répondit la femme Chevalier avec un radieux sourire. Plus jamais personne ne pourra s'approcher de moi si je n'en ai pas envie.

– C'est-à-dire ?

Sierra rassembla l'énergie de son ventre dans ses mains et la projeta contre Wellan. Il fut aussitôt catapulté en direction des tentes et atterrit brutalement sur le dos. Effrayée par ce qu'elle venait de faire, elle se précipita sur lui.

– Est-ce que ça va ?

– Tu me projettes violemment dans les airs et tu me demandes comment je me sens ?

– Je suis vraiment désolée, Wellan. Je ne maîtrise pas encore parfaitement ce pouvoir.

Elle l'aida à se lever.

– Tu es donc véritablement une sorcière.

– Juste une demie, à mon avis. Rappelle-toi que mon père était humain.

Sierra le ramena près des feux, où elle le fit asseoir. Il en raviva quelques-uns pour leur procurer de la chaleur.

– Par hasard, ta mère t'aurait-elle aussi enseigné à débarrasser tes innocentes victimes de leurs maux de dos ? plaisanta-t-il.

– Non, mais je sais très bien que tu peux le faire toi-même, monsieur le profiteur.

– Maintenant, tu sais que tu es beaucoup plus forte que tu le croyais, lui dit l'ancien soldat en soignant son dos avec sa propre magie.

– J'ai encore du mal à admettre que je ne suis pas normale.

Wellan sentit quelque chose sur sa gauche et tourna la tête. Sierra suivit son regard. Deux Chevaliers sortirent de la forêt du sud, où il n'y avait pourtant jamais de sentinelles. En fait, l'ancien soldat ne se rappelait pas les avoir déjà vus dans le campement des Chimères. Pour sa part, la grande commandante les avait reconnus. Elle s'empressa d'aller à leur rencontre, leur serra les bras et appuya le front contre le leur.

– Dashaé, Matheijz, vous êtes bien loin de votre territoire.

– C'est Féliks qui nous envoie pour vous prêter main-forte en l'absence d'Ilo, expliqua le jeune homme châtain aux grands yeux bleus.

Ces deux Chimères faisaient partie des soldats les plus fiables et les plus efficaces de l'Ordre. Ilo en avait dispersé plusieurs comme eux dans ses quatre autres campements le long de la frontière entre Antarès et le plateau des Aculéos.

– Pourra-t-il vraiment se passer de vous? s'inquiéta Sierra.

– Il y a bien longtemps que nous n'avons pas été attaqués, répondit Dashaé. Par contre ici, vous subissez beaucoup d'assauts.

Cette femme, qui avait presque l'âge de la commandante, avait beaucoup impressionné cette dernière lorsqu'elle s'était présentée à la sélection des recrues trois ans après que Sierra eut succédé à Audax. Originaire d'Altaïr, Dashaé était arrivée à la forteresse d'Antarès avec une arme comme personne n'en avait jamais vue auparavant. Ce qu'elle appelait un sabre était en fait une longue lame d'une soixantaine de centimètres, légèrement recourbée. Une garde en bois très dur la séparait d'une longue poignée à deux mains recouverte de fils résistants tissés pour former des motifs géométriques. Elle racontait qu'elle l'avait trouvé sur une petite île alors qu'elle était partie seule en canot dans la baie de Markab. Enfermé dans un coffre en bois défraîchi, le sabre était accompagné d'un carnet de notes qui relatait sa fabrication et expliquait la façon de l'utiliser.

Dashaé avait rapporté l'arme chez elle sans en révéler l'existence à ses parents. Sa lame était si tranchante qu'ils la lui auraient certainement confisquée.

En s'exerçant plusieurs heures chaque nuit, la jeune femme avait fini par en percer tous les mystères. Dashaé savait manier l'épée traditionnelle, le poignard et la lance, mais lorsqu'elle faisait glisser son sabre de l'étui en bois qui pendait à sa ceinture, elle semblait sortir tout droit d'une époque que les Alnilamiens avaient oubliée.

– Bienvenue dans votre nouveau campement.

Sierra les ramena près des feux.

– Dashaé, Matheijz, je vous présente Wellan, un Chevalier qui nous arrive d'un autre univers.

– Je me rappelle l'avoir vu avec toi au répit, fit la jeune femme.

– Nous avons beaucoup entendu parler de lui, renchérit Matheijz. C'est un honneur, soldat.

– Puis-je vous offrir le thé ou préféreriez-vous vous reposer ?

– Un peu de chaleur nous ferait du bien. Nous arrivons de loin.

Dès qu'ils furent assis devant les flammes, Wellan fit apparaître des gobelets de thé qu'il venait de trouver dans un des cafés de la forteresse qui ne fermait jamais.

– Il est donc vrai que tu peux faire des prodiges, s'émerveilla Dashaé.

Elle portait ses longs cheveux marron foncé détachés et ses yeux étaient noisette. Son visage était sérieux, même lorsqu'elle exprimait verbalement son admiration.

– Dans son monde, les guerriers possèdent tous des pouvoirs semblables aux siens, l'informa Sierra.

– Ce doit vous permettre de venir à bout de vos ennemis plus vite qu'ici, commenta Matheijz.

– Pas nécessairement, plaisanta Wellan. Chaque univers fait face à des problèmes différents.

Il ne but qu'une gorgée de thé avant d'apercevoir le curieux étui en bois que la guerrière venait de déposer sur le sol devant elle avec une vénération qui ne lui avait pas échappé.

– Qu'est-ce que c'est ? s'enquit-il, curieux.

– C'est mon sabre. Je te montrerai tout à l'heure.

Lorsqu'ils eurent terminé la boisson chaude, Sierra, qui avait déjà vu la jeune femme à l'œuvre, mena plutôt Matheijz en direction des tentes afin de lui procurer un abri pour la nuit.

Dashaé attacha le cordon de cuir à sa taille, salua Wellan et dégaina le sabre avec révérence. Elle fit briller la lame à la lumière des flammes, mais ne lui permit pas d'y toucher.

– Cette arme existe-t-elle dans ton monde ? demanda Dashaé.

– Oui, affirma Wellan. Les Jadois s'en servent depuis des lustres.

Elle rengaina le sabre et revint s'asseoir près de lui.

– Dis-moi tout ce que tu sais à son sujet.

– Dois-je conclure que ton sabre est unique à Alnilam ?

– Personne n'en a jamais vu d'autres, même dans les musées. Je l'ai trouvé dans un endroit reculé, sans doute laissé là par son propriétaire dont il ne restait aucune trace.

Wellan lui raconta donc tout ce qu'il avait appris sur ce peuple de son monde.

L'OFFENSIVE

À la surface de sa vasque, Carenza avait assisté à la progression de l'obscurité sur la planète. Paniquée par le peu de temps qui lui restait à vivre, elle avait tout de suite convoqué les autres sorciers. Ils devaient finir de dresser leur plan d'attaque avant d'être tous anéantis. Aldaric s'agenouilla à côté d'elle et lui offrit une tisane de son cru pour l'apaiser, car depuis son réveil, elle tremblait comme une feuille devant le bassin d'eau.

— Allez, bois-en quelques gorgées, Carenza, exigea son vieil ami. Tu dois te calmer avant l'arrivée des autres.

— Ce que je vois est si terrifiant...

— Je sais, mais tu ne seras pas efficace si tu continues de laisser la peur te dominer. C'est toi qui me le répétais tous les soirs quand les chauves-souris nous enfermaient dans nos cages.

Il plaça doucement le gobelet dans ses mains et les maintint dans les siennes pour qu'elle le porte à ses lèvres. Elle avala la moitié de la potion avant de la repousser.

— Dans quelques minutes, ça ira mieux.

— Jure-moi que ta tisane ne me fera pas dormir, Aldaric.

— Sur mon honneur, elle n'en fera rien.

Le sorcier déposa le gobelet sur le sable et observa le travail de sa compagne. Il sentit un frémissement électrique dans l'air et sut que certains de leurs amis venaient d'arriver. Olsson et Salocin furent les premiers à se joindre à eux. Ils prirent place de l'autre côté de la vasque et remarquèrent aussitôt l'effroi de la clairvoyante.

– Nous reste-t-il si peu de temps ? osa demander Salocin.

– Quelques heures, peut-être quelques jours, murmura Carenza.

– Nous devons faire preuve de courage si nous voulons modifier notre destin, lui dit Olsson.

– Il a raison, l'appuya Salocin.

– Si seulement vous pouviez voir ce que je vois.

– Personnellement, je n'y tiens pas vraiment. Je veux conserver ma témérité afin d'affronter une créature trois fois plus grosse qu'une planète.

Aldaric était tout à fait conscient que le temps leur était compté, mais tout comme ses frères, il refusait de s'avouer vaincu d'avance.

– Ensemble, nous sommes aussi puissants qu'un dieu, déclara-t-il pour les encourager.

Shanzerr se joignit à eux.

– Désolé de mon retard, s'excusa-t-il. Je ne pouvais pas convier mon invité toucan à notre conseil de guerre, alors je suis allé le mettre en sûreté.

– Tu veux nous dire ce qui t'effraie autant, Carenza ? demanda Olsson. Habituellement, tu es capable de garder la tête froide quand tu consultes ta vasque.

– Tramail est sur le point de se nourrir.

Wallasse, qui s'était matérialisé plus près de la tente, hâta le pas. Il promena son regard sur la petite assemblée.

– Où est Maridz ? s'inquiéta-t-il.

– Elle a reçu mon appel comme vous tous, affirma Carenza, rassurée par la présence de ses frères.

– Je devrais peut-être aller la chercher ?

– C'est une grande fille, Wallasse, répliqua Salocin. Fais-lui confiance et assieds-toi.

– Et chasse immédiatement ces sombres pensées, ajouta Shanzerr. Nous avons tous besoin d'avoir les idées claires, cette nuit.

L'air contrarié, Wallasse finit par accepter de s'asseoir avec les autres devant le gros mollusque rempli d'eau.

– Avez-vous soif ? demanda Aldaric. Avez-vous faim ?

– Nous festoierons plus tard pour fêter notre victoire, répondit Salocin. Ce qui importe, pour l'instant, c'est de nous entendre sur la façon de faire suffisamment mal à Tramail pour qu'il aille voir ailleurs.

Maridz arriva la dernière, vêtue d'une longue robe bleue qui frissonnait dans la brise. Wallasse la regarda approcher avec des étoiles dans les yeux.

– Es-tu devenue une déesse ailée ? laissa-t-il tomber.

– Tu sais bien que ça ne pourra jamais arriver, soupira Maridz en s'assoyant près de lui. Je ne suis qu'une sorcière. En fait, j'ai fini par comprendre pourquoi les femmes Deusalas portent ce vêtement si léger. C'est qu'il fait vraiment chaud sur le bord de l'océan.

– Tu es ravissante, peu importe ce que tu te mets sur le dos, la complimenta Salocin.

– C'est gentil, merci.

– Carenza, maintenant que nous sommes tous ici, dis-nous ce que tu as vu, exigea Shanzerr.

La sorcière à la peau sombre ne répondit pas. Elle était en transe.

– J'espère que l'ennemi ne s'est pas emparé d'elle ! s'alarma Aldaric.

– Pas du tout, le rassura Olsson. Elle est en train de scruter les alentours, car elle a perçu quelque chose d'inhabituel.

Troublés, les sorciers s'apprêtaient à faire la même chose lorsqu'un jeune homme sortit de l'obscurité. Ils se détendirent en partie en constatant que ce n'était pas Lizovyk, mais ils ne le connaissaient pas. La tente de Carenza se trouvait dans une région du désert qu'aucun voyageur ne pouvait atteindre ni à dos d'animal, ni à bord d'un véhiculum. Elle était éloignée de tout point d'eau qui aurait pu permettre à un cavalier de survivre avant de l'atteindre et la chaleur insupportable du sable aurait facilement fait griller le moteur de n'importe quel engin. Cet étranger ne pouvait donc être qu'un magicien.

Le nouveau venu n'avait pas une stature imposante. Ses cheveux bruns mi-longs encadraient un visage plutôt doux et ses yeux gris très pâles étaient perçants. Il portait un pantalon marron, une chemise sable et marchait pieds nus.

– Qui es-tu et pourquoi te trouves-tu ici? le somma Carenza en sortant de sa transe.

– Je m'appelle Ackley. Je me cache depuis de nombreuses années dans ce monde et je fais bien attention de ne pas rester trop longtemps au même endroit, répondit-il. Tout comme vous, je ressens la menace qui pèse sur la planète, mais seul, je ne peux pas la combattre. Je veux m'allier à vous.

– D'où viens-tu? demanda Salocin, méfiant.

– Du même endroit que vous. J'ai réussi à fuir le massacre dans le palais d'Achéron sous ma forme de renard en compagnie d'une autre sorcière que vous avez peut-être mieux connue que moi. Elle s'appelait Abélie.

La mention de ce nom sembla ébranler Carenza.

– Pourquoi n'est-elle pas avec toi? demanda Maridz.

– Je crains qu'elle ait péri à Hadar, où nous habitions quand nous avons été attaqués par les hommes-scorpions. En quelques minutes à peine, toute la ville est devenue un énorme brasier. J'ai poussé son fils dans le puits et je me suis précipité dans la maison, mais je n'ai eu que le temps de m'enfermer dans une bulle de protection quand l'étage s'est écroulé sur nous. J'ai cru qu'Abélie avait fait la même chose que moi, mais je n'ai jamais retrouvé son corps.

– Ce n'est pas le moment de parler de tout ça, s'impatienta Wallasse.

– Mais avant que nous allions plus loin, laissez-moi vous assurer que cet homme n'est pas Lizovyk qui aurait emprunté un autre visage, ajouta Olsson.

– Je tiens tout de même à vérifier son identité, intervint Carenza, nerveuse.

– Elle a raison, l'appuya Shanzerr. La dernière chose dont nous avons besoin en ce moment, c'est d'un espion dans nos rangs.

– Viens t'asseoir près de moi, Ackley, lui ordonna la clairvoyante.

Il le fit sans la moindre hésitation. Carenza demanda aussitôt à la vasque de l'identifier. Des images apparurent à la surface de l'eau, lui montrant la captivité d'Ackley dans le palais d'Achéron alors qu'il n'était encore qu'un enfant. Il avait été le voisin de cellule d'Abélie. Elle le vit aussi éviter les lances des hommes-taureaux, se métamorphoser en renard roux et filer vers la porte, suivie de la jeune femme sous sa forme de chat tout noir.

– Il dit vrai, déclara la sorcière.

– Si j'avais senti la moindre trace d'énergie négative en lui, je ne l'aurais pas laissé venir jusqu'à nous, rétorqua Olsson.

– Mais comment as-tu réussi à échapper à la voyance de Carenza pendant toutes ces années ? s'étonna Aldaric.

– Après que j'ai été sorti du vortex de la haute montagne, j'ai vécu chaque seconde de ma vie derrière un écran magique. Je me suis établi au nord d'Alnilam avec Abélie et nous nous sommes très rapidement intégrés à notre nouvelle patrie. Après l'attaque des Aculéos, je suis descendu dans le sud et je me suis réfugié dans une ville minière abandonnée où j'ai trouvé tout ce dont j'avais besoin pour survivre. Je craignais que les hommes-scorpions soient à la solde des dieux et qu'ils me dénoncent à Achéron.

— Ça ne risque plus de se produire, puisque le grand rhinocéros est mort, lui apprit Salocin. C'est son fils Javad qui a pris sa place, mais j'avoue que ce n'est guère mieux pour nous.

— Allons-nous attendre qu'il arrive d'autres sorciers naufragés avant de finaliser notre plan d'attaque ? se hérissa Wallasse.

— J'ignore s'il y en a plus, s'excusa Carenza.

— Dis-nous pourquoi tu nous as convoqués, la pria Shanzerr.

— Il faut attaquer Tramail sans tarder.

Ackley n'avait aucune idée de qui elle parlait, mais il décida d'attendre avant de poser des questions.

— Nous possédons tous la faculté de traverser l'Éther sous la forme d'une énergie qui nous en protège, mais une fois que nous y sommes, nous ne pouvons plus utiliser nos pouvoirs, indiqua Maridz.

— C'est pour cette raison que nous devons le frapper à partir d'ici, intervint Salocin. Et le seul endroit où ce sera possible, c'est au point d'entrée du lac Mélampyre.

— Je vais tenter d'ensorceler temporairement la vasque pour que vous puissiez voir la même chose que moi, décida Carenza.

Ils gardèrent tous le silence pendant que la sorcière effectuait de grands cercles avec ses mains au-dessus de l'eau. Encore une fois, Ackley n'y comprenait rien, mais l'inquiétude de ses frères d'éprouvette l'incita à garder le silence.

— Montre-moi Tramail afin que tous ceux qui possèdent de la magie ici puissent le voir ! commanda Carenza d'une voix forte.

Au grand étonnement des sorciers, des images commencèrent à se former sous leurs yeux à la surface du bassin. La pieuvre orangée se dessina la première, puis la planète devant laquelle elle flottait dans l'espace. Au bout de ses tentacules, ils aperçurent aussi les autres mondes qu'elle menaçait.

– Mais qu'est-ce que c'est que ça ? s'étrangla Ackley.

– Notre ennemi, précisa Shanzerr.

– Et vous avez l'intention de détruire cette chose immense ?

– Nous ne sommes pas fous, Ackley, lui dit Salocin. Nous savons bien que c'est impossible, même pour huit sorciers chevronnés, mais nous pouvons par contre lui infliger suffisamment de douleur pour l'écarter de notre planète.

– Il détruira celles autour desquelles il est en train d'enrouler ses tentacules, nota Olsson.

– Sur lesquelles nous n'habitons pas, précisa Salocin.

– Il semble avoir plongé l'un d'eux dans la planète la plus rapprochée de lui, remarqua Ackley.

– Ouais, la nôtre, l'informa Salocin.

– Nous pouvons certainement faire éclater ce tentacule en bombardant le portail du lac, suggéra Wallasse.

– C'est justement ce que j'étais en train de me dire, avoua Shanzerr, songeur.

– Il faudrait que ça lui fasse vraiment mal, ajouta Salocin.

– Mais même si la pieuvre reculait parce qu'elle souffre, intervint Ackley, ne craignez-vous pas que cet affront la pousse à revenir à la charge ?

– C'est à prévoir, les avertit Carenza. C'est pour cette raison que j'ai poussé mon exploration pour retrouver le dieu fondateur.

Elle passa la main au-dessus du bassin. L'image de Tramail fut aussitôt remplacée par celle d'un vieillard aux longs cheveux blancs qui se tenait debout sur un gros rocher recouvert de glace.

– Qui est-ce ? s'enquit Maridz.

– La vasque ne peut pas me fournir son nom, mais je l'ai déjà vu auparavant. Elle peut juste me montrer qu'il est là et qu'il surveille lui aussi les progrès de la pieuvre. Néanmoins, je pense que c'est un des dieux fondateurs. Sans doute attend-il tous les autres dont Rewain nous a révélé les noms.

Carenza fit reculer la scène et ils purent tous voir la pieuvre à une certaine distance devant la comète immobile.

– Est-ce une bonne ou une mauvaise nouvelle ? osa demander Ackley, perturbé.

– Si nous coordonnons notre attaque avec celle de ces puissantes divinités, je pense que nous pourrions anéantir Tramail, affirma la clairvoyante.

– Mais avons-nous un moyen de communiquer avec elles ? s'agita Wallasse. La pieuvre possède sûrement la faculté d'intercepter les messages télépathiques.

– Tu as sans doute raison, mon frère, mais il y a d'autres façons de parler avec les dieux. Je m'y mettrai tout à l'heure. Pour l'instant, préparons notre plan d'attaque, car nous avons très peu de temps pour l'exécuter.

Tous avaient hâte de voir comment Carenza s'y prendrait, mais elle avait raison : il fallait d'abord songer aux choses concrètes. Elle fit alors apparaître sur sa vasque une vue en plongée du lac Mélampyre. Il était facile de localiser l'endroit où se situait le portail, car il y avait un gros point vert luminescent dans sa partie ouest.

– Comment nous en approcher sans attirer l'attention de Lizovyk ? demanda Aldaric. Non seulement un affrontement retarderait nos plans, mais il risquerait aussi de mettre la puce à l'oreille de Tramail qui vit en lui.

– C'est certain, soupira Shanzerr.

– Je peux facilement nous transporter sur la rive du lac devant l'île où se trouve le portail, car j'y suis allé d'innombrables fois, les informa Salocin.

– C'est sur ton propre territoire, ça ? le piqua Wallasse.

– Et ensuite ? le pressa Maridz, pour éviter une querelle entre ses frères.

– Il faudra trouver une façon de nous rendre sur l'île, devina Olsson. Et si jamais Lizovyk essayait de nous mettre des bâtons dans les roues, c'est moi qui me chargerai de lui pendant que vous poursuivrez la mission.

– Nous te le laissons volontiers, accepta Aldaric.

– Lorsque nous y serons enfin, nous pourrons nous positionner autour du portail et le bombarder avec toute notre puissance, proposa Shanzerr.

– Si nous restons plantés là en attendant un geste des dieux fondateurs, il y a fort à parier que Tramail finira par sentir notre présence et qu'il tentera de nous chasser, les avertit Maridz.

– Je dois donc trouver avec eux une façon d'échanger rapidement des signaux qui ne peuvent pas être captés par la pieuvre, conclut Carenza.

– Un petit instant, lâcha Ackley. Tout ça, c'est très beau en théorie, mais qu'en sera-t-il en pratique ?

– Nous l'ignorons, mais nous n'avons plus le choix, lui dit Shanzerr.

– Vous pourriez aussi tomber dans un piège.

– Je pense qu'à huit, nous pourrons nous défendre, lui fit remarquer Salocin.

– Nous devons faire quelque chose et c'est tout ce qui nous vient à l'idée, ajouta Shanzerr, même si ça équivaut à un suicide collectif.

– Hé ! s'exclama Salocin. Un peu de confiance !

– Au lieu de vous décourager les uns les autres, préparez-vous à partir, leur recommanda Carenza. De mon côté, je vais lancer mon appel aux dieux fondateurs.

– Bien compris, accepta Maridz.

Ils s'éloignèrent pour laisser la clairvoyante faire son travail en paix. Ils se regroupèrent près de la tente et Shanzerr demanda à Ackley s'il voulait participer à l'attaque ou s'il préférait rester à Mirach.

– Pas question de me défiler, répondit le sorcier. J'en suis.

– Salocin, au lieu de nous transporter directement sur la rive nord du lac où celui qui garde l'île pourrait nous apercevoir, je propose que tu nous emmènes un peu plus en retrait, dans la forêt, fit Olsson.

– Ce serait en effet plus prudent, l'appuya Shanzerr.

– Et ça nous donnera le temps d'évaluer la situation sur le terrain, ajouta Maridz. La pieuvre a peut-être demandé à Lizovyk d'installer des pièges magiques à proximité du portail.

– S'il y en a, nous trouverons une façon de les désamorcer rapidement, affirma Wallasse.

– Avoir su qu'il y avait dans ce monde des sorciers aussi confiants que vous, je me serais manifesté bien avant, laissa tomber Ackley.

– Partons, les pressa Salocin.

Il utilisa son vortex pour les déposer tous les sept dans la forêt, à un demi-kilomètre du grand lac.

AUCUN REPOS

Pour perfectionner son nouveau pouvoir de lévitation, Sierra s'isola des Chimères et s'exerça à projeter au loin tout ce qu'elle trouvait sur sa route. Wellan comprenait qu'elle avait besoin d'être seule non seulement pour intégrer cette magie, mais aussi pour reprendre confiance en elle. Il était donc resté au campement pour aider Méniox à préparer le repas du midi. Dès que les écuelles de poulet farci au fromage et de salade d'épinards furent prêtes, les soldats entourèrent Dashaé et Matheijz, dont ils venaient de découvrir la présence parmi eux, pour obtenir des nouvelles de leur groupe posté plus à l'ouest.

Wellan mangea en écoutant les petites histoires qu'ils échangeaient. Il se rendit compte que même si les mois qu'il avait passés en compagnie d'Onyx à explorer le nouveau monde de l'autre côté des volcans avaient été très enrichissants, la vie de soldat lui avait beaucoup manqué. Il aimait cette franche camaraderie et cette forte complicité qu'on ne retrouvait nulle part ailleurs.

En revenant de sa longue balade en forêt, Sierra passa par la clairière où quelques Chimères s'entraînaient encore un peu avant d'aller manger. Elle aperçut Camryn qui affrontait Cyréna à l'épée avec beaucoup de conviction. Tout près, Skaïe et Kharla apprenaient à se battre en duel avec des poignards en bois sous la supervision de Cercika et d'Antalya. Sierra remarqua que le savant avait l'esprit ailleurs. Deux fois sur trois, la princesse arrivait à lui porter un coup qui aurait été mortel avec une véritable lame.

La grande commandante poursuivit sa route jusqu'au campement. Elle accepta une écuelle des mains de Méniox et alla s'asseoir près de Wellan.

– Je me sens mille fois plus forte qu'avant, lui dit-elle.

– Fais attention de ne pas surestimer ta puissance, Sierra. Il ne faut jamais abaisser sa garde, même quand on possède des pouvoirs magiques.

– Sage conseil.

Elle avala quelques bouchées du succulent repas.

– As-tu remarqué le manque de concentration de Skaïe au combat ? lui demanda-t-elle à brûle-pourpoint.

– À plusieurs reprises. Je pense que son cerveau n'en peut plus de ne pas pouvoir transposer sur papier tout ce qu'il n'arrête jamais d'imaginer.

– Il n'est pas question de le retourner aux laboratoires avant que nous soyons certains qu'il y sera en sûreté.

– Je suis d'accord, mais rien ne m'empêcherait d'aller chercher sa table à dessin, par contre. Slava pourrait lui faire installer une deuxième tente pour la protéger des intempéries.

– Ce n'est pas une mauvaise idée. On pourrait lui demander de créer une façon de nous débarrasser des Aculéos à tout jamais.

– À mon avis, ce n'est pas lui qui décide ce qu'il fera, mais plutôt son cerveau qui lui suggère des inventions de façon aléatoire.

– Procure-lui ce qu'il lui faut. Nous verrons bien. Et...

– Je ne m'attarderai pas, lui promit Wellan, qui savait déjà ce qu'elle allait lui recommander.

Dès qu'il eut terminé son écuelle, l'ancien soldat alla la porter dans la grande cuve, dont il réchauffa discrètement l'eau pour faciliter le nettoyage, puis se dirigea vers la forêt.

N'ayant rencontré personne, il forma son vortex et se transporta dans la salle de travail de Skaïe, aux laboratoires de la forteresse d'Antarès. Il y régnait un tel fouillis qu'il ne sut pas ce qu'il devait rapporter. Heureusement, Odranoel l'y surprit.

– Où est Skaïe ? demanda le savant.

– Toujours en lieu sûr, puisque nous n'avons pas encore capturé l'assassin de la famille royale qui connaît aussi son visage.

– Alors, que fais-tu ici, exactement ?

– Étant donné que son cerveau n'arrive pas à se reposer, j'ai pensé qu'il aimerait avoir tout ce qu'il lui faut pour dessiner et ainsi retrouver un peu de paix d'esprit.

– Sa table est plutôt massive, Wellan.

– J'ai déjà déplacé de très grosses antennes, rappelle-toi. La taille et le poids ne représentent aucun problème. Je ne sais juste pas quoi choisir.

– Elle est tout au fond.

Odranoel le conduisit devant une grande table inclinée où des pinces géantes retenaient un immense bloc-notes.

– Il aura aussi besoin de ses crayons et de ses règles.

Le savant réunit tout le matériel dans une pochette en caoutchouc et la tendit à Wellan.

– S'il pense que je peux lui être utile, il peut me faire parvenir ses meilleures idées pour que je les analyse attentivement.

– Je me ferai un devoir de le lui dire.

– Merci pour tout ce que tu fais pour lui, Wellan.

– C'est mon devoir, Odranoel.

Il salua le savant, serra la pochette dans une main, l'appuya sur la table de travail, puis mit l'autre main sur le petit banc avant de disparaître. Pour ne pas avoir à transporter le lourd meuble sur le sentier, Wellan réapparut à côté de la tente de Skaïe. Tout le monde était reparti s'entraîner. Il s'assura que le ciel était encore dégagé et qu'aucune pluie soudaine n'abîmerait le matériel, puis partit à la recherche de Slava. Il le trouva finalement sur le terrain de tir à l'arc. Il y régnait un silence d'enterrement. Apparemment, les Chimères ne s'étaient pas encore remises du départ de leur commandant, qui était leur meilleur archer.

Slava remarqua la présence de l'ancien soldat avant que celui-ci ait eu la chance de s'approcher de lui. Il quitta l'entraînement et l'emmena à l'écart.

– D'autres ennuis ?

– Non, une requête, cette fois, le rassura Wellan. J'aimerais dresser une autre tente près de celle de Skaïe pour pouvoir y installer du matériel qui lui permettrait de continuer à travailler sur le front.

– Viens, je vais te montrer où nous les conservons.

Les deux hommes se rendirent au conteneur au sud du campement. La partie réfrigérée alimentée par l'énergie solaire contenait les aliments, mais dans l'autre, plus petite, était empilé de l'équipement divers. Slava en dégagea un gros sac en plastique et le déposa sur les bras de Wellan.

– Je vais t'aider à la monter, puisque tu n'as jamais fait ça.

– Merci.

– Mais avant, jure-moi que Skaïe ne va pas faire des expériences ici.

– Il ne s'agit pas d'équipement de laboratoire, mais uniquement de tout ce qu'il lui faut pour dessiner. Il devra attendre son retour à la forteresse pour tester ses théories.

– Ça me rassure.

Slava examina la table à dessin.

– Elle y sera à l'étroit, mais je pense que ça ira, commenta-t-il.

Ils la déplacèrent ainsi que le banc capitonné afin d'avoir plus de liberté de mouvement pour monter la tente, puis, lorsqu'elle fut bien solide, ils y installèrent tout le matériel.

– Il lui manquera seulement de la lumière.

– Je m'en charge, affirma Wellan.

– Au moins, ça l'occupera.

Slava retourna au champ d'entraînement, car en tant que commandant intérimaire des Chimères, il se devait d'être toujours présent parmi ses soldats. Wellan examina l'installation une dernière fois, puis alla chercher ses sacoches de selle et les apporta près des feux. Il commença par se verser du thé. Il était blanc, ce jour-là. Depuis son arrivée dans le monde parallèle, il avait découvert tellement de nouvelles saveurs.

En sirotant la boisson chaude, Wellan utilisa ses pouvoirs d'écholocalisation pour s'informer de Sierra. Il la trouva parmi les Chimères qui pratiquaient l'escrime. Sans doute le faisait-elle surtout pour se défouler, car elle était déjà une championne de l'épée. Wellan scruta ensuite tout le campement, puis la falaise. Comme il ne percevait aucun danger, il sortit son journal de ses sacoches, y écrivit ses dernières aventures, puis continua d'apprendre l'écriture d'Alnilam dans ses cahiers d'exercices. Il ne vit pas le temps passer.

À la fin de la journée, les Chimères commencèrent à rentrer au campement après s'être rafraîchies à la source. Méniox se mit à faire cuire les pâtes et à préparer la sauce à base d'huile d'olive, de basilic, d'ail et de fromage. Les arômes qui s'élevèrent des chaudrons donnèrent l'eau à la bouche à tous ceux qui s'approchaient des feux.

Wellan décida d'attendre la fin du repas avant d'annoncer à Skaïe qu'il avait une surprise pour lui, sinon il n'aurait plus rien avalé. Camryn vint alors s'asseoir près de lui. Ce n'était plus la petite servante curieuse qui avait réussi à se rendre jusqu'à sa cellule de la forteresse pour le soumettre à un interrogatoire de son cru. Elle avait beaucoup mûri depuis son arrivée chez les Chimères et, malgré son âge, elle se comportait déjà comme un soldat.

– Je t'ai longuement observée pendant ton combat contre Cyréna, lui dit Wellan. Je dois avouer que tu te débrouilles fort bien.

– Mon bras devient de plus en plus fort. Bientôt, je pourrai triompher de n'importe qui.

– Même de moi ? la taquina-t-il.

– Très certainement. Pour ce qui est du combat à mains nues, il faudra que j'attende d'avoir pris du poids. En ce moment, je n'arrive pas à immobiliser mes adversaires au sol.

– Profites-en pour apprendre tout ce que tu peux, Camryn, car il te faudra éventuellement rentrer au palais avec Kharla et Skaïe.

– Jamais. Ma place est sur le front.

– N'as-tu pas envie de revoir ta famille et tes amis ?

– C'est pour eux que je veux me battre. Mes parents savent déjà que j'ai l'âme d'une guerrière et la seule amie dont je m'ennuie, c'est Kharllann.

– Est-elle aussi téméraire que toi ?

– Non, pas vraiment... Elle aime les trucs de filles. Moi, mon but dans la vie, c'est de succéder un jour à Sierra.

– Tu as beaucoup d'ambition.

– Tout comme mon idole.

– Alors, je te le souhaite de tout cœur.

Wellan vit que Skaïe venait de terminer ses pâtes et qu'il buvait de l'eau à même sa gourde. Il déposa son écuelle, s'excusa auprès de Camryn et rejoignit le savant.

– Bien mangé ?

– Si je ne faisais pas régulièrement de l'exercice, je pense que je deviendrais aussi gros que le prêtre Antos, répondit-il en riant.

– J'ai quelque chose à te montrer.

– Quelque chose qui occupera mon esprit hyperactif ?

– Je peux te le garantir.

234

Intrigué, le savant suivit Wellan jusqu'à la nouvelle tente à côté de la sienne.

– Ce n'était pas là, ce matin, s'inquiéta-t-il.

– C'est exact. Slava et moi l'avons dressée durant la journée. Va voir à l'intérieur.

Skaïe souleva l'un des deux pans de la porte. Son visage s'illumina aussitôt.

– Mais qu'est-ce que ma table fait là ? s'exclama-t-il.

– Je suis allé la chercher aux laboratoires pour que tu ne perdes aucune de tes brillantes idées.

– Mais c'est merveilleux ! Merci, Wellan.

– Tout le plaisir est pour moi.

L'ancien soldat fit apparaître un fanal, qu'il suspendit au-dessus de la tête du savant, et y fit briller une lumière magique intarissable.

– Je vous laisse refaire connaissance.

Wellan retourna aux feux, où les jeux d'esprit avaient commencé. Même les nouveaux venus, Dashaé et Matheijz, y participaient avec enthousiasme. Pour ne pas s'y retrouver mêlé, l'ancien soldat poursuivit sa route jusqu'au canal. Encore une fois, il sonda la falaise, puis surveilla la surface de l'eau un long moment sans y apercevoir de sillons suspects. Il prit donc place dans l'une des chaises de bois qui étaient toujours là et laissa errer ses pensées.

La présence d'un sabre jadois dans le monde parallèle continuait de le hanter. Maintenant qu'il savait que Ravenne s'était mystérieusement retrouvé sur Alnilam en rentrant tout bonnement de la guerre dans son monde à lui, était-il possible que la même chose soit arrivée à un maître d'armes jadois ? Si oui, où se trouvait ce guerrier et pourquoi avait-il abandonné son sabre sur une île dans la baie de Markab ? S'il n'y avait pas eu toutes ces menaces de fin du monde, Wellan aurait aimé s'y rendre pour mener sa propre enquête. Dashaé avait précisé qu'il n'y avait personne sur l'île. Elle s'en était assurée avant de rapporter le sabre avec elle... Elle n'avait pas parlé d'ossements non plus.

Comme si elle avait senti qu'il pensait à elle, la Chimère sortit de la forêt et vint s'asseoir près de lui. Elle déposa son étui en ébène sur l'un des bras de sa chaise, prête à s'en servir.

– Son propriétaire pourrait-il avoir péri non loin de l'endroit où tu l'as trouvé ? ne put s'empêcher de demander Wellan.

– J'ai ratissé l'île, car j'aurais aimé rencontrer celui ou celle qui maniait cette arme. Je n'ai rien trouvé, même pas une sépulture.

– En quelle langue était écrit le manuscrit qui l'accompagnait ?

– Dans celle d'Alnilam, bien sûr.

« Et non celle de mon monde », comprit Wellan.

– J'ai arrêté de me casser la tête avec cette énigme, ajouta Dashaé. Je me contente d'utiliser le sabre de la bonne façon pour faire honneur à celui qui l'a fabriqué.

– Puis-je l'examiner sans y toucher ? Tu n'as même pas besoin de le sortir de sa gaine.

– Pourquoi pas ?

Wellan alluma sa paume, faisant sursauter la Chimère.

– C'est sans danger, la rassura-t-il.

Il passa lentement la main au-dessus de l'arme en recueillant autant d'informations qu'il le put à son sujet.

– Elle est très vieille, murmura-t-il.

– Tu peux dire ça juste avec ta main ?

– Ma magie, en fait.

– À part son âge, que vois-tu d'autre ?

– Son maître était vraiment jadois.

– Peux-tu me dire à quoi il ressemblait ?

– Les Jadois ont des traits différents. Leur peau est claire avec une nuance qui va du jaune jusqu'au cuivré. Leurs cheveux sont noirs et raides et leurs yeux foncés sont en forme d'amande.

– Je ne connais personne qui correspond à cette description, mais il y a des continents que nous n'avons pas encore explorés. Peut-être que des gens comme ça y habitent et que c'est là que le propriétaire du sabre s'en est allé.

– Pourquoi l'aurait-il abandonné sur l'île ?

– Sans doute était-il trop vieux pour l'utiliser.

– Ou peut-être suscitait-il trop d'effroi parmi ceux qui n'en avaient jamais vu.

– Tu ne peux pas le découvrir avec ta magie ?

– Elle a malheureusement des limites. Montre-moi comment tu t'en sers.

Sans se faire prier, Dashaé exécuta avec beaucoup de grâce les mouvements qu'elle avait appris dans le livre d'instructions du maître d'armes. Cette démonstration rappela à Wellan une autre jeune femme qu'il avait connue dans sa première vie : Shenyann, la princesse de Jade, qui avait combattu les Tanieths avec l'armée de son père. Après le dernier enchaînement, Dashaé rengaina son sabre.

– Tu es très douée, la félicita-t-il.

– Merci. Il se fait tard. Bonne nuit, Wellan.

Elle fila vers la forêt sans faire de bruit. L'obscurité enveloppait de plus en plus la région. L'ancien soldat décida donc d'imiter la Chimère. Il revint au campement. Il remarqua alors la silhouette de Skaïe à travers la toile de sa nouvelle tente. Il était encore au travail. Wellan se rendit à la sienne sans le déranger.

Au matin, lorsqu'elle finit par se lever, Kharla trouva Skaïe toujours assis sur le banc devant la table inclinée. Il était en train de noircir une grande feuille de formules compliquées autour d'un dessin de sa fameuse épée au plasma.

– Tu arrives à travailler aussi loin de ton laboratoire ? s'étonna-t-elle.

– Il le faut bien. Mon cerveau n'en pouvait plus.

– Tu es encore obsédé par cette arme.

– Je tiens à préciser que je ne crée ces instruments de mort que pour sauver la race humaine. Je préférerais de loin fabriquer un vortex ou une machine à enregistrer visuellement les rêves. Imagine tout ce que nous pourrions faire avec de telles inventions !

– Personnellement, je suis d'avis que nos rêves ne regardent personne.

– Ce ne serait pas pour les faire jouer dans des salles de kinématographie, mais uniquement dans un but de recherche psychologique. Le vortex, lui, ce serait pour permettre aux gens de se déplacer rapidement ailleurs en cas de danger. On pourrait aussi l'utiliser dans l'industrie du tourisme.

– N'y a-t-il vraiment aucun bouton ARRÊT dans ta tête ?

– Sans doute, mais je ne l'ai pas encore trouvé.

Kharla fit glisser ses ongles dans les cheveux bouclés du savant. Elle lui caressa la nuque et les oreilles sans arriver à le décrocher de son travail.

– Si nous avons des héritiers un jour, ce sera un véritable coup de chance, soupira-t-elle.

Skaïe continua d'écrire des formules comme s'il n'avait rien entendu.

– On se revoit plus tard, mon chéri. Je vais aller me trouver un nouvel amant.

Il ne réagit même pas. Kharla sortit de la tente en soupirant.

– Je vais lui demander d'inventer une machine qui oblige les hommes à s'occuper de leur maîtresse, grommela-t-elle.

Elle se dirigea vers les feux pour profiter du premier repas du matin.

UN PALAIS VIDE

À des milliers de lieues au-dessus d'Alnilam, Javad tournait en rond dans le palais où il avait grandi et dont il était désormais le seul maître. Le silence y régnait. L'immense immeuble sphérique n'était plus secoué par les pas lourds de son père rhinocéros et de sa mère hippopotame. Même l'insupportable toucan ne lui cassait plus les oreilles. En fait, plus personne ne circulait dans ses couloirs en spirale. La peur au ventre, la plupart des serviteurs avaient déserté le palais après la mort d'Achéron. On disait même que plusieurs s'étaient enlevé la vie dans leur maison de la cité céleste, car ils refusaient de servir le nouveau dieu suprême.

Javad s'en moquait, tant qu'on lui apportait à boire et à manger. Il était d'abord resté sur son propre étage à engouffrer de jeunes pousses et à les noyer dans la bière en attendant le retour de Lizovyk. Ce jeune blanc-bec lui avait promis d'attirer les Deusalas en terrain découvert où les soldats-taureaux pourraient facilement les achever, mais il tardait à revenir avec la bonne nouvelle. « Si les sorciers possédaient autant de puissance, il y a longtemps qu'ils nous auraient attaqués ici même », se dit-il. « Ce fils de mage s'est joué de moi... » La seule façon de se débarrasser de ces casse-pieds ailés, c'était de les exterminer comme Kimaati avait jadis tenté de le faire : dans leurs nids. « Mais moi, je n'échouerai pas. »

Pour passer le temps, Javad se mit à penser à toutes les femmes dont il avait réchauffé le lit dans le monde des humains. Pour éviter qu'elles réclament son retour, il les avait tuées. Malgré toutes ses précautions, l'une d'entre elles avait survécu et lui avait même donné un fils. « Je les trouverai, sa mère et lui, et ils mourront comme tous les autres », grommela-t-il intérieurement.

Javad aurait bien aimé tromper sa solitude auprès d'une belle reine qui ne s'opposerait jamais à ses décisions et qui ne lui donnerait aucun héritier. Il tenta d'imaginer la vie de ses parents avant la naissance de leurs enfants et se demanda pourquoi ils ne s'en étaient pas débarrassés dès qu'ils avaient commencé à leur causer des soucis. « Sans doute à cause du grand cœur de Viatla », conclut-il.

Exaspéré par l'absence de vie autour de lui, Javad décida de se rendre dans la cité céleste. Il n'avait plus besoin d'emprunter les passages secrets pour y aller. Il avait désormais tous les droits, dont celui d'utiliser le long couloir qui menait du palais à la ville chérie de sa défunte mère. Habituellement, il y avait une incessante circulation sur cette route, mais il n'y trouva que les gardes-taureaux postés à l'entrée et à la sortie.

— Mais où est tout le monde ? s'écria-t-il en arrivant dans la cité.

— Quelques serviteurs sont passés par ici ce matin, Votre Majesté, puis ils sont revenus quelques heures plus tard. Sans doute leurs tâches étaient-elles terminées.

— Ils sont retournés se cacher dans leur maison, tu veux dire ?

— Je n'en sais rien, puisque je ne peux pas quitter mon poste.

Javad poussa un grognement d'impatience et s'avança sur l'allée. C'est alors qu'il remarqua que la tête d'Achéron ne se trouvait plus sur la pique où il l'avait plantée.

— Qui a fait ça ? hurla-t-il.

Il n'y avait personne aux alentours pour assister à sa crise de rage. L'avenue était déserte. Javad se retourna donc vers les gardes postés à l'entrée du tunnel.

– Elle n'était plus là quand nous sommes arrivés ce matin, expliqua l'un d'eux. Sans doute l'a-t-on prise pendant la nuit.

– Pour en faire quoi ?

Les bovins demeurèrent silencieux, car ils ne voulaient pas avancer une théorie qui pourrait être réfutée par la suite, ce qui risquait de mener à leur propre décapitation.

– Je promets une forte récompense à celui qui dénoncera le coupable ! proclama Javad. Faites-le savoir à tout le monde !

Rouge de colère, le dieu-rhinocéros poursuivit sa route. Les rares serviteurs qu'il aperçut au loin tournèrent les talons et s'enfoncèrent dans les ruelles entre les maisons. « Même s'ils m'évitent, je n'en demeure pas moins leur dieu », maugréa Javad pour lui-même. Il marcha jusqu'aux grandes plaines où s'entraînaient ses soldats. Ils ne lui accordèrent qu'un regard au passage et poursuivirent leurs duels. Javad se rendit directement à la grande tente du général Arniann pour lui demander s'il savait où était la tête de son père. Il trouva le soldat debout devant une table en train d'étudier une carte d'Alnilam.

– Tes guerriers sont-ils allés chercher les restes d'Achéron pour s'en servir comme cible dans le lancer du javelot ? lui reprocha Javad.

– Ils n'auraient jamais fait ça, Votre Altesse. Ils ont beaucoup trop de respect pour les dieux.

– Même pour ceux qui sont morts ?

– J'ai cependant eu vent d'une rumeur qui circule dans la cité depuis peu. Apparemment, ce seraient des serviteurs fidèles à Viatla qui auraient pris la tête pour lui fournir une sépulture décente en l'honneur de la déesse.

– Sacrilège ! Je t'ordonne de trouver ces hommes et de les conduire sur la place publique, où je les étriperai de mes mains nues pour faire comprendre à tous les autres que c'est moi désormais qui dirige la cité !

– Vous êtes mon seigneur et mon dieu, Javad, mais je serais un bien piètre serviteur si je ne vous mettais pas en garde contre une telle cruauté. Si vous voulez gagner le respect et la loyauté de vos sujets, vous devez les traiter avec plus de bonté.

– Je ne suis pas comme ma mère !

– Le peuple l'a déjà compris, Votre Majesté. Oubliez cette histoire et pensez plutôt à ce que vous pourriez faire pour rassurer les habitants de la cité qui traversent une transition difficile. Ils aimaient profondément Viatla et elle leur manque terriblement. Ils viennent de perdre ceux qui les gouvernaient depuis des milliers d'années. Ils sont désorientés et effrayés.

– Tu ne parles pas comme un soldat.

– Pardonnez-moi si je vis près du peuple et que j'ai des oreilles pour entendre.

Javad se mit à faire les cent pas devant son général, qui craignit pendant un instant qu'il se transforme en rhinocéros et qu'il casse tout.

– Que dois-je faire, selon toi ? s'impatienta-t-il en s'arrêtant devant la table.

– Je ne suis pas un conseiller divin. Je ne peux pas répondre à cette question.

– C'est le toucan qui connaissait le protocole, mais il m'a abandonné lui aussi.

– Je suis certain qu'un autre serviteur aussi savant que lui pourrait prendre sa place. En attendant de trouver un remplaçant, puis-je vous suggérer de dépenser votre énergie avec nous ?

– C'est la première chose sensée que j'entends aujourd'hui !

– Suivez-moi. Je vous promets que vous ne le regretterez pas.

Les poings serrés, Javad accompagna Arniann jusqu'à un groupe de soldats-taureaux qui pratiquaient l'escrime afin de devenir aussi agiles que les humains. Sous sa forme humaine, Javad n'était pas aussi bâti qu'eux, mais les muscles de ses bras étaient solides. Le général choisit lui-même une arme pour son dieu et la lui présenta. Il laissa cependant son meilleur épéiste lui enseigner les rudiments de cet art martial. Une fois que Javad fut capable d'exécuter correctement les coups de base, il se mesura aux taureaux. Ceux-ci avaient déjà compris, d'un seul regard de la part de leur commandant, qu'ils ne devaient en aucune façon blesser le dieu. Javad les affronta tous en duel, puis s'arrêta en se pliant en deux, couvert de sueur. Sans réfléchir, un des bovins lui renversa un seau d'eau froide sur le corps, comme il l'aurait fait à n'importe lequel de ses compagnons. Arniann se crispa, mais Javad n'eut pas la réaction qu'il craignait. Il éclata de rire.

– J'adore cette vie ! s'exclama-t-il, décidément moins tendu qu'à son arrivée. Montrez-moi autre chose !

Puisqu'il n'était pas particulièrement doué pour l'escrime, même si les guerriers avaient fait bien attention de lui donner l'impression qu'il était plus puissant qu'eux, Arniann proposa le javelot. Javad accepta aussitôt. Ils se rendirent donc à l'autre bout de la plaine, où d'autres soldats projetaient de solides lances dans d'énormes cibles en paille placées loin devant eux.

– Ça ne semble pas trop difficile.

– Laissez Vanth vous montrer d'abord comment tenir convenablement cette arme et vous faire une démonstration de la façon de la lancer.

– Allons-y !

Javad suivit à la lettre les conseils du champion et étudia les mouvements de ses bras, de ses épaules et de ses jambes avant de tenter de l'imiter. Les premiers jets n'atteignirent pas la cible, mais il ne se découragea pas pour autant. En poussant des cris de guerre, il continua de projeter les javelots qu'on lui remettait jusqu'à ce que le trentième s'enfonce finalement dans la paille.

– J'y suis enfin arrivé !

– Avec de la pratique, vous pourriez exceller à ce sport, Votre Majesté, lui fit remarquer Vanth.

– Alors, je reviendrai tous les jours ! Je préfère la lance à l'épée !

Cette déclaration soulagea grandement Arniann, qui ne voyait pas comment il aurait pu faire un habile escrimeur de son dieu.

– Je ne suis pas encore au bout de mes forces, ajouta Javad, rayonnant. Dites-moi ce que je pourrais faire de plus.

– Il ne reste que le pancrace.

– Ça me semble intéressant.

Arniann conduisit le dieu-rhinocéros ailleurs. La longue marche lui donna l'occasion de se rafraîchir. Ils s'arrêtèrent devant un immense terrain recouvert de terre battue où, deux par deux, des hommes en caleçons serrés s'affrontaient dans de terribles corps à corps. Le général laissa Javad observer quelques combats pour qu'il comprenne bien en quoi ils consistaient.

– Il s'agit d'un sport brutal dont le but est la mise hors de combat de l'adversaire, expliqua Arniann. Tous les coups sont permis sauf de mettre les doigts dans les yeux de l'autre ou de le mordre. Les échanges peuvent se faire autant debout qu'au sol.

– Quels coups peut-on utiliser ? demanda le dieu-rhinocéros, intéressé.

– Les frappes, les prises, les projections, la soumission, tout en fait. Les pugilistes peuvent utiliser toutes les techniques de pieds, de poings, de genoux et de coudes qu'ils connaissent. La frappe au visage est déconseillée. On ne peut pas non plus frapper l'adversaire une fois qu'il est au sol et il est défendu de tenter de l'étrangler.

– Merci de me le préciser.

– Il y a plusieurs formes de pancraces, mais les débutants s'en tiennent au combat un contre un sans arme. Les plus expérimentés peuvent se mesurer à mains nues à trois opposants armés respectivement d'une lance, d'une épée et d'une dague. Je ne vous permettrai pas d'essayer cela aujourd'hui.

Arniann fit signe à l'entraîneur d'approcher et lui expliqua que leur nouveau dieu avait exprimé le vœu d'être initié à cet art martial.

– Je suis justement en train de préparer mes débutants à leurs premiers combats, répondit Vikare d'une voix grave. Il peut se joindre à nous.

Javad apprit donc à exécuter divers coups avec toutes les parties de son corps, puis la façon d'immobiliser un homme au sol sans causer sa mort. Il combattit d'abord contre un jeune soldat pas tellement plus expérimenté que lui, puis remonta graduellement jusqu'aux plus forts de la classe. Il ne gagna pas tous ses duels, mais cet exercice lui faisait tellement de bien qu'il se promit d'y revenir quotidiennement jusqu'à se rendre à l'affrontement contre les trois adversaires armés.

À la fin de l'entraînement, Javad alla aux douches avec les guerriers, ce que son père Achéron n'avait jamais fait en mille ans. Maintenant habitués à sa présence, les soldats-taureaux se lavèrent en se racontant des histoires grivoises. Javad les surprit en riant de leurs farces de bon cœur. Arniann lui apporta un pantalon propre, puisque la sueur avait imprégné ses vêtements. Lorsque le dieu décida de suivre les hommes à la taverne, il n'eut pas le temps de l'arrêter.

Javad prit place avec les guerriers autour d'une table en bois dans un établissement en bordure de l'avenue principale de la cité, où on leur servit rapidement des chopes de bière bien froide. Il se saoula et s'amusa des pitreries de ses compagnons jusqu'au petit matin et ne se rendit même pas compte que les soldats partaient les uns après les autres pour rentrer à leur campement. Il se retrouva finalement seul devant Arniann.

– Maintenant que vous êtes le maître du ciel, vous devriez vraiment vous trouver une reine.

– Pour me faire mener par le bout du nez comme mon père ? se rebiffa Javad. Jamais !

– Toutes les femmes ne sont pas comme votre mère. Vous aurez besoin d'une compagne qui s'occupera de tout ce que vous ne voudrez pas faire vous-même.

– Je ne connais aucune déesse et il n'est certes pas question que je choisisse une épouse parmi mes ennemis les Deusalas.

– Est-il vraiment nécessaire que ce soit une divinité ?

– Peut-être pas...

Javad tenta de se lever et vacilla si fort sur ses jambes qu'Arniann décida de l'aider à marcher jusqu'au palais. Il le raccompagna jusqu'à sa chambre et revint sur ses pas. « Décidément, les hybrides supportent mieux l'alcool que les dieux », se dit-il en retournant à la cité céleste.

Au matin, quand il ouvrit finalement les yeux, le dieu-rhinocéros s'assit sur le bord de son lit et tendit l'oreille. Il n'y avait toujours aucun son dans l'immeuble.

Son étage avait été nettoyé en son absence. Les serviteurs, qui s'attardaient un peu partout durant le règne de ses parents, avaient tous disparu. Il leva les yeux sur les conduites d'aération qu'empruntait le toucan quand il devait porter des messages aux membres de la famille. « Je vis seul, alors il serait bien inutile de trouver un autre serviteur pour faire ce travail », songea Javad. Toutefois, il aurait bien aimé en avoir un qui connaisse les us et coutumes du palais, auxquels il n'avait jamais vraiment prêté attention.

Il commença la journée en se prélassant dans un bain de boue sous sa forme animale, puis alla se nourrir dans sa mangeoire qui avait été remplie jusqu'au bord, comme si personne n'avait envie de revenir l'approvisionner de nouveau pendant la journée. Avant de reprendre son apparence humaine, Javad se laissa tomber dans la piscine, puis il se rendit à l'étage des sorciers chauves-souris.

– Réanouh, j'ai besoin que tu fasses quelque chose pour moi, exigea-t-il en entrant dans la grande pièce sombre.

Le mage tomba du plafond et se redressa devant son maître.

– Je veux que tu me crées un autre Tatchey.

– Mais cela m'est impossible, Votre Majesté. Je suis un sorcier, pas un généticien.

– Alors, dis-moi où je peux en trouver un.

– Il n'en existe plus un seul. Après le fiasco des sorciers humains, votre père les a tous fait exécuter.

– Je vois... Mais où les avait-il trouvés au départ ?

– Je l'ignore. Nous ne sommes que le produit de leurs manipulations génétiques. Le seul qui aurait pu vous renseigner, c'est sûrement Tatchey, car il avait gagné la confiance des maîtres, qui n'avaient aucun secret pour lui.

– Mais il est parti comme tous les autres, maugréa Javad.

– En attendant que vous le retrouviez, puis-je vous suggérer de faire une petite enquête parmi les serviteurs de votre mère ? Elle était proche de ses brebis, vous savez. Peut-être que l'une d'entre elles pourrait répondre à toutes vos questions.

Furieux, Javad tourna les talons. Il savait bien qu'il lui serait impossible de questionner les servantes, puisqu'elles avaient aussi déserté le palais. Il décida de suivre plutôt le conseil d'Arniann et de retourner s'entraîner avec les soldats-taureaux pour refroidir sa colère.

TRAMAIL

En approchant de la galaxie qu'il avait offerte à Achéron et à Viatla, Patris avait immobilisé sa comète pour observer d'abord ce qui s'y passait. Il avait aperçu la pieuvre dont s'échappait la même énergie que sous la forteresse d'Onyx ainsi qu'à plusieurs autres points d'entrée sur sa planète. Tramail pouvait donc étendre ses tentacules jusqu'à la galaxie d'Abussos. « Et sans doute plus loin encore », soupira le vieillard. Il se doutait bien que s'il l'arrêtait, d'autres créatures malfaisantes finiraient par prendre sa place, car l'univers était sans cesse en équilibre. « Nous les prendrons une à une », décida-t-il.

En attendant l'arrivée de ses enfants, Patris laissa son esprit errer vers le passé. Après avoir façonné des planètes pour qu'elles forment des systèmes solaires, il avait ressenti une terrible solitude. C'est alors qu'il avait eu l'idée de créer des êtres comme lui à partir de sa chair et de la poussière d'étoiles. Il les avait conçus les uns après les autres pour qu'ils aient tous le même âge, autant de filles que de garçons. Incapable de s'occuper d'une vingtaine de bébés, il avait choisi de leur donner un corps humain de dix ans afin qu'ils puissent satisfaire leurs besoins par eux-mêmes. Son île paradisiaque calme et paisible s'était transformée en véritable terrain de jeu, mais toute cette activité et tout ce bruit avaient réjoui le vieil homme. Il avait laissé grandir ses petits librement avant de commencer à les éduquer.

Patris se rappela que chacun affichait un caractère différent, ce qui l'avait étonné, puisqu'ils émanaient de lui. Il les avait tous aimés, du plus turbulent au plus sage. Il n'avait eu aucune difficulté à leur enseigner la magie, mais ils ne l'avaient pas tous utilisée de la même manière. Il les avait aussi aidés à découvrir leur forme animale et avait été plutôt surpris du résultat. Aucun d'eux ne s'était métamorphosé en dragon comme lui. Bouche bée, il s'était retrouvé avec un hippocampe, une louve ailée, un cheval, une biche, un crabe, une méduse, un serpent, un iguane, un rhinocéros, un hippopotame, un éléphant, une girafe, un bison, un ours, un renard, une hyène, un wapiti, un castor et deux aigles blancs alignés devant lui. « C'est sans doute des composantes différentes dans la poussière d'étoiles qui sont responsables de cette disparité », songea-t-il.

Dès qu'ils eurent atteint l'âge adulte, les enfants furent enfin prêts à mener leur propre existence. Patris s'était assuré que chaque couple soit formé d'un principe positif et d'un principe négatif pour assurer leur équilibre. Il leur avait ensuite assigné des galaxies distinctes et confié la mission de les peupler et d'y régner avec bonté et droiture. C'est le cœur serré qu'il les avait laissés partir. Le retour du silence sur sa belle île l'avait attristé. Pendant plusieurs années, il avait pesé le pour et le contre de créer d'autres petits, mais finalement, il s'était résolu à rendre visite aux vingt dieux fondateurs afin de voir comment ils se débrouillaient. Il avait passé beaucoup de temps avec chaque couple, heureux d'apprendre que certains lui avaient déjà donné des petits-enfants.

Il s'était rendu chez Achéron et Viatla en dernier, car sa relation avec le rhinocéros n'avait pas été aussi harmonieuse qu'avec ses frères et ses sœurs. Patris n'avait jamais été capable de lui enseigner le respect et les bonnes manières. Mais puisqu'il lui avait choisi pour compagne une déesse douce comme de la soie, il avait espéré qu'il s'améliore avec le temps. Son choix de palais l'avait décontenancé. Contrairement à ses autres enfants, qui s'étaient aménagé de grands espaces paisibles, Achéron avait construit un immeuble sphérique en métal divisé en plusieurs étages. Patris les avait parcourus en compagnie du dieu-rhinocéros et de la déesse-hippopotame et il avait trouvé ces lieux difficilement supportables.

Toutefois, ce qui avait finalement rendu cette expédition mémorable fut sa décision de s'arrêter sur une des planètes gouvernées par Achéron. Il avait choisi sa destination au hasard et il s'était retrouvé à Eltanine. La nature sauvage de ce royaume l'avait immédiatement séduit. Il avait longuement marché dans ses forêts à perte de vue où coulaient des rivières aux eaux limpides. Il s'y était abreuvé avec plaisir et avait goûté aux fruits qui poussaient dans les arbustes. « C'est à cela que devraient ressembler tous les domaines divins », s'était-il dit. « Mais qui habite ici ? » Patris avait poursuivi son exploration jusqu'à ce qu'il rencontre des signes de vie.

Il s'arrêta pour admirer les maisons en planches attachées aux troncs des arbres. Certaines ne possédaient qu'un seul étage et d'autres, plusieurs. Toutes étaient entourées de passerelles et il y en avait même qui reliaient plusieurs demeures. Ces gens vivaient dans les hauteurs.

Patris ne vit aucune trace d'activité au sol à part quelques sentiers sans doute creusés dans la terre au fil des âges. Appuyé sur son sceptre, il était en train de contempler le village aérien lorsqu'il fut soudain entouré par cinq hommes aux longs cheveux de différentes couleurs qui pointaient sur lui des arcs armés de flèches. Ils portaient une tunique, un pantalon et des bottes dont les couleurs se fondaient dans leur environnement et leurs oreilles étaient pointues.

– Qui êtes-vous et que faites-vous ici ?
– Je m'appelle Patris. J'ai créé tout l'univers.

Les Eltaniens échangèrent un regard inquiet. Ce vieil homme avait-il perdu la tête ?

– Conduisons-le au Roi Carpin, décida l'un d'eux. Il saura quoi faire pour l'aider.

Patris les suivit volontiers afin de rencontrer ce personnage qui semblait être leur chef. Lorsqu'ils arrivèrent à proximité d'un arbre qui faisait trois fois la taille de tous les autres, une passerelle descendit jusqu'à terre, soutenue par des cordes. Il s'y engagea avec les archers. Elle s'éleva alors graduellement dans les airs jusqu'à devenir horizontale. Le dôme formé par les branches feuillues au-dessus d'eux projetait une ombre rafraîchissante. « Si j'éprouve un jour le besoin de changer de décor, je m'inspirerai de tout cela », se dit le vieil homme.

On le fit entrer dans une grande maison circulaire qui faisait tout le tour de l'arbre. Elle était percée d'un si grand nombre de fenêtres que l'air y circulait en permanence. La première pièce était coupée des suivantes par de grands panneaux de toile opaque illustrant une forêt où pénétraient en diagonale des rayons de soleil. Il s'agissait sans doute d'une salle de réunion, puisqu'un océan de coussins verts étaient dispersés sur le plancher devant l'unique chaise en rondins qui se trouvait devant l'une des séparations.

– Attendez ici.

Pendant qu'un des Eltaniens disparaissait derrière la toile, Patris en profita pour mémoriser tous les détails de ce qui l'entourait. « J'étais loin de m'imaginer que les sujets d'Achéron vivaient dans des conditions si naturelles », songea-t-il.

Un homme revint en compagnie de l'archer. Il était un peu plus grand que les autres, mais il était vêtu exactement de la même façon. Ses longs cheveux soyeux étaient roux et ses yeux aussi verts que les feuilles peintes sur le panneau derrière lui.

– Je suis Carpin, le roi d'Eltanine, se présenta-t-il. On me dit que tu es le créateur de l'univers.

Sa voix était douce et autoritaire à la fois.

– C'est exact, répondit Patris.

– Qu'on lui apporte un banc.

Un Eltanien disparut derrière la séparation à l'autre bout de la pièce et revint avec un tabouret dont les trois pattes consistaient en trois solides branches de bouleau. Patris comprit que le souverain ne désirait pas l'obliger à s'asseoir sur les coussins du plancher car il lui semblait être très âgé. Même s'il aurait pu rester debout jusqu'à la fin des temps, le vieillard y prit place pour lui faire plaisir.

– Pourquoi le créateur du monde est-il descendu chez nous ? demanda Carpin.

– C'est purement un coup de chance. J'ai rendu visite à mes enfants qui dirigent ce monde et leurs conditions de vie m'ont tellement déprimé que j'ai décidé de m'en remettre en explorant une des planètes de ce système solaire.

Le roi observait l'étranger aux longs cheveux blancs avec indulgence, comme s'il le croyait atteint de démence.

– Laissez-moi d'abord vous prouver que je ne suis pas un vieux fou.

Le sceptre que Patris tenait toujours à la main se mit à briller d'une belle lumière dorée. Les archers vinrent aussitôt se placer devant leur souverain pour le protéger. Les murs se couvrirent de fleurs odorantes.

– Tu es donc un sorcier, conclut Carpin.

– Non, mon ami. Je suis un dieu.

Le sceptre cessa de briller, mais les fleurs ne disparurent pas pour autant.

– J'ignorais que je trouverais ici un peuple aussi merveilleux que le vôtre. Merci de m'avoir réconcilié avec le monde d'Achéron.

– Les Anciens racontent que c'est Viatla qui nous a créés.

– Ce ne serait pas surprenant, car c'est dans sa nature.

– Mais c'est toi qui as créé Viatla.

– Je suis son père.

– Laissez-nous.

Les archers hésitèrent, mais d'un geste de la main, Carpin les persuada de partir. Celui-ci attendit qu'ils aient quitté son palais avant de s'adresser de nouveau à Patris :

– Je suis ravi de faire la connaissance du plus grand de tous les dieux. Dis-moi comment nous pourrions te plaire davantage ?

– Restez tous tels que vous êtes, car c'est ainsi que je vous aurais façonnés moi-même.

Le compliment fit apparaître un sourire sur les lèvres du roi. Il convia le vieil homme à rester aussi longtemps qu'il le voudrait dans son royaume et lui promit qu'il changerait le culte de Viatla pour celui de Patris.

– Je vais faire redescendre la passerelle.

– Ce ne sera pas nécessaire. Merci encore pour ce merveilleux accueil.

Patris pencha légèrement la tête et se dématérialisa sous les yeux émerveillés de Carpin. Il réapparut au pied de l'arbre et entreprit de faire le tour du village. Il surprit alors des jeunes filles en train de nettoyer des vêtements sur le bord d'une rivière en n'utilisant que des cailloux arrondis pour les débarrasser de la saleté. Elles levèrent la tête vers lui et s'immobilisèrent. L'une d'entre elles abandonna son travail et se redressa en le fixant droit dans les yeux. Sans la moindre crainte, elle s'approcha du vieil homme. Ses longs cheveux noirs volaient dans la brise.

– Je m'appelle Arria, lui dit-elle.

L'arrivée d'Abussos et de Lessien Idril sur la comète fit alors sursauter Patris et le tira de ses souvenirs.

– Père ? s'inquiéta le dieu-hippocampe.

– Je ne suis pas en danger... pour l'instant, du moins. J'ai laissé mon esprit basculer dans le passé pendant quelques secondes.

Lessien Idril fut la première à apercevoir la pieuvre.

– Elle est encore plus gigantesque que je le croyais...

– Ne risque-t-elle pas de sentir notre présence ? s'enquit Abussos.

– J'ai entouré cet astéroïde d'une puissante protection divine.

Urus, Orssa, Equus, Elnis, Pakhu et Zarapha arrivèrent à leur tour, bientôt suivis de Hellente, Kassie, Nektos, Lacerta, Isatis, Aïna, Hapaxe et Atalée.

– Merci d'avoir répondu à mon appel, les salua Patris.

Les divinités étaient en train d'étudier leur ennemi en silence lorsque Strigilia arriva seul.

– Aéquoréa vous demande d'excuser son absence, dit-il à son père. Elle ne se sentait pas capable de participer à ce combat.

– Et toi ?

– Je veux venger la mort de mes enfants et la perte de mon monde.

– Je préférerais que tu te joignes à nous non pas par vengeance, mais par souci de préserver l'harmonie dans l'univers.

– Oui, ça aussi.

Patris se tourna vers ses enfants.

– Voici donc Tramail, celui qui pourrait tous nous plonger dans la mort et le néant.

– C'est un ennemi de taille, apprécia Urus.

– Achéron a pourtant établi une solide frontière autour de sa galaxie. Comment cette pieuvre a-t-elle pu la franchir ?

– Je n'en sais rien, mon fils, mais la barrière est toujours là.

– Viatla et lui sont-ils toujours à l'intérieur de leur espace protégé ? s'enquit Lessien Idril.

– Je ne capte pas leur présence.

– Nous ne pourrons jamais nous approcher de Tramail sans qu'il le sache malgré toute la protection dont nous pourrions nous entourer, leur fit remarquer Abussos.

– Il pourrait paniquer et accélérer la destruction de ce système solaire, ajouta Urus.

– Vous avez raison, soupira Patris.

– Comment nous y prendrons-nous, alors ? demanda Hapaxe, qui avait fait disparaître ses ailes blanches.

– J'ai pensé à un plan, avoua le vieil homme. Donnons-lui quelque chose d'indigeste à avaler qui le distraira suffisamment longtemps de la planète pour que je l'affronte loin de tous ces mondes habités.

– Expliquez-vous, père, le pria Strigilia.

– Que deux d'entre vous trouvent une planète inhabitée de la même taille que celle-ci.

– Je me porte volontaire, déclara Abussos.

– J'irai avec toi, lui dit Urus.

– Et ensuite ? demanda Strigilia.

– Dès que votre choix sera arrêté, faites-le-moi savoir avec un seul mot pour que je vienne l'empoisonner et que je la ramène derrière la comète. Je l'échangerai ensuite contre celle-là.

– Et nous, là-dedans ? demanda Isatis.

– Lorsque Tramail pulvérisera la planète empoisonnée, le système solaire s'en trouvera déséquilibré. Votre rôle consistera à maintenir chacune des autres planètes dans son orbite jusqu'à ce que Tramail ait été anéanti.

– C'est un bon plan, convint Equus.

Patris se tourna vers Abussos et Urus.

– Partez tous les deux et faites vite.

Ils se courbèrent devant lui et se changèrent en étoiles filantes. Prenant bien soin de rester dans le couloir de protection divine de la comète, ils partirent en sens inverse pour ne pas alerter la pieuvre.

À la tête de sa famille, Patris avait recommencé à observer leur ennemi. Il lui fallait penser à un plan de secours, au cas où Abussos et Urus ne trouveraient pas cette planète à temps. La glace se mit alors à fondre sous ses pieds. Il recula et baissa le regard en se demandant si c'était son énergie qui avait formé cette petite flaque d'eau. Le visage d'une belle femme à la peau sombre lui apparut.

— Votre puissance est remarquable, jeune dame, la complimenta Patris. Mais qui êtes-vous ?

— Je m'appelle Carenza et ma planète est sur le point de connaître un sort affreux. Je suis une sorcière, conçue en laboratoire par des généticiens.

— Sont-ils des dieux ?

— Non. Ce sont des savants humains qui ont appris comment engendrer des enfants autrement.

— Ça ne me plaît pas du tout.

— Êtes-vous le créateur de l'univers ?

— Oui, c'est bien moi, Patris.

— Alors, c'est vous que je cherchais. Je fais partie d'un petit groupe de mages prêts à tout pour survivre aux sombres desseins de Tramail.

— Vous savez donc qu'il est là...

— Nous venons de le découvrir et nous espérons qu'il n'est pas trop tard. Nous comptons nous rendre à l'endroit où il s'est infiltré dans notre monde pour lui porter un coup avec toute la puissance que nous possédons afin qu'il s'éloigne de notre planète. Nous ne sommes pas des dieux, mais nous sommes sûrs que notre intervention lui causera au moins une grande douleur. Si c'était possible, vénérable Patris, nous aimerions mener cet assaut de concert avec votre propre charge.

— C'est une excellente idée, Carenza. Mettez-vous en position de frapper et attendez mon signal, qui ne saurait tarder.

– Au nom de mes amis et de tous les habitants de ma planète, je vous remercie du fond du cœur.

Le visage de la sorcière disparut. Lessien Idril s'approcha pour demander à Patris si c'était avec son époux qu'il s'entretenait, mais en fut empêchée par une vibration négative qui secoua l'Éther. Avec horreur, les dieux fondateurs aperçurent le tentacule qui se dirigeait vers la comète.

PROVOCATION

Dans les galeries des Aculéos, Genric avait commencé à préparer les guerriers de son groupe à l'invasion sournoise de la côte ouest d'Alnilam que projetait Zakhar. Bientôt, le général irait d'un clan à l'autre pour faire la même chose, en espérant que son roi pourrait bientôt lui fournir les radeaux géants dont il aurait besoin pour mettre ce plan à exécution. Toujours furieux que sa captive humaine ait réussi à s'évader, Zakhar était incapable de raisonner froidement. Comme tous les autres hommes-scorpions, il ne supportait pas qu'on lui ravisse ce qui lui appartenait. Après avoir arpenté son hall sans relâche pendant des heures, il décida finalement de sortir de son palais.

En parcourant le tunnel qui menait à la surface, Zakhar recruta une vingtaine de jeunes hommes parmi ceux qui arrivaient pour participer au rassemblement convoqué par Genric, et leur demanda de le suivre. Le roi à leur tête, les Aculéos avancèrent dans la neige avec beaucoup moins de difficulté qu'autrefois, quand leurs énormes pinces les alourdissaient. Perdu dans ses pensées, le roi fit tout le trajet jusqu'à la falaise en réfléchissant encore une fois à l'avenir de son peuple. Ses guerriers allaient bientôt débarquer ailleurs sur le continent. Ils tueraient tous les hommes et les garçons et n'épargneraient que les femmes et les filles avec qui ils s'accoupleraient pour accélérer la mutation de leur race. Les humains finiraient ainsi par disparaître complètement. «Quant aux femelles Aculéos, je les ferai toutes stériliser pour qu'elles ne puissent plus jamais mettre au monde des enfants munis de dards et de pinces et je les enverrai attaquer les Chevaliers pour qu'elles meurent toutes sous leurs armes. »

Il s'arrêta au bord de la falaise et se mit les mains sur les hanches, comme s'il avait été inconscient que sa présence serait immédiatement remarquée par les sentinelles humaines. Autour de lui, ses guerriers étaient beaucoup moins confiants.

– Voyez toutes ces terres qui s'étendent à l'infini ! s'exclama Zakhar. Elles seront bientôt à nous !

Sous le couvert des grands arbres qui masquaient les installations temporaires des Chimères, Thydrus se redressa d'un seul coup. Il évalua rapidement la situation, puis tourna les talons et courut en direction du campement pour sonner l'alarme. Il tomba sur Slava qui arrivait en sens inverse pour s'assurer que tous ses hommes étaient bien à leur poste.

– Aculéos ! s'exclama Thydrus.

– Combien ?

– Une vingtaine pour l'instant !

Afin d'avertir du danger les Chimères qui étaient dispersées dans les divers champs d'entraînement, Slava revint sur ses pas et souffla dans la grosse corne en métal suspendue à une branche non loin des feux, puis il se tourna vers Thydrus.

– Ne laisse rien arriver à Skaïe, à Kharla et à la jeune Camryn, ordonna-t-il. Si l'ennemi devait franchir notre ligne de défense, tu sais ce que tu dois faire.

– Bien compris, commandant.

Thydrus partit à la recherche du trio. Des Chimères commençaient déjà à converger vers Slava, Sierra et Wellan en tête.

– Avec moi ! s'exclama le commandant.

Tout comme Ilo le leur avait enseigné, les Chevaliers foncèrent dans toutes les directions pour former une longue ligne de défense entre les arbres, à quelques pas du canal de Nemeroff. Ils scrutèrent la falaise pour finalement apercevoir le petit détachement tout en haut.

– Ils ne sont qu'une poignée, s'étonna Méniox.

– Peux-tu me confirmer qu'il n'y en a pas des milliers derrière ? fit Sierra à l'intention de Wellan.

L'ancien soldat sonda tout le plateau avec sa magie.

– Curieusement, il n'y a que ceux-là.

– Ils font peut-être du tourisme, suggéra Matheijz.

– Ils ne savent même pas ce que veut dire ce mot, répliqua Antalya.

– Mais qu'est-ce qu'ils manigancent encore ? siffla Slava entre ses dents.

– Wellan, es-tu capable de lire leurs pensées ? lui demanda Cyréna.

– Leurs pensées, non. J'ai déjà essayé plusieurs fois, sans succès. Elles sont surtout composées de grognements que je suis incapable d'interpréter. Mais certains parlent notre langue.

– Ils finiront bien par trahir leurs intentions, trancha Sierra.

– Demeurez vigilants ! ordonna Slava.

Les archers avaient déjà mis un genou en terre et armé leur arc, prêts à tirer. Entre Wellan et Cercika, Dashaé avait posé la main sur la poignée de son sabre, mais elle était d'un calme imperturbable.

Au sommet de la falaise, Zakhar promena son regard de gauche à droite sur l'orée des bois. « Je ne vous vois pas, mais je sais que vous êtes là, vermine », grommela-t-il intérieurement. Pour venger le rapt de sa captive, le roi des Aculéos était prêt à tout.

– Elfass ? appela-t-il.

Le jeune scorpion se rapprocha de lui.

– Puisque tu es le plus habile grimpeur de mon clan, tu vas me servir de porte-parole auprès des humains.

– Moi ? s'inquiéta-t-il.

– Ce ne sont pas tous les Aculéos qui peuvent désormais descendre de la falaise sans se casser le cou.

– Que devrai-je leur dire, Zakhar ?

– Dis-leur que j'épargnerai leur troupe et que je n'attaquerai que les autres divisions s'ils acceptent de me rendre ma prisonnière.

– Comment sauront-ils que je ne veux que leur parler ?

– Ils sont intelligents. Ils le devineront. Allez, va.

Elfass n'avait pas le choix. Il devait obéir à son roi. Alors, pendant plus d'une heure, il descendit la falaise en s'accrochant à toutes les aspérités avec ses mains et avec ses pieds, puis s'arrêta sur le parapet du canal qu'il ne savait pas comment franchir.

– Il a sans doute un message à nous transmettre, devina Wellan.

– Ne tirez pas, ordonna Sierra aux Chimères. Je vais aller voir ce qu'il veut.

– De toute façon, il n'est pas armé, lui fit savoir Cercika.

– Et rappelle-toi qu'ils ne savent pas nager, ajouta Antalya.

– Je n'ai pas l'intention de le rejoindre de l'autre côté du canal, les rassura la grande commandante.

– Tenez-vous prêts à la couvrir, au cas où ça tournerait mal, ordonna Slava.

Wellan se fit un devoir d'observer la réaction des Aculéos qui se trouvaient encore en haut, au cas où ils auraient planifié de lancer sur la grande commandante d'autres javelots volés aux anciens Chevaliers d'Antarès. Sierra s'avança à pas lents en surveillant le moindre geste du messager. Une flèche siffla alors près de son oreille et alla se ficher entre les yeux de l'Aculéos, le tuant sur le coup. Il s'écroula au pied du mur rocheux. Furieuse, elle fit volte-face.

– Qui a tiré ? s'écria-t-elle.

Une rapide succession de flèches passa alors au-dessus de sa tête. Sierra les suivit du regard. Un à un les Aculéos qui se tenaient de chaque côté de Zakhar tombèrent comme des mouches. Le roi eut juste le temps de s'écraser dans la neige pour ne pas subir le même sort que ses guerriers ! Il rampa en direction des entrées de tunnel pour échapper à la tuerie.

Sierra se retourna une fois de plus et chercha d'où pouvaient bien être partis les tirs. Incapable de le déterminer, elle revint rapidement vers ses hommes.

– Je veux savoir qui m'a désobéi ! lâcha-t-elle.

– Ce ne sont pas mes archers, affirma Slava.

– Les Aculéos sont tous morts sauf un qui s'enfuit vers le nord, lui apprit Wellan.

– Cesse de te préoccuper des hommes-scorpions et aide-moi à découvrir le coupable, aboya Sierra.

– J'ai vu les flèches sortir de la cime des arbres, l'informa Dashaé.

Wellan commença donc son balayage magique par-là, mais il ne trouva personne dans les hautes branches.

– Elles ne sont pas parties de nulle part ! se fâcha Slava. Je veux une réponse !

Les Chimères se dispersèrent aussitôt dans la forêt. Seul Wellan demeura près de Sierra.

– Tu as déjà des soupçons, n'est-ce pas ?

Il garda le silence.

– Qui essaies-tu de protéger, Wellan ? Ton ami Sage ?

– Je n'accuse jamais un soldat sans preuves.

Sierra tourna les talons et se dirigea vers le campement afin de rassurer la princesse, qui devait être morte de peur. L'ancien soldat la regarda disparaître dans la forêt. Il n'avait rien capté dans les arbres, mais il se doutait déjà de l'identité du justicier. En se tournant de nouveau vers la falaise, il aperçut Ilo debout sur le parapet, l'arc à la main. Son carquois était vide.

– Pourquoi as-tu tué cet homme avant de le laisser parler ? demanda Wellan en s'approchant de lui. Il est évident que le roi avait envoyé cet émissaire pour nous transmettre un message.

– Vous devriez cesser de leur faire confiance, gronda Ilo comme un fauve. Tout ce qui sort de leur bouche n'est que mensonge.

Ilo sauta sur le sol et courut le long du canal dans la direction opposée où les Chimères menaient leurs recherches.

– Attends !

Wellan lui donna la chasse, mais dut admettre au bout de quelques minutes qu'il avait vraiment disparu dans le feuillage.

– Mais comment fait-il ça ? se fâcha l'ancien soldat, qui n'arrivait même pas à le localiser avec sa magie. Pourrait-il être un sorcier lui aussi ? Ou peut-être que je ne le cherche pas au bon endroit...

Il élargit son balayage, mais puisque les Chimères ratissaient la forêt, il capta tellement de signes de vie qu'il dut abandonner. Il crut plus utile de retourner au campement pour voir dans quel état se trouvait Sierra. Lorsqu'il arriva, il la vit en plein centre des feux, les mains sur les hanches, profondément contrariée. Derrière elle, Thydrus continuait de monter la garde devant leurs protégés. Le seul des trois qui semblait effrayé, c'était Skaïe. Kharla conservait une attitude neutre de future reine, mais Camryn était furieuse d'avoir été écartée de cette opération. Pour ne pas irriter la grande commandante davantage, Wellan choisit d'aller s'asseoir près du savant pour le rassurer.

– Était-ce une fausse alerte ? demanda Skaïe avant qu'il puisse ouvrir la bouche.

– Non. Il y avait vraiment des Aculéos sur la falaise, mais en très petit nombre, ce qui est inhabituel. Ils n'ont causé aucune perte humaine.

– Mais ne sont-ils pas censés être des millions, là-haut ? s'étonna Kharla.

– Habituellement. Même si les Chevaliers les combattent depuis de nombreuses années, ils sont toujours incapables de deviner ce qui se passe dans leur tête. Je vous assure que vous n'avez plus rien à craindre pour l'instant.

Zakhar finit par revenir dans ses galeries. Il ne se rendait même pas compte qu'il aurait pu être tué ce jour-là. Il ne ressentait que de l'humiliation et de la colère. Son porte-parole n'avait même pas eu le temps de livrer son message aux Chevaliers. Pire encore, la femme qui s'était avancée vers lui était sa prisonnière ! Il l'avait eue sous le nez et il n'avait même pas été capable de la reprendre !

Il s'assit sur son trône et souffla un peu. Les humains allaient payer chèrement cet affront. Il les ferait tous disparaître de la surface du continent ! Tous, sauf sa prisonnière. Il la retrouverait et elle regretterait amèrement de s'être enfuie !

– Olsson ! hurla-t-il de tous ses poumons.

Les serviteurs qui étaient sur le point d'entrer dans la caverne avec le repas de leur roi tournèrent prestement les talons. Zakhar attendit de longues minutes, puis appela le sorcier encore une fois. Le mage ne se manifesta pas. Sans lui, il ne pourrait pas se procurer de nouveaux radeaux géants pour mener ses raids sur la côte ouest d'Alnilam. À moins qu'il ne s'adresse à un autre sorcier. Olsson lui avait mentionné qu'il en existait au moins quatre. Il y avait aussi Lizovyk, son fourbe de fils, mais Zakhar ne voulait pas en arriver là. Il était parfaitement conscient qu'il lui demanderait quelque chose en retour.

– Si je n'ai pas le choix, il me faudra trouver une façon de transiger avec lui qui ne mette pas mes plans en péril, décida-t-il. J'aurais dû me débarrasser des invalides autrement et garder ces précieux radeaux qui sont maintenant en pièces au fond de la rivière.

Zakhar poussa un cri de rage avant de réclamer la présence d'Olsson encore une fois. Le sorcier continua de faire la sourde oreille.

Pendant ce temps, les Chimères revenaient bredouilles au campement. Slava n'était pas content de leur soudaine inefficacité. Quelqu'un avait forcément tiré ces flèches. Les Chevaliers étaient assis autour des feux, la tête basse.

– À part Éka, il n'y a qu'un seul autre Chevalier capable d'atteindre une cible à une aussi grande distance, laissa tomber Mayssa, une Eltanienne.

Sierra se redressa en adressant à Wellan un air de reproche, car elle venait de comprendre que c'était Ilo qu'il tentait de protéger en se taisant.

– Peu importe qui c'est, je suis quand même content qu'il ait donné une bonne leçon aux Aculéos, intervint Thydrus.

– Mais nous ne saurons jamais ce qu'ils voulaient, répliqua Méniox.

– À mon avis, il devait s'agir d'un ultimatum ridicule, devina Cercika.

– Ou une invitation à dîner ? plaisanta Antalya.

– Dont nous aurions été le plat principal, ajouta Cyréna.

– Pouah ! grimaça Camryn.

Même si elles plaisantaient, Skaïe avait considérablement pâli, car tous ses cauchemars où il était poursuivi par d'horribles Aculéos lui revenaient en mémoire.

– Au moins, le tireur n'était pas l'un d'entre nous, trancha Urkesh. Alors, personne dans ce campement n'a désobéi aux ordres de la grande commandante.

Sierra ne prêtait plus attention à ces échanges. D'un regard, elle avait fait comprendre à Wellan qu'il avait des explications à lui fournir sur sa conduite. Alors, lorsqu'elle s'éloigna en direction de la source, il la suivit sans hésitation. Il la trouva dans le cimetière des Chimères, suffisamment éloigné des tentes pour que personne ne puisse les entendre. Les bras croisés sur la poitrine, Sierra bouillait de colère.

– Tu savais qui a tiré et tu ne m'en as rien dit! lui reprocha-t-elle.

– Je suis désolé. Je ne voulais pas envenimer les choses entre Ilo et toi.

– Envenimer? Il a déserté après nous avoir trahis! Je ne vois pas comment ça pourrait être pire!

– Je t'en prie, calme-toi.

Sierra poursuivit sa route, Wellan sur les talons. Elle s'arrêta à une source où les Chevaliers n'avaient pas l'habitude de se rendre, car elle se situait au-delà du cimetière. Pour oublier leur propre mortalité, ils préféraient ne jamais passer par là.

La grande commandante s'agenouilla et s'aspergea le visage avec de l'eau froide. Wellan attendit patiemment qu'elle s'apaise.

– Tu l'as vu, n'est-ce pas? demanda-t-elle finalement en se retournant.

L'ancien soldat hocha doucement la tête.

– Pourquoi a-t-il tué ces Aculéos?

– Pour vous sauver la vie. Il a dit que vous ne devriez jamais leur faire confiance parce qu'ils vous diront n'importe quoi pour pouvoir vous faire disparaître.

– Venant de la bouche d'un traître, ces mots n'ont pas beaucoup de valeur.

– S'il avait vraiment voulu vous trahir, vous seriez déjà tous enterrés dans le cimetière. Il a été victime d'un odieux chantage qui s'est très mal terminé, mais jamais il n'a remis des informations cruciales à l'ennemi.

– Et comment le sais-tu?

– Ilo a bien des défauts, Sierra, mais il est ton plus loyal Chevalier. Tu devrais lui pardonner et le reprendre au sein de l'Ordre.

Sierra se mit à faire les cent pas devant Wellan.

– Il n'a donc pas pris la fuite... pensa-t-elle tout haut.

– Il est trop attaché aux Chimères pour ne pas continuer à les protéger.

Elle lui décocha un regard noir et continua de s'enfoncer dans la forêt. Cette fois, Wellan décida qu'il était trop risqué de la suivre. Il s'assura par télépathie qu'il n'y avait aucun Aculéos susceptible de la capturer à nouveau dans les environs et la laissa se défouler à sa façon. Il revint plutôt au campement avec l'intention de passer le reste de la soirée à écrire dans son journal. Juste avant d'arriver aux feux, il croisa Slava qui semblait à sa recherche.

– C'était Ilo, n'est-ce pas ? murmura-t-il comme s'il s'agissait d'un grand secret.

– Il est toujours là, même si vous ne le voyez pas. Il vous recommande de ne pas vous laisser berner par les mensonges des Aculéos.

– Je ne crois pas que Sierra aurait accepté un ultimatum... mais je suis content qu'il continue de veiller sur nous.

– Moi aussi.

Wellan tapota affectueusement l'épaule de Slava en passant près de lui et retourna aux feux, où Méniox avait commencé à préparer un repas rapide pour ses compagnons. Sur des tranches de pain, il versait du fromage fondu et recouvrait le tout de légumes finement hachés. Il tendit une écuelle à l'ancien soldat. Wellan décida donc de manger avant de s'isoler dans sa tente.

Camryn vint s'asseoir près de lui.

– Est-ce que tu pourrais intervenir auprès de Sierra pour qu'on arrête de me traiter comme un bébé ?

– Tu sais bien que, malgré la grande liberté qu'elle m'accorde, dans ce pays j'ai le statut d'un prisonnier. Je ne pourrais pas l'influencer même si je le voulais.

– Mais j'apprends à me battre depuis que je suis arrivée ici. Je ne veux pas que ce soit pour rien.

– Tu as vu la taille des mannequins de paille que nous avons dressés dans le champ d'entraînement ? Tu leur arrives aux genoux.

– Je peux facilement leur couper les jambes, alors.

– Arrête de vouloir grandir trop vite, Camryn. Continue d'apprendre et surtout, obéis aux ordres, car c'est ainsi que tu grimperas les échelons.

– Ça ne me plaît pas vraiment comme conseil, mais parce qu'il vient de toi, je le suivrai.

Elle s'éloigna avec son écuelle en boudant.

« La vie était décidément plus facile dans mes propres campements à Enkidiev », ne put s'empêcher de penser Wellan.

MYSTIFICATION

Filant côte à côte sous forme d'étoiles filantes, Abussos et Urus s'étaient éloignés du système solaire d'Achéron pour ne pas inquiéter Tramail, qui aurait peut-être eu le réflexe d'accélérer la destruction de la planète qu'il retenait prisonnière. Ils savaient que le temps leur était compté, alors ils n'échangèrent pas un seul mot jusqu'à ce qu'ils tombent sur des débris de planètes dans la galaxie voisine. Mais il en restait toutefois une qui leur sembla intacte et qui avait à peu près la même dimension que celle que la pieuvre s'apprêtait à détruire. Ils s'y posèrent et reprirent leur forme humaine.

– Il n'y a aucune trace de vie, constata Urus.

– Que s'est-il passé ici ? s'étonna Abussos.

– On dirait que la disparition du soleil de ce système solaire a signé l'arrêt de mort de ceux qui ont échappé à la destruction de la pieuvre. Ne perdons pas de temps. Cet astre est parfait. Signalons à Patris que nous avons trouvé ce qu'il cherche.

– Non, je ne suis pas d'accord. Notre succès dépend de notre capacité de prendre Tramail par surprise.

– Va jusqu'au bout de ta pensée, mon frère, le pressa Urus.

– Unissons nos forces et poussons cette planète jusque derrière la comète. Il arrive que des corps célestes errent dans la galaxie. La pieuvre n'y verra que du feu.

– Cela nous fera perdre un temps précieux.

– Je sais, mais mon intuition me dit que ce sera mieux ainsi.

– Je t'ai toujours fait confiance, alors allons-y.

Ils s'élevèrent dans l'espace et utilisèrent leurs pouvoirs combinés pour inciter la planète morte à se mouvoir. Les deux frères ne pouvaient pas trop la faire accélérer sous peine de ne plus arriver à la ralentir lorsqu'ils arriveraient à la comète. Ils ne possédaient pas, comme Patris, la capacité de déplacer instantanément un astre d'un lieu à un autre dans la galaxie, alors ils procédèrent de la seule manière possible.

Pendant ce temps, sur l'astéroïde, Patris et ses enfants avaient aperçu le tentacule que Tramail venait de diriger vers eux.

– Je croyais qu'il ne pouvait pas sentir notre présence, s'alarma Nektos.

– À mon avis, il n'a perçu que mon appel lorsque je vous ai demandé de me rejoindre ici, hasarda Patris. Il cherche à comprendre ce que c'était.

– Nous n'allons tout de même pas attendre ici qu'il finisse par nous repérer, protesta Lacerta.

– Je ne peux pas non plus nous emmener ailleurs, car Abussos et Urus auraient de la difficulté à nous retrouver. Je vais plutôt essayer de le tromper. Ne faites plus un seul bruit.

Planté sur le nez de la comète, Patris attendit que le tentacule orangé muni d'un incalculable nombre de ventouses soit presque sur lui, puis fit bouger le gros morceau de roc glacé de côté. Le bras de la pieuvre passa tout près des dieux. Il était deux fois plus gros que la comète. Patris continua d'éloigner doucement son vaisseau de fortune chaque fois qu'il se rapprochait. Autour de lui, ses enfants observaient le jeu du chat et de la souris en retenant leur souffle.

Lessien Idril pensait à son mari qui allait bientôt leur signaler qu'Urus et lui avaient trouvé une planète morte. « Que ferons-nous quand Patris sera forcé d'aller la chercher ? » s'inquiéta-t-elle. La quête du tentacule dura plusieurs heures, puis ne trouvant rien, Tramail finit par le rétracter. Lorsqu'il ne fut plus qu'un petit point à l'horizon, les dieux soupirèrent de soulagement.

— Ce n'est pas normal qu'Achéron et Viatla ne nous aient pas encore donné signe de vie, laissa alors tomber Lessien Idril. Je redoute un piège. Tramail est une créature aussi puissante que vous, père, sauf qu'elle est animée par l'obscurité. Il pourrait très bien avoir capturé leur famille avec l'intention de les utiliser contre nous.

— Malheureusement, ma fille, si je dois les sacrifier pour sauver le reste de l'univers, je le ferai.

— Certains d'entre nous pourraient aussi périr dans le combat qui approche, lui fit remarquer Orssa.

— Je ferai tout ce que je peux pour que cela n'arrive pas, mais cette pieuvre est imprévisible. Qui sait ce qu'elle fera pour rester en vie ?

— Quelque chose approche derrière nous, les avertit Hapaxe.

Patris se retourna.

— Mais que sont-ils en train de faire ? s'étonna-t-il. Je leur avais demandé de m'avertir, pas de ramener une planète avec eux.

Il observa la réaction de la pieuvre. Le mouvement de l'astre allait-il déclencher une nouvelle exploration de sa part ? La planète s'immobilisa dans le rayon de protection que Patris avait établi derrière la comète et Abussos et Urus réapparurent devant le groupe.

— Voici ce que nous avons trouvé, père, annonça le dieu-bison. Toute vie s'y est éteinte, alors vous êtes libre de l'utiliser comme bon vous semble.

— Bien joué, les garçons, se réjouit le vieil homme. Nous avons maintenant une façon de détourner l'attention de Tramail, mais à condition d'agir rapidement. Votre prochain rôle sera de surveiller la pieuvre pour qu'elle ne relance pas de tentacule par ici. Si cela se produit, vous devez m'en avertir aussitôt. Je vais me rendre sur la planète morte et l'empoisonner à l'intérieur avec une énergie que notre ennemi ne détectera que lorsqu'il sera trop tard.

– Sera-t-elle assez puissante pour le détruire ? demanda Abussos.

– J'en doute fort, car les créatures de l'ombre sont coriaces, mais son goût amer la fera sursauter. J'espère même qu'il la fera reculer à l'extérieur du système solaire, où je pourrai l'attaquer pendant que vous procéderez à la phase suivante de votre intervention.

– Et si ça ne fonctionne pas ?

– J'attirerai Tramail dans un secteur de la galaxie qu'il a déjà dévasté et je penserai à autre chose.

Abussos et Lessien Idril échangèrent un regard alarmé. Ils savaient très bien que les deux divinités étaient de force égale et que n'importe laquelle pourrait l'emporter.

– Faites votre travail et laissez-moi faire le mien, compris ? exigea le vieil homme. Et cessez de vous inquiéter. J'ai l'intention de survivre.

Pour les empêcher de continuer à protester, Patris se transporta sur la planète morte et planta le bout de son sceptre dans le roc.

Épuisé par sa journée d'entraînement avec les soldats-taureaux, Javad était en train de somnoler dans son fauteuil préféré lorsqu'il capta une présence. Il ouvrit un œil et vit Réanouh approcher. C'était pourtant le jour. La chauve-souris ne quittait jamais son antre avant la nuit. Le jeune dieu se redonna aussitôt une contenance.

– Que se passe-t-il encore ? maugréa-t-il.

– J'ai découvert pourquoi les serviteurs se suicident en masse, Votre Majesté, et ça n'a rien à voir avec vous.

– Tiens donc, une bonne nouvelle !

– En fait, ce n'en est pas une du tout.

– Vas-tu finir par me le dire, sorcier.

– Comme vous le savez sans doute déjà, je n'y vois rien après le lever du soleil. Mais la nuit, ma vue est meilleure que celle de tous les dieux réunis. Hier soir, je suis sorti prendre l'air. Il y avait longtemps que je n'avais pas exercé mes ailes.

Javad s'accouda sur le bras du fauteuil et appuya son menton dans sa main, se doutant que l'explication de la chauve-souris allait s'éterniser.

– C'est à ce moment-là que j'ai remarqué que le ciel n'était pas noir, mais curieusement orangé.

– Tu déranges mon repos parce que le ciel n'est plus de la bonne couleur ?

– Si ce n'était que ça, Votre Majesté...

– Je t'en prie, continue !

– Alors que je m'approchais du phénomène, l'œil géant de Tramail lui-même s'est ouvert ! Je suis revenu au palais à une vitesse dont je ne me croyais plus capable !

– Un œil géant ? Est-ce que tu aurais respiré des fumées toxiques dans tes marmites, Réanouh ?

– Je vous en prie, laissez-moi parler.

D'un geste agacé de la main, Javad le pria d'en finir.

– Une fois calmé, je me suis rendu dans la cité céleste, où j'ai encore quelques contacts. C'est là que j'ai appris que je n'étais pas le seul à avoir aperçu ce monstre. Un jeune bouc, qui est augure à ses heures, m'a avoué que cette pieuvre géante s'apprêtait à nous détruire tous ! C'est parce qu'ils ne veulent pas connaître une fin atroce que vos serviteurs s'ôtent la vie par centaines.

– Tu as donné foi aux paroles d'un charlatan ?

– Si vous ne me croyez pas, allez voir vous-même, Votre Majesté. Sûrement, vous possédez tout comme vos parents le pouvoir de vous déplacer dans l'Éther.

– Je n'ai jamais eu à le faire, mais j'imagine que j'en serais capable. Ne serait-ce que pour mettre fin à cette rumeur ridicule.

– Auriez-vous aussi l'amabilité de nous débarrasser de cette créature meurtrière, une fois que vous l'aurez trouvée ?

– Elle n'existe même pas, Réanouh. Ce n'est qu'une autre légende urbaine que je me ferai un plaisir de démentir.

– Nous en reparlerons quand vous reviendrez de votre expédition.

La chauve-souris se courba aussi bas qu'elle le pouvait en appuyant ses ailes sur le plancher et clopina vers la porte. Javad alla se chercher de la bière, puisqu'il n'y avait plus personne pour lui en verser, et vida la chope d'un trait.

– Un œil géant ? répéta-t-il.

Obsédé par le récit du sorcier, le nouveau maître du ciel fut incapable d'attendre jusqu'au soir pour vérifier ses dires. Il sortit sur la plateforme que plus personne ne surveillait et se changea en étoile. Mais au lieu de se diriger vers le monde des humains, il fila tout droit vers le ciel. Il s'attendait à trouver un amas gazeux ou un autre phénomène semblable que Réanouh avait pris pour un monstre. Alors c'est sans la moindre appréhension qu'il grimpa de plus en plus haut au-dessus du palais sphérique. Sous lui, lorsque la planète se mit à rapetisser, il aperçut alors l'horrible chose orangée qui avait terrorisé le mage noir.

– Mais qu'est-ce que c'est que ça ? s'étonna Javad en s'immobilisant.

La bête, qui paraissait dormir, ressemblait à une cloche avec un bec de perroquet. Elle n'avait qu'une tête et des centaines de longues pattes qui s'allongeaient à l'infini.

– Depuis combien de temps est-elle là et que fait-elle dans ma galaxie ?

Javad l'examina jusqu'à ce qu'elle finisse par ouvrir son œil juste au-dessus de son bec. Il prit peur et retourna prestement au palais. Le cœur battant la chamade, il courut à l'intérieur, emprunta le couloir qui menait à la cité et fila droit vers la tente de son général. Lorsqu'il s'arrêta finalement devant lui, il était ruisselant de sueur et avait du mal à respirer.

– Votre Majesté, que se passe-t-il ? s'alarma Arniann.

– Là-haut... immense... monstre...

N'y comprenant rien, le taureau lui versa de l'eau froide dans une grande chope. Javad s'en empara et se la vida sur la tête.

– Calmez-vous et parlez clairement.

– Il y a un monstre dans l'espace ! réussit enfin à articuler le rhinocéros.

– Vraiment ?

Le dieu marcha jusqu'à la grande table de stratégie, s'empara d'une plume et dessina ce qu'il avait vu sur le coin de la grande feuille dont Arniann se servait pour organiser les entraînements de la journée.

– As-tu déjà vu un animal semblable ?

– Jamais, avoua le général, mais il n'y a dans la cité céleste que ce que votre mère a bien voulu y créer.

– Réanouh prétend qu'un bouc devin sait plus de choses que tout le monde. Trouve-le.

– J'envoie des hommes tout de suite. En attendant qu'on vous le ramène, que diriez-vous d'une potion calmante ?

– Non !

Le général quitta momentanément sa tente pour aller donner des ordres en se demandant si son nouveau dieu était en train de perdre la tête. Était-ce pour cette raison qu'il avait assassiné son père, sa mère et son jeune frère de sang-froid ?

Sans doute qu'un peu d'exercice lui permettrait de reprendre ses esprits, du moins pour le reste de la journée. Mais à long terme ?

À sa grande surprise, lorsqu'il revint dans sa tente, il trouva Javad assis en boule sur son lit. « Il est réellement effrayé. » Il décida de rester près de lui, mais sans l'importuner. « Que doit-on faire quand le seul dieu du panthéon souffre de troubles de l'esprit ? » se demanda-t-il. Rien dans les règlements de l'armée ne le mentionnait.

Les soldats-taureaux ratissèrent la ville jusqu'à ce qu'ils mettent enfin la main sur le fameux bouc. Sous sa forme humaine, il n'avait pas été facile à trouver. Quelques heures plus tard, ils ramenèrent à leur général ce serviteur de forte stature aux longs cheveux noirs d'où sortaient deux cornes arrondies.

– Comment t'appelles-tu ? le questionna Arniann.

– Belhamel. Pourquoi m'a-t-on arrêté ?

– Notre dieu désire t'interroger au sujet de ceci.

Il lui montra le dessin pendant que Javad semblait revenir à la vie.

– C'est la bête que j'ai vue dans la fontaine, s'effraya le bouc.

– Pourquoi est-elle ici ? demanda le rhinocéros en s'approchant.

– Pour châtier tous ceux qui ont commis des crimes horribles.

– Comment s'en débarrasse-t-on ?

– C'est impossible.

Angoissé et déstabilisé, Javad sortit de la tente en titubant. Il ne fit que quelques pas et s'écroula sur le sol.

UNE ACTION CONCERTÉE

S uivant les recommandations de Carenza, les sept sorciers avaient prestement quitté Mirach pour se lancer à l'assaut de la créature qui menaçait de les exterminer.

Grâce à Salocin, qui avait exploré les alentours du lac Mélampyre depuis son arrivée à Alnilam, ils se matérialisèrent à un demi-kilomètre de sa rive nord, ce qui leur permettrait de détecter tout piège qu'aurait pu leur tendre Lizovyk. Salocin, Shanzerr, Wallasse, Olsson, Maridz, Aldaric et Ackley marchaient en silence l'un derrière l'autre sur un sentier qui menait à la berge. Pour sa part, Carenza était demeurée devant sa vasque dans le désert pour servir de relais entre Patris et ses compagnons magiques.

Avant même d'arriver près de l'eau, les sorciers furent incommodés par l'énergie maléfique qui émanait de l'île Inaccessibilis et durent s'arrêter quand Salocin se heurta à un mur invisible qui les empêchait d'aller plus loin.

— Je me doutais bien que Tramail ne nous rendrait pas les choses faciles, grommela-t-il.

Ils examinèrent tous la barrière d'énergie.

— Quelqu'un sait-il comment la neutraliser ? demanda Maridz.

— Elle ne semble pas avoir de faiblesses, fit remarquer Ackley.

— Rien dans ce monde n'est parfait, répliqua Wallasse en s'agenouillant près de l'obstacle.

En le sondant avec sa main, il remarqua qu'il s'arrêtait au niveau du sol.

– Je crois pouvoir y créer une brèche, déclara-t-il.

– Alors, fais vite, mon frère, l'encouragea Shanzerr.

Pendant que Wallasse utilisait ses pouvoirs pour soulever le mur, Olsson resta derrière ses amis pour scruter minutieusement les lieux. C'était surtout son fils qu'il cherchait. Il était prêt à l'affronter en duel afin de permettre à ses compagnons de se rendre jusqu'au portail. Quant aux autres, ils attendaient de voir si Wallasse aurait du succès avant de proposer d'autres solutions. Maridz remarqua alors que même les animaux avaient déserté cette partie de la forêt. Le silence qui y régnait était troublant. Elle regarda ses frères un à un, rassurée de n'avoir pas eu à faire seule ce travail dangereux.

En y mettant toute sa force, Wallasse arriva à soulever une partie de la membrane magique. Puisque personne ne pouvait la voir, Salocin eut une idée. Il souffla magiquement sur la poussière du sentier et la colla sur le mur de protection afin de rendre visible l'ouverture qui avait à peu près un mètre de haut.

– Tu ne pourrais pas l'agrandir davantage, Wallasse ? demanda Salocin, découragé.

Le sorcier lui décocha un regard meurtrier, car il venait de dépenser une incroyable quantité de sa puissance pour obtenir ce résultat.

– Tu n'as qu'à rester ici, réagit-il.

– Ce n'est pas le moment de vous quereller, s'interposa Aldaric. Unissons plutôt nos talents pour sauver nos vies et celles des humains.

– Que ferons-nous une fois sur l'île ? s'enquit Ackley.

– Nous improviserons, répondit Shanzerr.

– Passez pendant que c'est ouvert ! se fâcha Wallasse.

Pour les sortir de leur léthargie, Maridz se changea en chat et se faufila sans problème par la brèche.

– Je n'avais pas pensé à ça, avoua Salocin.

– Les femmes ont un cerveau différent du nôtre, commenta Ackley.

Ils adoptèrent tous leur forme animale pour se rendre jusqu'au bord du lac, puis reprirent leur apparence humaine. L'île se dressait devant eux, véritable forteresse de roc qui s'élevait à plus de cent mètres vers le ciel. Un large détroit séparait les sorciers de leur destination. Wallasse en évalua la profondeur.

– Il y a une rangée de grosses pierres au fond qui semble mener tout droit à la falaise, leur dit-il.

– Sans doute un vieux pont submergé, hasarda Shanzerr.

– Pourrions-nous les soulever ? demanda Maridz.

– Je peux bien essayer, accepta Wallasse.

– Il te reste suffisamment de force pour y arriver ? le taquina Salocin.

Wallasse, qui n'entendait jamais à rire, fit volte-face. Maridz eut juste le temps de se placer entre les deux sorciers pour éviter un malheur.

– Dépêche-toi, le pressa-t-elle.

Il prit une profonde respiration pour se calmer et se mit au travail. L'eau commença à bouillonner devant lui jusqu'à ce que la première des grosses pierres finisse par émerger. Sans prendre de pause, Wallasse en souleva une centaine d'autres de façon à ce qu'elles forment un escalier géant vers le sommet de l'île.

– Tu es capable de faire ça et tu n'es pas arrivé à soulever le mur invisible plus haut qu'un mètre ? lâcha Salocin.

– Ça suffit, vous deux, ordonna Maridz, mécontente.

Piqué au vif, Wallasse se tourna vers la membrane encore visible grâce à la poussière du sentier. Il serra les dents et la haussa d'un autre mètre.

– Content, maintenant ? ragea-t-il.

– C'est tout à l'heure qu'il aurait fallu faire ça, répliqua Salocin.

Maridz poussa Wallasse sur la première pierre pour empêcher que la situation dégénère. Lorsque les sorciers constatèrent que ce curieux pont semblait tenir le coup, ils le suivirent. Toujours habité par un mauvais pressentiment, Olsson ferma la marche.

Avant de mettre le pied sur l'île, Wallasse effectua un balayage de sûreté. Tramail ne s'attendait sans doute pas à ce que quelqu'un puisse s'y rendre, puisqu'il n'y avait aucune barrière qui en interdisait l'accès. L'énergie maléfique y était si intense qu'elle aurait suffi à faire rebrousser chemin à n'importe quel mage sensé. Mais les sept sorciers qui s'étaient lancés à l'assaut de son odieux maître étaient bien déterminés à en finir avec lui.

– C'est vraiment difficile à supporter, laissa tomber Ackley.

– Allons y mettre fin, l'encouragea Shanzerr.

Wallasse prit les devants, très attentif. Il ne pouvait pas croire que l'ennemi ne leur avait pas tendu de pièges. Il zigzagua entre les arbres. Soudain, un vent brûlant souffla sur son visage.

– Levez vos boucliers ! s'écria-t-il.

– Si vous ne voulez pas finir comme mon fils, faites ce qu'il dit, l'appuya Olsson.

Ils s'entourèrent tous de la plus grande protection magique dont ils disposaient et continuèrent d'avancer jusqu'à ce qu'ils débouchent dans la clairière où se trouvait le cratère rempli d'eau d'un vert fluorescent qui blessait les yeux.

– Quelque chose me dit que nous sommes au bon endroit, plaisanta Salocin.

– C'est le seul point d'entrée que Carenza et moi avons trouvé sur toute la planète, leur apprit Aldaric en tournant le dos au portail pour éviter l'aveuglement.

– Même si nous n'arrivons pas à faire exploser le tentacule qui s'y trouve, je suis certain que nous pourrons infliger suffisamment de douleur à la pieuvre pour qu'elle le retire de là, les encouragea Shanzerr.

— Tu oublies qu'elle en a au moins quatre-vingt-dix-neuf autres, commenta Salocin. Elle pourra encore nous réduire en miettes si elle en a envie.

— Pas si les dieux fondateurs tiennent parole, rétorqua Maridz.

— Vous leur faites confiance ? demanda Ackley.

— C'est un peu tard pour se poser la question, grommela Wallasse.

— Il ne s'agit pas d'Achéron ou de Javad, ici, leur rappela Shanzerr. Eux, c'est certain qu'ils n'auraient rien fait pour nous sauver.

— Placez-vous à égale distance les uns des autres tout autour du portail, recommanda Olsson. Nous allons attendre le signal de Carenza.

— J'espère qu'elle ne tardera pas, parce que mon bouclier en prend un coup, leur fit savoir Ackley.

— Tenez bon, les enfants, nous y sommes presque, les stimula Shanzerr.

Ils se dispersèrent comme le leur recommandait leur frère et tournèrent le dos à l'énergie corrosive du vortex. Maridz avait même fermé les paupières. Seul Olsson continuait de veiller, car il ne pouvait pas croire qu'il avait été aussi facile de s'approcher des ventouses mortelles de Tramail.

— Pendant que nous avons du temps à perdre, fit alors Salocin, dis-moi, Ackley, comment nous as-tu trouvés ?

— J'ai capté l'appel de Carenza.

Un frisson d'horreur secoua alors Aldaric.

— Si tous les sorciers pouvaient l'entendre, même ceux à qui elle n'avait pas adressé spécifiquement son message, est-ce que le fils d'Olsson a pu l'entendre lui aussi ? s'alarma-t-il.

— Eh oui, il en a eu vent, répondit une voix inconnue.

Malheureusement, les mages ne pouvaient pas utiliser leur pouvoir de détection sans abaisser considérablement leur bouclier, ce qu'ils n'osèrent pas faire. Ils se servirent plutôt de leurs yeux pour découvrir qui venait de parler. Un jeune homme vêtu de rouge et d'or apparut devant Aldaric.

– Et après vous avoir tous tués, j'irai lui rendre visite à Mirach, ajouta-t-il.

Olsson brisa les rangs et marcha à la rencontre de Lizovyk, car il avait choisi de se matérialiser de l'autre côté du portail, loin de son père.

– Vous ne pourrez jamais arrêter Tramail, bande d'imbéciles, les insulta le jeune sorcier. Personne ne le peut.

Olsson se plaça entre Aldaric et lui.

– Tu veux de l'aide ? lui demanda Salocin.

– Non, répondit Olsson. Restez où vous êtes. Son but est de nous déconcentrer.

– Tramail se sert de moi pour tourmenter les humains, père. Ne m'obligez pas à continuer d'agir ainsi.

Olsson ne pouvait plus lui faire confiance. Il était prêt à se battre pour que ses compagnons terminent ce qu'ils avaient commencé. Il ne connaissait pas la nouvelle puissance de Lizovyk, car elle était alimentée par la pieuvre elle-même, mais il ne reculerait pas devant lui. Lorsqu'il vit son fils former des boules de feu sur ses paumes, Olsson le prit de vitesse. Il le bombarda rapidement avec les siennes, mais elles éclatèrent sur le bouclier du jeune homme.

– Es-tu bien certain de ne pas avoir besoin d'aide ? réitéra Salocin.

– Je m'occupe de lui. Ne vous laissez pas distraire.

– Père, je ne suis plus responsable de mes gestes, lui dit Lizovyk d'une voix suppliante. Par amour pour ma mère, repars avec tes amis avant que le monstre s'aperçoive que vous êtes ici.

– Si nous ne nous débarrassons pas de lui maintenant, nous allons tous mourir. C'est toi qui ferais mieux de partir si tu veux rester en vie.

Le visage implorant de Lizovyk se transforma en un masque de haine et ses mains devinrent incandescentes. Il lança sur son père d'intenses jets de flammes. Olsson eut tout juste le temps de lever son bouclier pour ne pas être incinéré. « C'est bien ce que je pensais », se dit-il. « Sa puissance est alimentée par celle de Tramail. » Il résista tant bien que mal à cette incroyable charge. À sa gauche, Salocin surveillait attentivement le duel, prêt à le seconder, comme il l'avait déjà fait chez les Chimères. Tant qu'il était à l'intérieur de sa bulle de protection, Olsson ne pouvait pas passer à l'attaque. Il avait besoin d'une diversion.

Salocin regarda tout autour et ne vit rien qu'il puisse lancer sur le jeune sorcier pour le déstabiliser, même si ce n'était qu'une seule seconde. Il connaissait la rapidité de son frère. Cela lui suffirait amplement à porter un coup mortel à son adversaire. Une illusion ne servirait à rien non plus. Il fallait lui porter un bon coup. Afin de sauver la mission, Salocin décida de courir un grand risque. Il laissa tomber son bouclier et fonça vers la forêt. Son geste inattendu déconcerta Lizovyk. Pour continuer de s'en prendre à son père, celui-ci ne pouvait pas utiliser sa bulle de protection, alors il la laissa tomber pour diriger les flammes d'une de ses mains contre Olsson et l'autre contre Salocin. C'est exactement ce qu'avait escompté ce dernier. Il se laissa tomber par terre en projetant des boules de feu dans le plexus solaire de Lizovyk. La douleur fit reculer le jeune démon.

Olsson en profita pour passer lui aussi à l'attaque. Avec Salocin, il ouvrit un feu nourri sur le serviteur de Tramail. Incapable de riposter, Lizovyk se mit à reculer jusqu'à ce que son instinct de survie prenne encore une fois le dessus. Il disparut d'un seul coup.

– Quel lâche ! s'exclama Salocin.

– Pourrait-il revenir ? demanda Ackley.

– Pas dans cet état, le rassura Olsson en retournant à sa place.

Salocin en fit autant. Les deux hommes s'entourèrent de leur bouclier.

– Préparez-vous, recommanda Shanzerr. Ça ne saurait tarder.

LE PORTAIL

Une fois que Patris eut empoisonné l'intérieur de la planète morte, il tourna une fois de plus son attention vers la pieuvre. Une perturbation dans l'espace lui fit comprendre qu'elle s'apprêtait à se nourrir. Il la vit ouvrir son énorme bec de perroquet et sut que le moment était venu.

– Maintenant, Carenza !

Assise devant sa vasque, la sorcière sursauta en apercevant le visage du patriarche. Elle ferma les yeux et relaya l'ordre divin à ses compagnons qui l'attendaient sur l'île Inaccessibilis. Shanzerr, Wallace, Salocin, Olsson, Maridz, Aldaric et Ackley laissèrent tomber leur bouclier, allumèrent leurs mains et bombardèrent l'eau verte du cratère en fermant les yeux pour ne pas être aveuglés par cette intense charge lumineuse.

Tramail tressaillit, car un de ses tentacules venait d'être sérieusement brûlé. Patris profita de cette secousse pour s'élever dans l'espace et substituer l'astre chargé de substance toxique à la planète qu'il se préparait à croquer. Il fonça ensuite vers la comète pour rappeler à ses enfants le rôle qu'ils devaient maintenant jouer, mais ne les y trouva pas. Ils s'étaient déjà positionnés sur les autres astres pour que l'explosion ne trouble pas leur orbite.

Avec un rugissement de fureur, la pieuvre entoura plusieurs de ses longues pattes autour de ce qu'elle croyait être la planète des humains et la broya d'un seul coup. Le poison dont Patris l'avait remplie atteignit sa bouche et ses yeux et la fit bondir vers l'arrière. Cette impulsion la projeta jusqu'à l'extérieur du système solaire, comme l'avait souhaité Patris. Celui-ci sut qu'il était maintenant libre de s'attaquer directement à Tramail. Sous la forme d'une étoile, il quitta la comète, derrière laquelle était apparue la planète des humains, et fonça à la rencontre du destructeur.

Flottant dans l'espace tout comme leurs frères et leurs sœurs, Abussos et Lessien Idril avaient assisté en silence à la scène, espérant que leur père débarrasserait l'univers de cette créature sans conscience. C'est alors que la déesse-louve comprit que, contrairement aux autres planètes qui étaient maintenues dans leurs conditions habituelles par les dieux fondateurs, celle des humains venait d'être déplacée loin du soleil, où personne ne s'en occupait.

– Va, lui dit Abussos, qui avait lu dans ses pensées.

Pour éviter que se produisent des catastrophes naturelles sur tous les continents des humains à cause de ce changement soudain d'orbite, Lessien Idril fila aussi vite que le permettait sa magie. Elle fit tout ce qu'elle put pour la stabiliser en même temps qu'elle chassait les débris de l'astre éclaté de l'endroit où elle devait la ramener.

Au même moment, Patris se présentait devant Tramail, qui continuait de cracher des morceaux de roc toxique dans l'espace. « Je les rendrai inoffensifs une fois que j'aurai réglé son compte à la pieuvre », se promit-il. Pour que la créature comprenne bien à qui elle avait affaire, le créateur de l'univers reprit sa forme de vieillard. Il était infiniment petit comparé à la pieuvre, mais il savait qu'elle pouvait le voir. Dès qu'elle se fut calmée, celle-ci adopta aussi une autre forme qu'elle affectionnait, soit celle d'un homme vêtu d'une longue tunique rouge brodée d'or. Il était de la même taille que Patris. Ses cheveux noirs, qui dépassaient à peine ses épaules, étaient striés de mèches argentées et son visage à la mâchoire carrée était encadré d'un collier de barbe. En se donnant un air supérieur, Tramail s'approcha de celui qui le défiait.

– Qui ose s'opposer à moi ? s'exclama-t-il d'une voix qui résonna dans l'Éther.

– Patris, le créateur de tout ce qui existe, répondit le vieillard.

– Alors, tu te trompes, car c'est moi qui ai façonné l'univers.

– Ce que je vois, c'est surtout que tu es en train de le détruire.

– De la mort renaît la vie.

– C'est plutôt difficile sur une planète en morceaux, Tramail.

– Tu connais mon nom.

– Il est impossible d'oublier celui d'une créature aussi perfide et sournoise que toi.

– Moi, je n'ai jamais entendu le tien.

– Je suis la personnification de tout ce qui est bien, loyal et honnête.

Tramail se mit à flotter autour de Patris, l'obligeant à pivoter lentement sur lui-même pour ne pas le perdre des yeux.

– Qu'attends-tu de moi ? demanda le dieu-pieuvre.

– Je ne peux pas te laisser détruire ce que j'ai créé.

– L'univers est assez grand pour nous deux. Passe ton chemin. Mon rôle est de débarrasser les galaxies des planètes et des étoiles qui ne méritent pas de s'y trouver.

– Qui t'a donné le droit de vie ou de mort sur tous ces mondes habités ?

– Je suis mon propre maître depuis que j'ai ouvert les yeux.

– Alors, sache que mon rôle à moi, c'est de créer des galaxies et de protéger toutes les formes de vie. Si tu ne retournes pas dans le néant dont tu es issu, je serai forcé de t'y renvoyer moi-même.

– Et toi, si tu ne disparais pas maintenant de ma vue, tu périras comme toutes ces choses qui me déplaisent. Personne ne me dit quoi faire.

– Alors, soit.

Dans les mains du vieil homme, le sceptre doré se mit à briller de mille feux, obligeant Tramail à plisser les yeux pour ne pas être aveuglé.

– La lumière ne peut pas faire disparaître totalement l'obscurité ! s'écria-t-il.

– En es-tu bien certain, Tramail ?

Patris fonça tête baissée sur son adversaire sans la moindre crainte. Troublé, le dieu-pieuvre s'entoura d'une aura verdâtre de peur et de confusion afin de briser la volonté du vieillard. Les deux divinités se heurtèrent de plein fouet en provoquant une terrible explosion de rayons multicolores dans l'espace. Ne l'ayant pas vaincu du premier coup, Patris continua de l'attaquer. Tramail ne fit qu'encaisser les coups sans trop savoir quoi faire, car personne ne s'était jamais opposé à lui depuis sa naissance.

Sur l'île Inaccessibilis, ce fut Olsson qui ordonna à ses compagnons de cesser le bombardement du cratère. Épuisés, les sorciers reculèrent de quelques pas et constatèrent avec soulagement que l'eau qui s'y trouvait avait repris un aspect normal.

– Regardez ! s'exclama Ackley en pointant le ciel.

Ils aperçurent ce qui ressemblait à un feu d'artifice très haut dans l'espace.

– On dirait bien que les dieux fondateurs ont tenu leur promesse, lâcha Salocin, satisfait.

– Espérons maintenant qu'ils seront assez forts pour éliminer la pieuvre, ajouta Shanzerr.

– Nous devrions retourner à Mirach, suggéra Aldaric, inquiet pour Carenza.

– Pas avant d'être bien certains que le portail est libéré de l'énergie de Tramail, résista Maridz.

– Je crains que notre action concertée ne l'ait refermé à tout jamais, estima Wallasse.

– Il reste encore celui de la montagne bleue, les rassura Salocin.

Le jour fit soudainement place à la nuit. La terre se mit alors à trembler violemment sous leurs pieds et un vent glacial les fit presque tomber face première sur le sol.

– Avons-nous détruit l'île ? s'alarma Ackley.

– Ce n'est pas impossible, s'inquiéta Shanzerr.

– Les conditions atmosphériques ont changé sur tout le continent, leur apprit Olsson. Partons d'ici.

Salocin les ramena immédiatement à Mirach, où la situation n'était guère plus rassurante. Ils réapparurent en pleine tempête de sable et s'accrochèrent les uns aux autres pour ne pas être séparés. Olsson fit apparaître des filets d'apiculteur sur la tête de chacun pour leur permettre de respirer.

– Carenza ! appela Aldaric.

– Elle a dû se réfugier dans la tente, hasarda Maridz.

– Je vous attendais ! leur parvint la voix de la sorcière. Venez à moi !

– Facile à dire, grommela Salocin. On n'y voit rien.

Ils combattirent ce déchaînement de la nature en avançant pas à pas jusqu'à ce qu'ils trouvent la pauvre femme maltraitée par le vent, les bras accrochés à sa vasque.

Pendant que Shanzerr et Aldaric lui venaient en aide, Olsson scruta les environs. Il découvrit alors ce qui lui sembla être une forteresse. Sans avertir personne, il transporta tout le groupe dans la cour entourée de hautes murailles. Elles n'empêchaient toutefois pas le sable d'y tourbillonner en fouettant tout sur son passage.

– Là ! hurla Salocin en leur indiquant une porte.

Les sorciers s'y dirigèrent obstinément. Wallasse parvint à l'ouvrir et Salocin poussa tout le monde à l'intérieur, obligeant Carenza à abandonner sa vasque dehors. Dès que le compte fut complet, il referma violemment la porte et la scella avec de la magie. Le sol continuait de trembler, ne leur permettant pas de retrouver leur équilibre.

— Nous sommes à l'abri de la tempête, mais pas du séisme, leur fit remarquer Maridz.

— Quel est cet endroit ? demanda Ackley.

— C'est un château inhabité depuis longtemps, répondit Carenza.

— Qui pourrait nous tomber sur la tête, ajouta Salocin.

— Pas si nous choisissons la pièce la mieux construite, répliqua Wallasse.

Il les guida jusqu'à un petit vivoir sans fenêtres et y alluma un feu magique en plein centre. Ils prirent place autour, mais le tremblement de terre continuait de les faire sautiller sur le plancher, même assis.

— Maintenant que nous sommes à l'abri, ce serait bien que nous tentions de comprendre ce qui se passe, suggéra Aldaric.

— Racontez-moi d'abord ce que vous avez fait au lac, exigea Carenza.

Ackley lui en fit un résumé succinct qui sembla satisfaire tous les participants. Pendant qu'il parlait, Shanzerr étudia la séquence de chaque événement et tenta d'imaginer comment les choses s'étaient passées du côté des dieux fondateurs.

— C'est peut-être Tramail qui a provoqué ces bouleversements en retirant son tentacule blessé du portail, laissa-t-il tomber.

— Il y a fort à parier qu'il ne l'a pas fait avec délicatesse, en effet, commenta Salocin.

— Ou bien il y a en ce moment un grand combat dans le ciel qui perturbe toute la galaxie, proposa Olsson.

– Peu importe ce que c'est, j'espère que c'est temporaire, souffla Maridz, qui s'inquiétait pour sa fille.

– Je suis une puissante sorcière, mais je ne possède pas la faculté de faire cesser les séismes, leur dit Carenza, découragée. Mais j'aimerais bien pouvoir consulter ma vasque.

Olsson la fit apparaître entre le feu et elle, mais elle était complètement remplie de sable. Pour lui faire plaisir, Aldaric entreprit de la vider.

– Faut-il que l'eau à l'intérieur soit magique ? demanda Salocin.

– Non, répondit Carenza. Habituellement, elle se remplit toute seule avec la pluie.

Encore une fois, Olsson laissa errer son esprit, mais vers l'est, cette fois. Au Royaume d'Eltanine, c'était le déluge. Il n'eut aucun mal à trouver un seau plein jusqu'au bord. Il le transporta jusqu'à Aldaric.

– Il faudra m'apprendre à faire ça, indiqua le sorcier blond en essayant de verser l'eau dans la vasque malgré le plancher qui le faisait valser.

– Il ne sera pas facile d'y voir quoi que ce soit si la surface ne cesse de frémir, déplora Maridz.

– Lorsqu'elle décide de me répondre, rien ne la perturbe, affirma Carenza.

Voyant qu'il n'y avait pas encore assez d'eau pour la remplir complètement, Olsson retourna le seau d'où il venait et le ramena plusieurs fois. Tout comme la clairvoyante l'avait annoncé, même si toute la forteresse était fortement agitée par le séisme, le contenu du bassin magique devint aussi lisse qu'un miroir.

– J'ai eu peur qu'elle ait été abîmée, lâcha Carenza, soulagée.

– Dis-nous ce qui se passe à l'extérieur, exigea Wallasse.

La sorcière passa une main au-dessus de l'eau en s'agrippant au bord de la valve avec l'autre. C'était la première fois qu'elle procédait à cette opération dans des conditions aussi lamentables.

Les premières images que leur livra la vasque leur coupèrent le souffle. Dans l'espace, deux hommes volants s'affrontaient à coups d'éclairs et de serpents électriques...

LA FIN DU MONDE

La gravité artificielle que Lessien Idril maintenait de son mieux sur la planète des humains était loin d'être idéale. Si elle les y gardait en vie en continuant de leur fournir de l'oxygène, elle était incapable d'en contrôler les conditions climatiques. C'était le chaos partout. La déesse-louve gardait un œil sur la planète et l'autre sur le combat qui opposait la lumière à l'obscurité à l'extérieur du système solaire. «Il ne faudrait pas que ça dure trop longtemps», espéra-t-elle.

À la forteresse d'Antarès, le docteur Eaodhin se trouvait dans son bureau, en train de consulter les diagnostics des médecins de l'urgence, lorsque le plancher s'était mis à bouger sous ses pieds, d'abord légèrement, puis de plus en plus violemment. Les livres sur les étagères de sa bibliothèque avaient commencé à tomber sur le tapis les uns après les autres, puis ce furent les tableaux suspendus aux murs. Eaodhin déposa les dossiers et se saisit de la photographie encadrée de son défunt mari pour la serrer contre son cœur. Les ampoules se mirent à clignoter dans ses lampes, puis s'éteignirent complètement. Elle resta quelques minutes dans le noir avant que s'allument les tubes d'urgence au plafond. La dernière fois qu'un séisme s'était produit à Antarès, elle étudiait encore à l'université.

En gardant Harper contre elle, Eaodhin se rendit tant bien que mal jusqu'à la fenêtre, même si elle savait pertinemment que personne ne devait s'approcher des carreaux pendant un tremblement de terre. Elle voulait juste voir ce qui se passait dehors. Il était un peu plus de midi et pourtant, on aurait dit qu'il était plutôt minuit. De gros nuages sombres roulaient au-dessus des villes environnantes.

– Ils n'annonçaient rien de tel à la météo, ce matin, se rappela-t-elle.

Elle revint à sa table de travail, s'empara du récepteur de son stationarius et composa le numéro de la police, pour finalement s'apercevoir que la ligne était inexistante.

– C'est plus grave que je le croyais.

La porte s'ouvrit brusquement.

– Viens vite ! la pressa Philippa, son adjointe. C'est le moment de mettre en pratique tout ce que nous avons appris lors des rencontres sur les mesures d'urgence à la forteresse.

– Nous devons d'abord penser à nos patients.

– Les infirmiers sont en train de les transporter dans les bunkers. Maintenant, nous devons y aller aussi.

Voyant que sa patronne ne bougeait pas, Philippa la saisit par le bras et la força à la suivre dans les couloirs également éclairés par les tubes au néon.

Dans l'immeuble de la police, la panne électrique avait paralysé les écrans ainsi que tous les moyens de communication. Le séisme menaçait également de jeter l'équipement par terre. Dès les premières secousses, Kennedy avait quitté son bureau pour se diriger vers la grande salle de surveillance en s'accrochant aux cadres de portes. Elle baignait dans la luminosité fantomatique des néons.

– Attachez les ordinis et les écrans avec les courroies qui se trouvent dans vos tiroirs, comme on vous l'a enseigné lors des rencontres sur les mesures d'urgence ! ordonna l'inspecteur en chef.

Il aida les plus jeunes à sécuriser leur équipement et fit le tour de toutes les stations pour s'assurer que les sangles étaient correctement serrées.

Des sirènes, actionnées par manivelle, se mirent à retentir un peu partout dans la ville couverte et Kennedy ne pouvait même pas décréter l'état d'urgence puisque le système de haut-parleurs ne fonctionnait pas. « Il faudra que je demande aux savants d'inventer quelque chose qui ne dépendrait pas de l'électricité », grommela-t-il intérieurement.

Étant donné qu'il était inutile de garder les constables à ne rien faire dans l'immeuble, Kennedy les déploya aux points stratégiques de la forteresse afin de rassurer la population, de protéger les commerces et de gérer les crises qui allaient très certainement survenir. Dès qu'ils furent tous partis, le chef tenta encore une fois d'utiliser le stationarius qui devait le mettre en communication immédiate avec le responsable de la centrale électrique, mais la ligne était morte. Il décida donc de quitter l'immeuble à son tour.

Dans l'avenue principale qui traversait le complexe, les marchands avaient refermé les panneaux métalliques de leur boutique. Les gens couraient partout, en état de panique. Ils ne savaient plus où aller. Les constables avaient beau leur dire que les trains étaient immobilisés en raison des nombreuses pannes du réseau de signalisation et d'aiguillage, ils se précipitaient quand même dans la grande cour avec leurs valises. Kennedy décida de les suivre, mais au lieu de se diriger vers le poste des diligences où s'entassaient les passagers qui n'iraient nulle part, il grimpa sur la passerelle en s'accrochant fermement à la rampe. Une fois tout en haut, il constata que le temps était à l'orage. Des éclairs fulgurants déchiraient les nuages noirs. Pire encore, aussi loin que pouvait regarder le policier, toutes les villes qui s'étendaient autour des murailles étaient également privées d'électricité. Mais ce qui le surprit davantage, ce fut le vent glacial qui balayait la région. « Mais qu'est-ce qui nous arrive ? »

Dans les laboratoires, Odranoel était en train de noter ses dernières observations dans son cahier d'expériences quand le sol avait commencé à trembler. Il avait levé la tête, étonné. Tout ce qui se trouvait sur ses étagères vacillait et allait bientôt se retrouver sur le sol. Heureusement, il n'y avait rien de cassant sur les tablettes. Toutefois, le plafond, lui, était composé de panneaux de verre. « Si je reste ici, je risque d'être tué », comprit-il. Il abandonna son travail, s'empara d'une lampe de poche et en fit tourner la manivelle tout en se dirigeant tant bien que mal vers la sortie. Il y avait des tubes d'éclairage d'urgence dans les couloirs, mais pas dans les laboratoires, pour des raisons de sécurité. Il tomba sur les apprentis qui sortaient des diverses salles comme un troupeau de lemmings.

– Pas de panique tout le monde, les calma l'inventeur en remontant la colonne. Nous savons tous quoi faire en cas de désastre et de catastrophe. Nous allons nous réfugier dans la salle d'essai des explosifs que rien ne peut détruire. Il y a de l'eau et des rations de nourriture dans les compartiments du plancher.

Les jeunes gens le suivirent en lui marchant presque sur les talons.

Dès les premières secousses de la terre, les Manticores s'étaient réunies autour des feux pour attendre les ordres de leur commandante. La région avait subitement été enveloppée dans l'obscurité. Il n'était évidemment pas question qu'elles se réfugient dans leurs abris de grosses pierres, qui auraient pu s'effondrer sur leur tête.

– Est-ce que tout le monde est là ? demanda Priène en conservant son équilibre de son mieux.

– Le compte est bon, confirma Riana.

– Suivez-moi. Nous allons nous rendre sur la colline, premièrement parce qu'il n'y a aucun arbre qui pourrait s'abattre sur nous et, deuxièmement, pour aller voir si ce sont les Aculéos qui sont responsables de ce chaos. Accrochez-vous à plusieurs personnes pour ne pas vous retrouver face contre terre.

Samara prit la main droite de Rewain pendant que Tatchey saisissait l'autre. Le pauvre homme était blanc de peur, persuadé que c'était Javad qui descendait du ciel avec ses soldats-taureaux pour s'emparer de lui et du jeune prince. Une fois que le groupe compact de Manticores fut parvenu au sommet de l'élévation, Priène leur ordonna de s'asseoir, car le séisme s'intensifiait.

– On n'y voit rien, annonça Koulia.

– C'est peut-être juste un phénomène naturel, avança Riana.

– Avec tous ces sorciers qui rôdent, j'ai du mal à le croire, répliqua Tanégrad.

– Si Baenrhée était encore en vie, elle dirait que c'est la faute de Wellan, ajouta Dholovirah.

De gros nuages noirs en provenance de l'est se formèrent au-dessus de toute la région.

– Depuis quand les tempêtes arrivent-elles de ce côté ? s'étonna Samara.

– Il serait sans doute plus prudent de se mettre à l'abri, suggéra Messinée.

– Et où pourrions-nous aller ? soupira Mactaris. Si ce ne sont pas les arbres qui nous tombent sur la tête, ce sera le toit de nos cabanes !

Samara se tourna vers Rewain.

– Ne peux-tu pas faire quelque chose pour nous protéger jusqu'à la fin du tremblement de terre ?

– Il n'y a rien que j'aimerais davantage, mais je ne sais pas comment.

– Les dieux sont peut-être puissants, mais ils sont loin d'être débrouillards, lâcha Koulia.

Un vent déchaîné obligea les Chevaliers à tous se tenir par la main pour ne pas être projetés en bas de la colline. Rewain ferma les yeux.

– Mère, si vous m'entendez, dites-moi comment secourir ceux qui m'ont sauvé la vie, murmura-t-il.

De la lumière jaillit alors du corps du dieu-zèbre. Tatchey lâcha aussitôt sa main, de peur d'être brûlé. Un dôme brillant se forma au-dessus de la tête des Manticores et descendit jusque sur le sol, les protégeant de la tempête.

– Merci, Rewain, fit Samara, soulagée.

– Pourrais-tu aussi faire quelque chose pour arrêter le tremblement de terre ? lui demanda Riana, qui sautait partout comme une sauterelle, même si elle était assise parmi ses compagnons.

– En attendant qu'il découvre la recette, je vous conseille de rester accrochés à vos voisins, recommanda Koulia.

La pluie s'abattit durement sur la coupole magique. « Au moins, nous sommes au sec et le vent ne peut plus nous atteindre », s'encouragea Priène.

Dans le royaume voisin, chez les Basilics, les Chevaliers s'étaient rassemblés entre les grands sapins sous lesquels se trouvaient leurs abris. Tout en gardant Orchelle près d'elle, Chésemteh analysait la situation avec ses sens d'Aculéos. Devant elle, Locrès avait de la difficulté à rester debout, car le sol les secouait de plus en plus fort.

– C'est bien trop long pour être un tremblement de terre normal, grommela-t-il.

– Ouais, avoua la commandante.

– Nous ne sommes pas au bout de nos peines, les avertit Olbia, en pointant le ciel qui noircissait à vue d'œil.

Accrochée à la cuirasse sur son dos, sa chauve-souris ne voulait plus aller nulle part.

– Il faut nous mettre à l'abri, Ché, la pressa Trébréka.

Le vent se mit alors à souffler fougueusement, les obligeant à redoubler d'efforts pour rester debout. Mohendi sortit soudain de la forêt en s'accrochant aux troncs des arbres.

– Suivez-moi ! lança-t-il.

Chésemteh fit signe aux Basilics de lui obéir. Mohendi les conduisit dans une vieille sapinière très fournie à un demi-kilomètre du campement. Ils se regroupèrent sous les branches basses en petits groupes compacts. Locrès comprit tout de suite ce que son compagnon tentait de faire.

– Utilisez vos ceintures pour vous attacher aux troncs ! cria-t-il pour se faire entendre dans le vent qui sifflait entre les arbres.

Olbia s'arrima, puis décrocha Noctua de son dos pour la placer contre sa poitrine, où elle pourrait fermer les bras sur elle. En quelques minutes, tous furent solidement ancrés. Chésemteh s'était servie de sa ceinture pour attacher Orchelle à un sapin. Voyant ce qu'elle venait de faire, Samos lui offrit la sienne.

– Merci, mais mes bras sont beaucoup plus résistants que les vôtres. Je ferai en sorte de ne pas m'envoler.

– Ça ne fait pas très longtemps que je suis au monde, mais je ne me rappelle pas avoir traversé une pareille tempête, lâcha Trébréka, accrochée à l'arbre d'à côté.

Elle se redressa d'un seul coup.

– J'allais presque oublier ! s'exclama-t-elle.

L'Eltanienne tendit à Chésemteh son movibilis.

– Juste au cas où tu en aurais besoin.

– Très bonne idée, admit la commandante. Maintenant, tenez bon et si quelqu'un est en difficulté, n'attendez pas qu'il soit rendu dans le canal pour me le dire.

L'Aculéos se tourna vers sa mère, qui était visiblement terrorisée, mais elle ne savait pas comment la rassurer.

Chez les Chimères, les soldats revenaient en catastrophe des champs d'entraînement sous une pluie froide qui pinçait la peau lorsqu'ils virent s'envoler leurs tentes et leurs lits gonflables. Kharla sentit le vent la pousser vers la forêt. Thydrus eut la présence d'esprit de lui saisir le bras et de la ramener près de lui.

Quant à Skaïe, il avait fait un mouvement pour sauver sa tablette à dessin, mais elle lui avait échappé. Wellan utilisa aussitôt sa magie pour la retourner de façon à ce que le vent ne puisse plus la soulever, pendant qu'il attrapait Camryn de l'autre bras, car elle n'arrivait pas à résister aux bourrasques. Pour ajouter à leurs malheurs, la terre se mit à trembler comme si un volcan allait exploser !

– Wellan ! l'appela Sierra.

Il la rejoignit tout en aidant sur sa route des recrues à s'accrocher à d'autres pour ne pas s'envoler. Il déposa Camryn devant lui et la retint solidement par l'épaule.

– Peux-tu faire quelque chose ? demanda la grande commandante.

Il ferma les yeux et visualisa une immense tente d'énergie au-dessus de tout le campement, puis la fit descendre et l'enracina magiquement dans le sol. La pluie cessa aussitôt de fouetter les soldats.

Ils avaient tout de même de la difficulté à rester debout en raison du séisme, mais ils étaient à l'abri des intempéries. Wellan remplaça toutes les braises par des feux magiques qui n'émettaient pas de fumée.

– Dis-moi ce qui se passe, exigea Sierra.

– On dirait une tempête déclenchée par un phénomène surnaturel.

– Il a presque raison, l'appuya Skaïe en consultant sa boussole, dont l'aiguille s'affolait. C'est une tempête magnétique.

– Une quoi ? s'étonna Slava.

– C'est ce qui se produit quand la planète est bombardée de rayons solaires qu'elle n'arrive plus à contenir. Ça peut créer toutes sortes d'anomalies.

– Combien de temps dure ce type de tempête ? s'enquit Sierra.

– Entre quelques heures et plusieurs jours, en théorie.

– Plusieurs jours ? s'alarma Kharla.

– Je vais aller chercher mon movibilis, annonça la commandante.

– Je doute que ces appareils fonctionnent avec toutes ces interférences électriques, l'avertit Skaïe.

Des éclairs se mirent à sillonner le ciel au-delà de la barrière invisible.

– Waouh ! s'exclama Camryn. On dirait les candelas que le palais offre le jour de l'anniversaire de la haute-reine ! Sauf qu'il est en noir et blanc !

– Peux-tu me dire ce qui se passe dans les autres divisions grâce à ta magie ? demanda Sierra à Wellan.

Il tenta d'utiliser ses facultés, mais porta aussitôt ses mains à sa tête en grimaçant.

– Mes pouvoirs de télépathie refusent de quitter mon esprit...

– Au moins, tu peux nous protéger de la pluie et du vent, le consola Antalya.

– Si tu te rendais avec ton vortex chez les Basilics, par exemple, est-ce que ce dôme brillant resterait au-dessus de nos têtes ? s'enquit Sierra.

– Je crains que non.

– Alors, il reste ici, décida Antalya.

– Je suis certaine que tous les campements survivront, tenta de les apaiser Cercika.

– Espérons que les Aculéos, eux, mourront tous ! souhaita Camryn.

– Viens t'asseoir et conserve ton énergie, lui conseilla Dashaé. C'est ainsi qu'une guerrière est vraiment efficace.

Camryn, qui voulait à tout prix devenir Chevalier, se défit de Wellan et alla s'asseoir près d'elle. Sierra décida de suivre son exemple et s'assit en tailleur devant un des feux. Matheijz lui tendit alors une tasse de thé. La commandante ne put s'empêcher de sourire, car avec la terre qui n'arrêtait pas de les secouer, il ne lui serait même pas possible de la porter à ses lèvres. Tentant toujours de maintenir son équilibre, Wellan se demanda comment Ilo s'en sortait dans cette terrible tempête.

Chez les Salamandres, les choses se passaient autrement. En voyant arriver les nuages, les Chevaliers s'étaient préparés à danser sur la plage. Dans sa hutte, Massilia éprouvait l'envie de se joindre à elles, mais elle hésitait à laisser les enfants seuls avec Sappheiros pendant la tempête. Les éclairs se multipliaient, faisant sursauter Azurée et Argus.

– Ce n'est pas une tempête ordinaire, devina le dieu ailé. Ne sortez pas.

– Massi, j'ai peur, pleurnicha la petite.

La Salamandre grimpa dans le lit avec les enfants et les serra contre elle.

– *Elle* ne laissera rien vous arriver. *Elle* vous l'a promis.

Les soldats étaient en train de se trémousser sur le sable dans l'obscurité quand le sol se mit à trembler avec violence. Un premier éclair tomba dans la rivière avec un bruit assourdissant, puis un deuxième. Alésia arrêta de danser, alarmée. Un troisième éclair la persuada de mettre fin au rituel.

– Abritez-vous ! hurla-t-elle.

– Mais... protesta Gavril.

– Obéissez-moi !

Les Salamandres coururent se réfugier dans leurs huttes. La foudre fut alors remplacée par une forte pluie qui flagella les retardataires. Puis le vent se mit de la partie et secoua les huttes avec force. Quelques minutes plus tard, les tambours avertirent les soldats qu'ils devaient suivre le protocole de survie. Massilia sauta sur le sol et poussa le coffre de Sierra sur le côté, révélant une trappe.

– Il faut descendre là-dedans, dit-elle à ses protégés.

Elle fouilla dans les affaires de la grande commandante, trouva des lampes de poche, les chargea en tournant les manivelles et les donna aux deux enfants. Puis elle aida Sappheiros à se lever. En éclairant les étroites marches, Azurée et Argus descendirent dans les profondeurs de la terre. Derrière eux, Massilia soutint le blessé jusqu'en bas et remonta fermer la trappe, qu'elle immobilisa avec une barre de fer qu'elle glissa dans les anneaux soudés à la porte.

– Est-ce que tous les Chevaliers sont en train de faire la même chose ? demanda Sappheiros, assis sur le sol, ses deux enfants collés contre lui.

– *Elle* ne le sait pas, mais *elle* pourrait aller voir.

– Surtout pas. Je voulais juste savoir si c'est une procédure collective.

– C'est comme ça chez les Salamandres. Pour les autres divisions, *elle* l'ignore.

Massilia prit place avec eux.

– Nous sommes en sécurité, ici.

– Combien de temps resterons-nous dans ce trou ? demanda Argus.

– Jusqu'au message des tambours qui nous dira que nous pouvons sortir... ou si nous avons trop faim.

Pour ne pas se retrouver seule dans son bunker souterrain, Alésia avait suivi Nienna et ses compagnes dans le leur. Elles étaient à l'étroit, mais elles ne s'en plaignirent pas. La commandante tenta de communiquer avec Sierra à l'aide de son movibilis, mais il refusa de fonctionner.

En apercevant les nuages menaçants qui semblaient descendre de façon verticale sur Girtab, Kiev avait mis fin aux exercices et renvoyé tous les Deusalas dans leurs grottes. Sage et Azcatchi venaient à peine de réintégrer la leur lorsque le sol se mit à trembler. Ils restèrent à l'entrée de leur caverne pour observer la tempête en s'accrochant aux aspérités dans les murs.

– Ce n'est pas normal, laissa tomber Azcatchi.

– J'allais justement le dire, fit Sage. Ces cavernes sont-elles suffisamment solides pour supporter la violence du séisme ?

– Jusqu'à présent, rien ne nous est tombé sur la tête.

Sage tenta de communiquer télépathiquement avec Océani et fut assailli par un terrible mal de tête. Dans sa grotte, le dieu ailé était en train de regarder dehors, lui aussi. Le ciel d'encre était déchiré d'éclairs aveuglants et l'océan était déchaîné. Il appuya la main sur le mur et sonda la falaise. Il constata alors avec soulagement que le roc, vieux comme le monde, tenait le coup. Il n'aurait donc pas besoin de rassembler les Deusalas sur la grande place pour leur procurer un abri magique. Il essaya de contacter Nemeroff, en vain.

Sur le seuil de sa caverne, en compagnie d'Eanraig, le dieu-dragon observait le ciel en se demandant ce qui pouvait bien se passer.

– Est-ce Javad ? s'inquiéta le jeune homme.

– Je ne connais pas encore très bien ce monde, avoua Nemeroff, mais je ne crois pas que Javad causerait toutes ces perturbations atmosphériques s'il avait envie de nous atta-quer. Même ses chauves-souris seraient incapables de voler dans une telle tourmente. Dès qu'elle se calmera, nous nous rendrons chez Océani pour nous en assurer.

Dans leur abri, à l'écart de tous les autres, Kiev et Mikéla n'aimaient pas non plus sentir le sol bouger sous leurs pieds.

– Je vais aller voir ce qui se passe, murmura le jeune homme.

– Ne me laisse pas seule ici, l'avertit sa compagne.

– Viens. Surtout ne lâche pas ma main. Nous allons raser le mur.

Ils s'envolèrent en direction de la caverne de Sandjiv, mal-menés par le vent qui risquait à tout moment de les écraser contre la falaise. Ils tombèrent à genoux à l'entrée du palais, trempés jusqu'aux os.

– Mon père ne pourra pas te renseigner, l'avertit Mikéla.

– Je sais. Mais il te protégera jusqu'à mon retour.

– Ne retourne pas là-dedans.

– Je dois trouver des réponses.

Il l'embrassa longuement sur les lèvres puis se laissa tom-ber dans le vide même si la jeune fille tentait de le retenir.

Puisque les Aculéos vivaient dans des galeries profondé-ment enfouies dans le sol, ils ne ressentirent pas la véhémence des éléments de la même façon que les humains. Leur falaise était un immense bloc de roc qui avait toujours su résister aux caprices de la nature. Seuls les hommes-scorpions qui se trouvaient en surface furent incommodés par le blizzard provoqué par les vents impétueux. Ils se mirent rapidement à l'abri dans les tunnels en se demandant si les entrées seraient obstruées par la neige lorsque la tempête serait terminée.

Dans l'Éther, le palais et la cité céleste subissaient à peu près le même sort que les habitants de la planète. En volant dans tous les sens, les débris de la planète morte passaient de chaque côté du monde des dieux en le faisant valser dans tous les sens. Les quelques serviteurs qui se trouvaient dans l'immeuble sphérique avaient fui pour aller se réfugier dans leur maison, croyant qu'ils y seraient davantage en sûreté.

Javad avait poussé les portes qui menaient à la plateforme. Il avait tout juste eu le temps de voir le feu d'artifice dans le ciel noir, mais sans comprendre qu'il était causé par Patris et Tramail qui s'affrontaient sans merci, lorsqu'un violent vent d'énergie avait frôlé le palais en le faisant pencher sur le côté. Javad avait glissé jusqu'au mur opposé, où il s'était frappé le dos.

« S'il était là, Tatchey me dirait sans doute que cette colère du ciel est provoquée par des dieux inconnus qui viennent me punir pour le meurtre de mes parents », songea Javad, amusé. Il remonta le couloir en marchant sur le mur qui remplaçait désormais le plancher en se demandant si les Deusalas étaient suffisamment puissants pour causer un tel cataclysme.

LE PORTEUR D'ESPOIR

Incapable d'utiliser son vortex, Kiev dut se résoudre à affronter la tempête pour se rendre à la grotte d'Upsitos, sans songer qu'il aurait pu être électrocuté par les éclairs ou tomber dans la mer à cause d'un surplus d'eau sur ses ailes. Elles commençaient d'ailleurs à devenir très lourdes et le jeune homme devait dépenser une incroyable quantité d'énergie pour continuer de les faire battre. Lorsqu'il arriva finalement à destination, il s'effondra par terre et haleta. Il secoua une dernière fois ses plumes et fit disparaître ses ailes. Épuisé, il rampa à l'intérieur de la caverne. Il s'appuya le dos contre la paroi et reprit d'abord son souffle. La terre tremblait sous ses pieds, mais il n'avait pas peur.

Dès qu'il s'en sentit la force, il s'enfonça dans le tunnel en allumant ses paumes. Il inspecta rapidement tous les bas-reliefs et s'arrêta devant de nouvelles scènes. Sappheiros était couché sur un lit, ses deux enfants à ses côtés. Un peu plus loin, il le vit marcher en s'appuyant sur une canne.

Lorsqu'il arriva aux derniers tableaux, Kiev fut frappé d'horreur. Lizovyk se trouvait sur une plage, au beau milieu de la même tempête qu'il venait de combattre ! Il éclaira rapidement la scène suivante : Lizovyk pénétrait dans une des huttes des Salamandres.

– Non ! hurla Kiev.

Il le vit ensuite arracher une trappe dans le sol. Tout en bas de l'escalier se trouvaient Sappheiros, Argus et Azurée tandis que Massilia fonçait dans l'escalier pour s'en prendre au sorcier. En retenant son souffle, Kiev consulta la dernière gravure. Un éclair jaillissait de la main de Lizovyk et frappait Massilia en pleine poitrine...

– Je dois l'empêcher de faire ça !

Plusieurs fois, il tenta de faire apparaître son vortex, mais les interférences magnétiques l'en empêchèrent.

– Aidez-moi ! supplia-t-il en se laissant tomber à genoux.

Des larmes coulaient maintenant à grands flots sur ses joues, car s'il n'intervenait pas bientôt, son mentor, ses petits et la Salamandre qui avait si bien pris soin de lui allaient périr.

Dans l'Éther, son cri de désespoir fut entendu par le créateur de l'univers. Sans comprendre comment, Kiev se retrouva sur la plage où il désirait se rendre ! La pluie s'abattit durement sur lui et des éclairs ne cessaient de s'enfoncer dans le fleuve avec grand fracas. Dans la lumière qui en jaillissait, il vit les abris circulaires des Chevaliers malmenés par le vent. Certains avaient même été arrachés de leurs piquets. Kiev ne savait plus lequel abritait Sappheiros.

En combattant le vent avec courage, il s'avança vers le village. Il n'était plus qu'à quelques pas des huttes lorsqu'il capta l'énergie maléfique du sorcier. Il se précipita dans celle qui se trouvait directement devant lui. Un éclair illumina l'intérieur de l'abri, où il n'y avait personne.

« Il n'a pas encore ouvert la trappe », s'encouragea Kiev. « Je peux encore modifier l'avenir. »

– Tu n'es pas le dieu que je suis venu tuer, mais ça me fera plaisir de t'éliminer en premier, cracha Lizovyk.

Kiev fit volte-face. Un éclair lui révéla le visage hideux de l'homme qui se tenait dehors sous la pluie.

– Je suis le dernier que tu verras, sorcier, rétorqua le jeune dieu ailé en s'avançant vers lui.

– Tu oses me défier, avorton ?

– Mieux que ça : je vais mettre fin à ton règne de terreur une fois pour toutes ! tonna Kiev en se plantant à quelques pas de lui.

– Si tu désires mourir, c'est ton choix.

– Vraiment ? fanfaronna Kiev. Je suis un dieu. Tu n'es qu'un mage noir.

– Je suis un Immortel !

Lizovyk chargea ses mains. À sa grande surprise, son adversaire demeura imperturbable. Kiev se rappela tout ce que ses mentors lui avaient enseigné et, à la dernière seconde, il leva son bouclier, déviant ainsi les tirs du sorcier. La tempête continuait de faire rage autour d'eux. Les deux hommes avaient du mal à rester debout et l'eau coulait sur leur visage, mais ils étaient si concentrés sur leur duel qu'ils ne s'en préoccupaient plus.

Kiev laissa Lizovyk l'attaquer sans merci en préparant sa propre charge. Il regretta pendant un instant de n'avoir pas apporté son épée, qui lui permettait de canaliser toute son énergie. Il guetta une ouverture en espérant que ses mains ne lui feraient pas faux bond. Tout à coup, une retentissante explosion se fit entendre en même temps que tout le ciel s'illuminait comme en plein jour, signalant sans doute que la foudre venait de frapper à proximité. Kiev profita de ces quelques secondes pour laisser partir deux rayons ardents qui frappèrent Lizovyk en pleine poitrine juste au moment où il s'apprêtait à lancer ses boules de feu. Le sorcier fut projeté plus loin sur le sable et tomba sur le dos.

Méfiant, Kiev attendit qu'il se relève, mais il n'en fit rien. « Est-il en train de me tendre un piège en faisant semblant d'être mort ? » se demanda-t-il. En gardant son équilibre de son mieux, il avança tout de même de quelques pas pour se rapprocher de son adversaire toujours immobile sur la plage.

Les paumes allumées, les traits crispés, Kiev ne ressemblait plus à un adolescent. En fait, s'il avait pu se voir, son attitude lui aurait tout de suite fait penser à celle d'Océani lorsqu'il partait en guerre.

À ses risques et périls, Kiev s'avança suffisamment près de Lizovyk pour constater, à la lumière des éclairs, qu'il souffrait. Il vit aussi la blessure encore fumante au milieu de son corps. «Qu'est-ce que je dois faire maintenant?» se demanda-t-il.

Upsitos apparut alors près de lui, appuyé sur son bâton de marche.

– Il n'y a plus aucun doute sur ton identité, jeune dieu.

– Je l'ai vaincu?

– De façon tout à fait loyale. Il ne te reste plus qu'à laisser partir son âme et je te conseille de le faire rapidement, car même un Deusalas peut être victime de la foudre.

– Je ne sais même pas comment.

– Incinère-le.

– Mais il n'est pas encore mort!

– Fais-le... lui parvint la voix souffrante du sorcier.

– Je ne suis pas un meurtrier, protesta Kiev.

– Libère-moi des griffes de Tramail...

Profondément attristé, Kiev fit jaillir le feu de ses mains en pleurant. Malgré la pluie, les vêtements de Lizovyk prirent feu. Il ne poussa même pas un seul cri de douleur alors que les flammes dévoraient sa peau. En quelques secondes, il ne resta plus rien de lui. Kiev se tourna vers Upsitos pour trouver un peu de réconfort, mais il avait disparu. *Ne reste pas là*, fit la voix du vieillard dans son esprit.

Bouleversé, Kiev retourna dans la hutte en se traînant les pieds. Le vent tentait toujours de l'arracher de ses piquets.

– Sappheiros! appela-t-il en s'essuyant le visage.

Sous ses pieds, Sappheiros se redressa.

– Est-ce une voix qu'*elle* est encore la seule à entendre? demanda Massilia.

– Pas celle-là. C'est Kiev. Nous devons remonter à la surface.

– *Elle* ne peut pas ouvrir la trappe avant que les tambours lui disent de le faire.

– Kiev ! Je suis dans un abri souterrain avec les enfants et Massilia.

Le jeune homme repoussa ses mèches trempées derrière ses oreilles et éclaira le sol. Il aperçut alors la trappe carrée près du coffre. Il s'empara de la poignée et tira dessus en vain. Elle refusa de s'ouvrir.

– Elle est bloquée !

Sappheiros prit les mains de la Salamandre.

– Massi, je t'en conjure. Tu dois laisser entrer Kiev.

– Bon, d'accord, mais juste lui.

Elle gravit l'escalier, fit glisser la barre de métal et poussa sur la trappe. Elle s'ouvrit juste au moment où le vent emportait la hutte. Kiev se précipita à l'intérieur et dévala l'escalier pendant que Massilia utilisait toute sa force pour barricader à nouveau la porte. Kiev se jeta à genoux devant Sappheiros et l'étreignit.

– Je suis si content de te retrouver en vie !

– Mais *elle* n'aurait rien laissé lui arriver, affirma la Salamandre en arrivant derrière lui.

– Quand j'ai vu sur les murs de la grotte d'Upsitos que Lizovyk se dirigeait ici pour te tuer, je me suis précipité à ton secours.

– Pas encore ! s'exclama Argus.

– On se calme, recommanda Massilia en reprenant place entre les enfants. Il ne pourra jamais descendre jusqu'ici.

– Surtout que je l'ai tué, précisa Kiev.

– Quoi ? s'étonna Sappheiros.

– Ne me demande pas comment c'est possible, je l'ignore. Je ne comprends pas comment j'ai réussi à le terrasser seul alors que plusieurs d'entre nous n'y sont pas parvenus sur la place de rassemblement.

Sappheiros demeura muet pendant qu'il analysait toute cette information.

– La seule explication logique, c'est que celui qui nourrissait les pouvoirs de ce sorcier l'a soudainement abandonné, lui dit-il finalement.

– Maintenant que j'y pense, il y a eu une gigantesque explosion juste avant que je le terrasse... J'ai cru que c'était la foudre. Les dieux fondateurs auraient-ils eu raison de Tramail ?

– Nous l'espérons tous.

– Cette tempête infernale et ce tremblement de terre qui n'en finit plus pourrait-il avoir quelque chose à voir avec ce combat ?

– Je ne possède pas toutes les réponses, Kiev.

– Massi non plus, déclara la Salamandre.

– Elle en a de meilleures, plaisanta Argus.

– C'est vrai qu'elle est plutôt exceptionnelle, avoua Sappheiros.

Ils entendirent alors les tambours.

– Ça y est ! s'exclama Massilia. Nous pouvons sortir !

Elle gravit l'escalier quatre à quatre et délogea la barre avant de repousser la trappe avec force. Le soleil l'aveugla.

– Oh, il n'y a plus de hutte, se désola-t-elle.

Elle se retourna et constata que Sappheiros remontait à la surface sans aucune aide. Les enfants le suivaient et Kiev fermait la marche.

– Tu n'as même pas pris ta canne, lui fit remarquer la Salamandre lorsqu'il arriva à l'air libre.

– Mieux encore, je me sens en pleine forme, tout à coup.

Ils jetèrent un œil autour d'eux. Le vent avait tout emporté du côté des enclos.

– Les chevaux ! s'exclama Massilia.

– Ils vont bien, l'informa Domenti en passant devant les ruines. Je me suis occupé d'eux pendant la tourmente.

Alésia demanda à Gavril et à Pergame de battre sur leurs tambours le rythme qui ordonnait aux Salamandres de commencer à reconstruire leur village dans les plus brefs délais.

Sappheiros fit quelques pas sur la plage et ferma les yeux en laissant le soleil lui réchauffer la peau. Puis, d'un seul coup, il fit apparaître ses belles ailes blanches. Un sourire de bonheur apparut sur le visage de Kiev qui arrivait derrière lui.

– Je crois bien que la mort de Lizovyk m'a libéré de son sortilège, annonça l'aîné.

Massilia se précipita dans ses bras et le serra de toutes ses forces.

– Ne pars pas... l'implora-t-elle.

– Nous voulons rester ici ! renchérirent les enfants en se pressant contre les adultes.

– Dans ce cas, je vais faire un marché avec vous, proposa Sappheiros.

– Nous t'écoutons, fit Argus avec un air sérieux.

– Je vais retourner chez les Deusalas le jour pour les aider à préparer leur défense contre leurs ennemis et je reviendrai manger le dernier repas du jour avec vous.

– Ce n'est pas suffisant, répliqua Azurée en faisant la moue. Il n'est pas question que tu retournes dormir avec eux.

– C'est un bon compromis, accepta-t-il. Et, avant de repartir avec Kiev, nous allons vous donner un coup de main, sinon vous serez forcés de dormir à la belle étoile, ce qui n'est pas très prudent.

– Tu as raison, admit Argus.

– Allons voir si nous pouvons retrouver et sécher les lits.

– Tiens, ce sera intéressant, commenta Kiev. Je n'ai jamais utilisé ma magie de cette façon.

Ils passèrent finalement la journée entière à récupérer tout ce que le vent avait dispersé dans la forêt, y compris les huttes.

Chaque fois qu'ils en ramenaient une, ils laissaient les Salamandres l'amarrer à sa place.

– Il y en a encore des centaines d'autres à retrouver jusqu'au nord, leur dit Alésia lorsque le soleil commença à décliner.

– Alors, demain, je reviendrai avec de l'aide, promit Kiev.

– Papa, lui, reste ici, l'avertit Azurée. Il nous l'a promis.

– Et c'est important de tenir ses promesses. À plus tard, les enfants.

Kiev les salua et disparut sous leurs yeux. Il choisit de ré-apparaître à la lisière des arbres sur la place de rassemblement pour ne blesser personne et se félicita de sa décision car les Deusalas s'y trouvaient tous tandis que Sandjiv les rassurait de son mieux.

Mikéla brisa les rangs et sauta dans les bras de son mari.

– Où étais-tu passé ? tonna Océani en s'approchant du couple.

– Je nous ai débarrassés de Lizovyk à tout jamais.

– Quoi ? Pourquoi n'as-tu pas communiqué avec moi par télépathie ?

– Je n'en ai pas vraiment eu le temps.

– En d'autres mots, tu n'y as même pas pensé.

– Je ne suis pas encore habitué à mes facultés magiques.

– Viens nous raconter tout ça.

Mikéla passa le bras autour de la taille de Kiev et l'entraîna au milieu du rassemblement.

LA REINE

Malgré le combat qui faisait rage dans l'espace, Lessien Idril avait décidé d'agir avant que les catastrophes qu'elle captait sur la planète qu'elle essayait de maintenir en orbite ne fassent disparaître toute vie. Elle avait donc accéléré le nettoyage des débris de la planète empoisonnée et avait fait un grand détour pour éviter les charges du duel jusqu'à ce qu'elle remette enfin la planète à sa place. Elle avait même décidé de continuer à veiller sur les humains en attendant l'issue de l'affrontement.

Patris et Tramail avaient d'abord échangé des coups destinés à s'intimider l'un l'autre, puis, ayant suffisamment étudié son adversaire, le vieillard était passé à l'attaque. Il avait porté un terrible coup au dieu-pieuvre, qui avait coupé ses liens avec son sorcier sur la planète. Patris continua de le frapper sans relâche, mais Tramail était une créature résiliente. Il encaissait les faisceaux d'énergie en poussant des cris de rage, car il n'avait pas le temps de riposter. Les deux divinités possédant la même puissance, la bataille risquait d'être longue. Malgré tout, les dieux fondateurs restaient à leur poste, prêts à seconder leur père à la moindre défaillance. Jusqu'à présent, il semblait bien s'en tirer malgré son âge vénérable.

– Capitule, Tramail ! le somma Patris.

– Jamais ! hurla le dieu-pieuvre, fou de rage.

Le vieillard tournait autour de lui, l'obligeant à pivoter sur lui-même pour ne pas le perdre de vue. C'est ainsi que Tramail s'aperçut que la planète des humains était retournée à sa place et qu'il avait été dupé. Cet instant de distraction causa sa perte. Patris, qui avait toujours condamné la violence, n'eut finalement plus le choix. S'il ne faisait pas disparaître Tramail à tout jamais, il continuerait d'anéantir une galaxie après l'autre. Il aurait bien aimé que les voix approuvent sa décision, mais elles demeurèrent muettes.

Le cœur lourd, il remplaça la lumière blanche de son sceptre par une lumière bleutée et laissa s'en échapper des milliers de serpents électrifiés. Ils foncèrent vers leur proie et plantèrent leurs crocs dans la chair de Tramail partout où ils le pouvaient. Celui-ci se mit à se tordre de douleur en cherchant à s'en défaire, mais ils étaient trop nombreux et, en très peu de temps, les serpents le dévorèrent vivant avant de disparaître un à un. Puis, ce fut le silence.

Patris retourna sur sa comète, la tête basse. Ses enfants comprirent que c'était là le signal qu'ils attendaient. Ils abandonnèrent tous les mondes sur lesquels ils avaient temporairement veillé et se massèrent devant leur père.

— Je vous remercie d'avoir minimisé les pertes, commença le vieillard. En unissant nos forces, nous avons évité une terrible tragédie. Je m'attriste à la pensée qu'autant d'univers aient disparu sous les tentacules de Tramail avant qu'Aéquoréa m'informe enfin de cette menace. Dorénavant, nous devrons exercer une surveillance accrue de nos galaxies respectives pour que cela ne se reproduise plus jamais.

— L'avez-vous vraiment expédié dans le monde des morts ? voulut s'assurer Strigilia.

— Je ne sais pas où vont les âmes des viles créatures, mon fils, mais je peux toutefois t'affirmer qu'il n'en reviendra jamais. Retournez chez vous et semez l'amour et l'harmonie dans vos mondes comme je vous l'ai enseigné il y a fort longtemps.

Les dieux fondateurs se courbèrent respectueusement devant lui. Ils s'étreignirent mutuellement avec affection avant de se transformer en resplendissantes étoiles qui filèrent chacune de leur côté. Pour sa part, Patris resta encore un peu sur la comète. Il prit un moment pour faire disparaître l'énergie toxique des débris qui filaient encore à l'extérieur du système solaire, puis les réduisit en poussière.

Il laissa ensuite son esprit errer sur chacune des planètes pour s'assurer qu'elles n'avaient pas besoin de son aide et s'arrêta finalement sur celle des humains. Des images de son dernier séjour chez les Eltaniens lui revinrent en mémoire. Il y avait longtemps qu'il avait uni sa vie à celle d'Arria devant le roi de jadis. Tous ceux qu'il avait connus étaient sans doute morts depuis longtemps. Malgré tout, il ne résista pas à la tentation d'aller voir si ce peuple était toujours aussi merveilleux.

Il apparut à l'endroit où il avait rencontré sa compagne, mais choisit de demeurer invisible afin de ne pas perturber ces gens uniques. Il se réjouit de constater que les Eltaniens n'avaient pas trop souffert de la tempête. Ils avaient mis leurs animaux en sûreté dans des ravins d'où ils les faisaient justement sortir. Leurs solides maisons avaient été secouées en même temps que la cime des arbres, mais elles avaient résisté à la tempête. La vie reprenait lentement son cours. Il ne sentit aucune animosité, aucune souffrance. «Arria ne se plaint jamais non plus», songea Patris. «Elle fait ce qu'elle doit avec simplicité sans jamais se questionner sur son avenir.» Les Eltaniens n'avaient pas du tout changé. Rassuré sur le sort du peuple de sa femme, le vieillard fonça vers l'Éther afin de retourner auprès d'elle et de lui raconter son aventure.

Complètement au nord d'Alnilam, dès que la terre eut arrêté de trembler, les Aculéos avaient cherché à remonter à la surface pour voir ce qui s'était passé. Ils s'étaient heurtés à un obstacle qu'ils n'avaient pas rencontré depuis longtemps. Tous les tunnels qui donnaient sur l'extérieur étaient bouchés par de la neige compactée. Alors, comme les hommes-scorpions n'avaient plus de pinces pour creuser, ils durent utiliser leurs mains et leurs longs couteaux pour se tailler au moins une brèche qui leur permettrait d'aller évacuer la neige à partir de l'extérieur. Planté devant le couloir qui lui permettait normalement de sortir du palais, Zakhar regardait ses hommes s'affairer, contrarié par ce contretemps qui allait retarder ses plans de conquête.

Chez les Chimères, dès que le soleil avait inondé l'abri d'énergie que Wellan avait maintenu au-dessus du campement, les soldats avaient poussé des cris de joie. Mais leur grande commandante s'était montrée plus prudente.

— Avant de retirer cet écran de protection, vérifie si tes pouvoirs de télépathie sont de retour, ordonna-t-elle à Wellan.

— Tout fonctionne à merveille, affirma-t-il.

Il fit disparaître le bouclier géant. L'air frais se remit à circuler dans le campement, mais l'enthousiasme général fit rapidement place au désarroi lorsque les soldats aperçurent les branches cassées partout sur les sentiers.

— Les chevaux ! s'alarma Cyréna.

Suivie de plusieurs Chimères, elle fonça vers la clairière où ils broutaient habituellement. Sierra se contenta de se tourner vers Wellan.

— Ils sont en train de sortir de la forêt où ils se sont abrités, lui apprit-il.

— Et les Aculéos, sont-ils morts ? lui demanda Camryn.

— Je crains que non.

— Tout le monde à la recherche des tentes ! ordonna Slava.

Prudents, les Basilics n'avaient pas réagi tout de suite quand les vents avaient subitement cessé et que le soleil avait inondé la forêt. Ils étaient d'abord demeurés immobiles et silencieux, juste au cas où ce n'était qu'un répit.

– Je pense que c'est passé, déclara finalement Samos.

– Vous pouvez vous détacher, leur permit Chésemteh.

Elle qui habituellement détestait les inventions modernes se servit tout de même de son movibilis pour communiquer avec Sierra. La grande commandante lui relata le peu qu'elle savait au sujet de cette étrange perturbation et lui promit de lui fournir plus de détails dès que Wellan en aurait appris davantage.

– Nous allons pouvoir changer les toits de nos abris ! s'exclama alors Mohendi en revenant d'un bref tour de reconnaissance. Il y a des branches cassées absolument partout !

– Nettoyez-moi tout ça, ordonna la scorpionne pour changer les idées de ses Basilics.

Elle emmena Orchelle vers le campement afin de voir dans quel état il se trouvait.

Pour sa part, Olbia resta assise sur le sol à caresser le dos de sa chauve-souris toujours blottie contre elle. Elle tremblait encore.

– Pourquoi ne vas-tu pas voir ce qui se passe là-haut, Noctua ?

Elle poussa des couinements plaintifs et se cacha la tête dans son cou.

– Bon, allons-y ensemble, si tu insistes.

L'Eltanienne se dirigea vers le canal de Nemeroff pour s'assurer que les Aculéos ne profitaient pas de l'accalmie pour les prendre par surprise.

Chez les Manticores, l'arrêt subi des violentes perturbations atmosphériques suscita plus d'appréhension que la tempête elle-même. Puisque le sol avait cessé de trembler, les soldats se levèrent les uns après les autres pour scruter le haut et le bas de la colline.

Rassuré par le retour du beau temps, Tatchey avait repris des couleurs. Il avait même lâché la main de Rewain.

— Tu es vraiment un excellent architecte, murmura Samara à l'oreille du dieu-zèbre. On dirait que toutes les maisons que tu as reconstruites à Paulbourg ont tenu le coup.

— Mais oui, c'est vrai, se réjouit-il.

— Je pense que tu peux faire disparaître le dôme, maintenant, lui dit Priène.

— Oui, bien sûr.

Le soleil leur réchauffa aussitôt la peau.

— Maintenant, il ne nous reste qu'à comprendre ce qui s'est passé, laissa tomber Koulia, les mains sur les hanches.

— Je suis sûr que Sierra le sait, répliqua la commandante. Retournons aux abris, d'où je pourrai communiquer avec elle.

— Tu aurais dû apporter ton movibilis, lui reprocha Riana.

— Il est trop lourd pour que je le porte autour du cou.

— Allons voir si notre parcours est intact ! lança Tanégrad.

La moitié du groupe s'élança derrière elle pendant que Priène conduisait les autres en direction du campement.

À la forteresse d'Antarès, la fin du tremblement de terre fut accueillie avec de profonds soupirs de soulagement dans la salle des tests d'explosifs, où les apprentis s'étaient réunis autour d'Odranoel. Ils se trouvaient bien sûr dans un endroit indestructible, mais il y avait toujours la possibilité, lorsqu'ils en sortiraient, que le monde extérieur ne soit plus que débris et désolation. Le savant se faufila entre les jeunes gens et entrouvrit la porte.

– Par tous les dieux ! s'exclama-t-il.

Les apprentis cessèrent de respirer.

– Tout est normal ! ajouta le savant avant d'éclater de rire.

– Ce n'est pas drôle, monsieur, lui reprocha l'un d'eux.

Ils passèrent tous devant lui pour se rendre à leur laboratoire en lui décochant des regards outrés. Odranoel retourna à son bureau, ravi de constater que le plafond de verre avait tenu le coup. Toutefois, le séisme avait jeté sur le plancher tout ce qui se trouvait aux murs. Il enjamba les livres et les modèles réduits d'invention pour aller s'asseoir à sa table de travail et poursuivit les entrées dans son journal comme si de rien n'était.

Kennedy se trouvait à la station des diligences lorsque l'ouragan prit fin. Avec un porte-voix, il avait tenté de son mieux de faire comprendre aux habitants terrorisés de la forteresse qu'ils risquaient moins d'être tués par les débris volants s'ils retournaient à l'intérieur. Il n'était pas question que les palefreniers sortent les chevaux de l'écurie. D'ailleurs, les trains avaient tous été immobilisés car les vents avaient renversé les locomotivus.

Le chef de la police courut jusqu'à l'avenue couverte et jeta un œil sur le toit. Il ne semblait pas y avoir d'avaries. Il décrocha aussitôt l'un des stationarius d'urgence enfermé dans une boîte en métal accrochée au mur et appela le constable de service à la réception. Personne ne lui répondit, mais il découvrit au moins que les communications étaient rétablies.

Il se hâta de revenir au poste de police et grimpa à son bureau. À partir de là, il pourrait entamer la seconde partie des opérations d'urgence, soit s'assurer que personne n'avait été blessé et que la forteresse n'avait subi aucun dommage sérieux. Ses hommes savaient quoi faire. D'ici quelques heures, ils convergeraient vers la grande salle de conférence pour lui faire leur rapport. Une fois convaincu que le calme était véritablement revenu à la forteresse, Kennedy irait ensuite consulter les savants pour tâcher de comprendre ce qui s'était passé.

À l'hôpital, Eaodhin avait obligé le personnel médical à attendre encore un peu dans les bunkers avant de les laisser reconduire les patients dans leur chambre. Elle était montée la première dans l'ascensum avec Philippa pour partir en reconnaissance. Il lui fallait s'assurer que les couloirs n'étaient pas encombrés par les débris, sinon les fauteuils roulants et les civières n'auraient pas pu y circuler.

Lorsque les deux femmes passèrent la tête par l'ouverture de la porte, elles constatèrent avec soulagement que les corridors étaient praticables. Dans les chambres, par contre, c'était une tout autre histoire. Les lits avaient été déplacés et certains des équipements s'étaient écrasés sur le plancher. Les fenêtres étaient au moins indemnes.

– Voici ce que nous allons faire, dit la femme médecin à son assistante. Nous allons installer les patients dans les couloirs pendant que les infirmiers ramasseront tout ça. Tout le monde devra être très patient, mais ce sera mieux que de passer le reste de la journée dans les bunkers.

– Tout à fait d'accord. Je m'en vais leur transmettre tes ordres tout de suite.

Philippa retourna dans l'ascensum. C'est alors qu'Eaodhin se rendit compte qu'elle tenait toujours la photographie encadrée de son défunt mari contre elle.

– Nous l'avons échappé belle, cette fois, Harper.

Elle prit une profonde inspiration et marcha jusqu'à son bureau en anticipant le pire. Elle poussa la porte et vit que tous ses livres gisaient sur le plancher, ainsi que tout ce qui s'était trouvé sur sa table de travail, mais, miraculeusement, rien n'était cassé. Elle ramassa d'abord son stationarius et déposa Harper à côté, puis entreprit de tout remettre en place.

À Mirach, dès que la forteresse avait cessé de trembler, Salocin s'était porté volontaire pour aller voir ce qui se passait. Refusant de s'en tenir à son rapport, Wallasse l'avait aussitôt suivi.

La cour était à moitié remplie de sable. D'un geste de la main, Salocin créa un tourbillon qui le retourna dans le désert. Les sorciers purent donc emprunter l'escalier en pierre et grimper jusqu'aux remparts. Il n'y avait pas grand-chose à voir : que des dunes à l'infini, mais plus aucun signe de la tempête. Même le ciel était bleu et la chaleur était redevenue accablante.

Sans échanger un seul mot, les deux hommes retournèrent à l'intérieur.

– Alors, voilà, commença Salocin. Nous pourrions essayer de retrouver l'oasis où Carenza et Aldaric s'étaient établis et leur procurer une nouvelle tente.

– Ou nous pourrions rester ici, fit Aldaric.

– Une chose est certaine, intervint Ackley, cet endroit n'appartient plus à personne.

– Le mobilier laisse à désirer, mais nous pourrions tous mettre la main à la pâte pour rendre ces pièces plus accueillantes, suggéra Shanzerr.

– Donnez-moi un moment pour y penser, déclara Carenza.

Elle sortit dans la cour à son tour et s'arrêta net en apercevant le bassin d'où la vasque avait été arrachée par les soldats des centaines d'années auparavant.

– On dirait bien que tu es enfin revenue chez toi, murmura-t-elle.

La sorcière s'approcha du bassin asséché et laissa son esprit pénétrer dans le sol jusqu'à ce qu'elle trouve les sédiments qui avaient fini par bloquer l'arrivée de l'eau. Elle les fit disparaître une couche après l'autre, jusqu'à ce que l'eau se mette à jaillir dans la fontaine. Puis elle y déplaça magiquement sa vasque et la replaça là où elle l'avait vue dans sa première vision.

– Oui, j'aime bien cet endroit, décida-t-elle.

Ses compagnons émergèrent de la forteresse un à un. C'est alors que Salocin eut une idée. Il alluma un feu magique au milieu de la cour et fit apparaître huit gros coussins moelleux tout autour.

– Mais où as-tu pris ça ? s'étonna Maridz.

– Les prêtres d'Antarès sont d'une générosité sans bornes, répondit-il avec un sourire ironique. Mes amis, je vous en prie, assoyez-vous avec moi. Nous avons mérité quelques minutes de repos avant de retourner voir dans quel état se trouvent nos antres.

À leur grande surprise, Olsson fut le premier à lui obéir. Il avait ressenti la mort de son fils, mais avait jugé inutile d'en parler aux autres pour le moment. Avant de prendre un moment pour réfléchir à tout ce qui venait de se passer, il avait besoin de se changer les idées. Shanzerr, Maridz, Aldaric, Wallasse et Ackley le rejoignirent autour du feu. Salocin se dirigea vers l'un des deux coussins encore libres et invita Carenza à s'asseoir sur le dernier. Il fit apparaître des bouteilles de vin devant tout le monde.

– Encore les prêtres ? demanda Maridz.

– Non, celles-là proviennent de mon cellier. Mais la nourriture vous est offerte par les prêtres de Mirach, qui viennent juste d'en terminer la préparation.

Des assiettes de fine porcelaine et des couverts en argent apparurent devant chacun des sorciers. Elles contenaient des filets de poisson cuits au four avec du riz et des légumes.

– Tu pourras conserver la vaisselle, dit-il à Carenza. Je te l'offre.

– Elle n'est même pas à toi, lui reprocha Maridz.

– Mangez et buvez pour célébrer notre victoire et celle des dieux fondateurs ! lança Aldaric pour éviter une autre dispute.

Ce jour-là, même ceux qui ne consommaient jamais d'alcool burent le vin à même la bouteille en se détendant pour la première fois depuis plusieurs jours.

À des centaines de kilomètres dans l'espace, le palais de Javad et la cité céleste avaient retrouvé leur équilibre. D'un seul coup, tous ses habitants étaient tombés sur le sol quand le plafond avait enfin repris sa place. Arniann n'avait pas attendu que son dieu lui ordonne d'effectuer une patrouille dans la ville pour s'assurer que personne n'était blessé. Il s'était empressé d'envoyer ses hommes dans tous les quartiers.

Javad jeta un dernier coup d'œil sur la plateforme. Le ciel avait repris sa couleur bleu clair artificielle et le calme semblait être revenu dans l'Éther. Pour se remettre de ses émotions, il retourna à son étage et se mit à boire à même la chantepleure d'un de ses tonneaux de bière.

– Te souviens-tu de moi, Javad ? lui demanda une voix féminine.

Il sursauta et referma aussitôt le robinet avant de se retourner. Il n'en crut pas ses yeux. La jeune femme aux longs cheveux bruns marcha à sa rencontre, la tête haute. Elle portait une longue robe noire serrée sur sa poitrine par un corset violet qui mettait ses courbes en évidence.

– Je suis Abélie, celle que tu as empoisonnée à Hadar avant de la laisser pour morte dans son lit.

– Alors pourquoi es-tu vivante ? réussit-il à articuler.

– Parce que malheureusement pour toi, je ne suis pas humaine.

Le dieu-rhinocéros chercha à se rapprocher du guéridon où reposait son long couteau. D'un geste de la main, la sorcière fit voler l'arme jusqu'à elle.

– C'est ça que tu cherches ?

Javad garda le silence, profondément inquiet.

– Tu n'as pas de chance, pauvre homme, parce que non seulement ton poison ne m'a pas tuée, mais il m'a rendue mille fois plus puissante qu'avant. Alors, je t'en remercie.

– Qu'attends-tu de moi, Abélie ?

– Je veux être la reine du royaume céleste.

– Une sorcière sur le trône ?

– Oui, et la mère de ton unique fils, de surcroît. Tu me dois au moins ça.

Javad perdit l'usage de ses jambes et s'écrasa sur le sol comme une poupée de chiffon.

LEXIQUE

Ascensum – ascenseur

Boliscalum – météorite

Candelas – feux d'artifice

Détector – caméra de surveillance

Frigidarium – réfrigérateur

Horologium – horloge

Kinématographie – cinématographie

Kithara – guitare

Locomotivus – locomotive

Maskila – bombe de cristal

Mistraille – mitraillette

Movibilis – téléphone sans fil

Muruscom – interphone

Notarius – notaire

Ordinis – ordinateur

Palaistra – salle d'entraînement physique

Pallaplage – volleyball de plage

Parabellum – pistolet

Parafoudre inversé – paratonnerre inversé

Pendulus – réveille-matin

Radel – radeau d'Antenaus

Réflexus – photographie

Scanographie – radiographie

Statères et drachmes – monnaie d'Alnilam

Stationarius – téléphone fixe

Véhiculum à chenille – tracteur

Vidéoxus – vidéo

À SURVEILLER EN FÉVRIER 2018

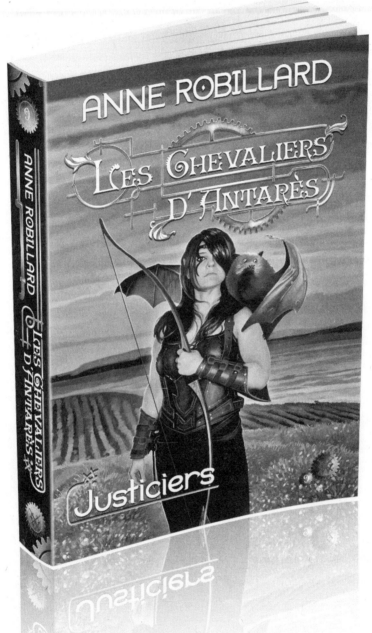

Vous êtes curieux de savoir
comment Wellan et Nemeroff
se sont retrouvés sur Alnilam ?

Découvrez-le en lisant la
saga des Héritiers d'Enkidiev !

MARQUIS
Imprimé au Québec, Canada
Octobre 2017